✓ 누적 1억 명이
선택한 비상교재

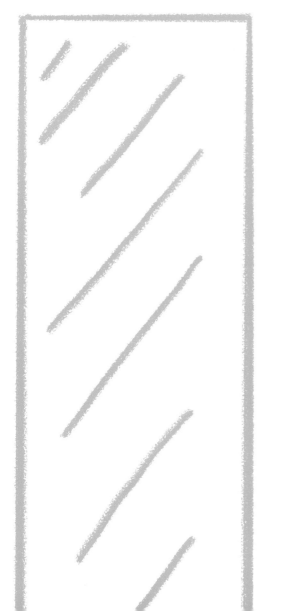

맞춤형 연산 유형 마스터

만렙 AM

고등 수학 (상)

만렙은 다르다

1 만렙은 나의 학습 수준에 맞는
문제들로만 구성되어 있다.

3
Level

2
Level

핵심 문제 중심으로 실속있게 공부한다.
☑ 나에게 필요 없는 수준의 문제는 NO
☑ 핵심만을 모은 군더더기 없는 구성으로 학습 효과 UP

PM
Pattern Master

1
Level

연산 문제 중심으로 기본기를 확실하게 다진다.
☑ 단순 반복적인 연산 문제는 NO
☑ 연산 유형을 체계적으로 구성하여 기초력 강화 UP

A^M
Arithmetic Master

2 만렙은 STEP 구분 없이 한 개념에 대한
모든 문제를 한 번에 파악할 수 있다.

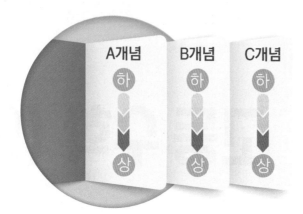

A개념
하
↓
상

B개념
하
↓
상

C개념
하
↓
상

유형도
한 번에!

문제도
한 번에!

반드시 알아야 할 핵심 개념은 자세하게!

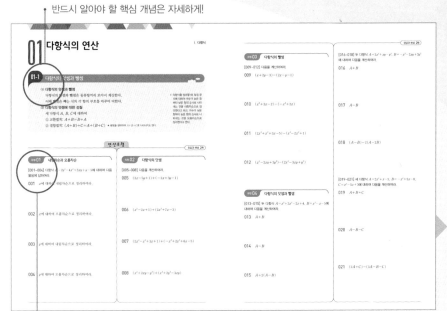

연습이 필요한 연산 문제는 유형별로!

연산 유형

기초를 탄탄히 할 수 있는
연산 문제를
유형별로 구성하였다.

구성

출제율 높은 실전 문제로 실력 확인!

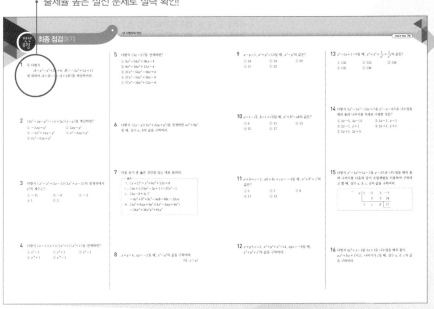

연산 유형
최종 점검하기

단원별 핵심 문제만을 모아
자신의 실력을
테스트할 수 있다.

AM의 차례

수학(하)

※ 만렙 AM 수학(하)는 별도 판매됩니다.

01

다항식의 연산

AM

01 다항식의 연산

01-1 다항식의 덧셈과 뺄셈

(1) **다항식의 덧셈과 뺄셈**

다항식의 덧셈과 뺄셈은 동류항끼리 모아서 계산한다.

이때 뺄셈은 빼는 식의 각 항의 부호를 바꾸어 더한다.

(2) **다항식의 덧셈에 대한 성질**

세 다항식 A, B, C에 대하여

① 교환법칙: $A+B=B+A$

② 결합법칙: $(A+B)+C=A+(B+C)$ ◀ 괄호를 생략하여 $A+B+C$로 나타내기도 한다.

● 다항식을 정리할 때, 특정 문자에 대하여 차수가 높은 항부터 낮은 항의 순서로 나타내는 것을 내림차순으로 정리한다고 하고, 차수가 낮은 항부터 높은 항의 순서로 나타내는 것을 오름차순으로 정리한다고 한다.

연·산·유·형

정답과 해설 **2쪽**

유형 01 내림차순과 오름차순

[001~004] 다항식 $x^3-2y^2-4x^2+3xy+y-5$에 대하여 다음 물음에 답하여라.

001 x에 대하여 내림차순으로 정리하여라.

002 x에 대하여 오름차순으로 정리하여라.

003 y에 대하여 내림차순으로 정리하여라.

004 y에 대하여 오름차순으로 정리하여라.

유형 02 다항식의 덧셈

[005~008] 다음을 계산하여라.

005 $(3x-5y+1)+(-2x+3y-1)$

006 $(x^2-2x+1)+(2x^2+7x-3)$

007 $(2x^3-x^2+3x+1)+(-x^3+2x^2+6x-5)$

008 $(x^2+2xy-y^2)+(x^2+2y^2-3xy)$

유형 **03** 다항식의 뺄셈

[009~012] 다음을 계산하여라.

009 $(x+2y-3)-(2x-y-1)$

010 $(x^2+3x-2)-(-x^2+2x)$

011 $(2x^3+x^2+3x-5)-(x^3-2x^2+1)$

012 $(x^2-2xy+3y^2)-(2x^2-3xy+y^2)$

유형 **04** 다항식의 덧셈과 뺄셈

[013~015] 두 다항식 $A=x^3+3x^2-2x+4$, $B=x^3-x-5$에 대하여 다음을 계산하여라.

013 $A+B$

014 $A-B$

015 $A+2(A-B)$

[016~018] 두 다항식 $A=2x^2+xy-y^2$, $B=-x^2-2xy+3y^2$에 대하여 다음을 계산하여라.

016 $A+B$

017 $A-B$

018 $(A-B)-2(A-2B)$

[019~021] 세 다항식 $A=2x^2+x-5$, $B=-x^2+3x-8$, $C=x^2-5x+3$에 대하여 다음을 계산하여라.

019 $A+B+C$

020 $A-B-C$

021 $(2A+C)-(3A-B-C)$

(1) 다항식의 곱셈

다항식의 곱셈은 분배법칙을 이용하여 식을 전개한 다음 동류항끼리 모아서 정리한다.

$$(a+b)(x+y)=\underset{①}{ax}+\underset{②}{ay}+\underset{③}{bx}+\underset{④}{by}$$

(2) 다항식의 곱셈에 대한 성질

세 다항식 A, B, C에 대하여

① 교환법칙: $AB=BA$

② 결합법칙: $(AB)C=A(BC)$ ◀ 괄호를 생략하여 ABC로 나타내기도 한다.

③ 분배법칙: $A(B+C)=AB+AC$, $(A+B)C=AC+BC$

연·산·유·형

정답과 해설 3쪽

유형 05   식의 전개

[022~026] 다음 식을 전개하여라.

022 $a(2a^2-a+3)$

023 $xy(x-2y+1)$

024 $(x-y)(2x+3y)$

025 $(a+1)(a^2-a+2)$

026 $(x^2-3xy-y)(x+1)$

유형 06   다항식의 전개식에서 계수 구하기

[027~030] 다음 전개식에서 [ ] 안의 항의 계수를 구하여라.

027 $(x^3+x^2-4)(x^2-2x+3)$ $[x^3]$

$(x^3+x^2-4)(x^2-2x+3)$의 전개식에서 x^3항이 나오는 것만 계산하면

$x^3\times3=3x^3$, $x^2\times(-2x)=\boxed{}x^3$

따라서 x^3의 계수는 $3+(\boxed{})=\boxed{}$

028 $(x-2y-3)(2x+5y-1)$ $[xy]$

029 $(2x^2-x+6)(x^2-3x+5)$ $[x^2]$

030 $(x^3-2x^2+x-5)(2x^2-x+1)$ $[x^4]$

01-3 곱셈 공식

(1) $(a+b)^2=a^2+2ab+b^2$, $(a-b)^2=a^2-2ab+b^2$
(2) $(a+b)(a-b)=a^2-b^2$
(3) $(x+a)(x+b)=x^2+(a+b)x+ab$
(4) $(ax+b)(cx+d)=acx^2+(ad+bc)x+bd$

중학교에서 배운 공식!

(5) $(a+b+c)^2=a^2+b^2+c^2+2ab+2bc+2ca$
(6) $(a+b)^3=a^3+3a^2b+3ab^2+b^3$, $(a-b)^3=a^3-3a^2b+3ab^2-b^3$
(7) $(a+b)(a^2-ab+b^2)=a^3+b^3$, $(a-b)(a^2+ab+b^2)=a^3-b^3$
(8) $(a+b+c)(a^2+b^2+c^2-ab-bc-ca)=a^3+b^3+c^3-3abc$
(9) $(a^2+ab+b^2)(a^2-ab+b^2)=a^4+a^2b^2+b^4$

연·산·유·형

정답과 해설 3쪽

유형 07 $(a\pm b)^2$, $(a+b)(a-b)$ 꼴

[031~035] 곱셈 공식을 이용하여 다음 식을 전개하여라.

031 $(x+3)^2$

032 $(2x-1)^2$

033 $(2x-3y)^2$

034 $(5a-1)(5a+1)$

035 $\left(\dfrac{1}{2}x+\dfrac{1}{3}y\right)\left(\dfrac{1}{2}x-\dfrac{1}{3}y\right)$

유형 08 $(x+a)(x+b)$, $(ax+b)(cx+d)$ 꼴

[036~039] 곱셈 공식을 이용하여 다음 식을 전개하여라.

036 $(x+3)(x-5)$

037 $(x-2)(x-7)$

038 $(3x+2)(5x+1)$

039 $(2x-1)(3x-4)$

유형 09 $(a+b+c)^2$ **꼴**

[040~045] 곱셈 공식을 이용하여 다음 식을 전개하여라.

040 $(a+b+1)^2$

041 $(a+b-c)^2$

042 $(a-b-c)^2$

043 $(3a+b+c)^2$

044 $(a-b+2c)^2$

045 $(2a-3b-c)^2$

유형 10 $(a\pm b)^3$ **꼴**

[046~053] 곱셈 공식을 이용하여 다음 식을 전개하여라.

046 $(x+1)^3$

047 $(x+3)^3$

048 $(3x+2)^3$

049 $(x+2y)^3$

050 $(x-2)^3$

051 $(3x-1)^3$

052 $(x-3y)^3$

053 $(2x-3y)^3$

유형 11 $(a\pm b)(a^2\mp ab+b^2)$ 꼴

[054~061] 곱셈 공식을 이용하여 다음 식을 전개하여라.

054 $(a+1)(a^2-a+1)$

055 $(3x+1)(9x^2-3x+1)$

056 $(x+4)(x^2-4x+16)$

057 $(x+3y)(x^2-3xy+9y^2)$

058 $(x-1)(x^2+x+1)$

059 $(a-2)(a^2+2a+4)$

060 $(3x-y)(9x^2+3xy+y^2)$

061 $(2a-3b)(4a^2+6ab+9b^2)$

유형 12 $(a+b+c)(a^2+b^2+c^2-ab-bc-ca)$ 꼴

[062~064] 곱셈 공식을 이용하여 다음 식을 전개하여라.

062 $(x+y+1)(x^2+y^2+1-xy-x-y)$

063 $(a+b-c)(a^2+b^2+c^2-ab+bc+ca)$

064 $(2a-b+c)(4a^2+b^2+c^2+2ab+bc-2ca)$

유형 13 $(a^2+ab+b^2)(a^2-ab+b^2)$ 꼴

[065~067] 곱셈 공식을 이용하여 다음 식을 전개하여라.

065 $(x^2+x+1)(x^2-x+1)$

066 $(x^2+2x+4)(x^2-2x+4)$

067 $(4x^2+2xy+y^2)(4x^2-2xy+y^2)$

(1) $a^2+b^2=(a+b)^2-2ab=(a-b)^2+2ab$

(2) $(a+b)^2=(a-b)^2+4ab$, $(a-b)^2=(a+b)^2-4ab$

(3) $a^3+b^3=(a+b)^3-3ab(a+b)$, $a^3-b^3=(a-b)^3+3ab(a-b)$

(4) $a^2+b^2+c^2=(a+b+c)^2-2(ab+bc+ca)$

(5) $a^3+b^3+c^3=(a+b+c)(a^2+b^2+c^2-ab-bc-ca)+3abc$

연·산·유·형

정답과 해설 **4**쪽

유형 14　$a^n \pm b^n$ 꼴

[068~071] $a+b=3$, $ab=-1$일 때, 다음 식의 값을 구하여라.
(단, $a>b$)

068　a^2+b^2

069　$(a-b)^2$

070　a^3+b^3

071　a^3-b^3

[072~075] $a-b=-2$, $ab=3$일 때, 다음 식의 값을 구하여라.
(단, $a>0$, $b>0$)

072　a^2+b^2

073　$(a+b)^2$

074　a^3-b^3

075　a^3+b^3

[076~077] $x+y=2$, $x^2+y^2=8$일 때, 다음 식의 값을 구하여라.

076 xy

077 x^3+y^3

[078~079] $x-y=-1$, $x^2+y^2=5$일 때, 다음 식의 값을 구하여라.

078 xy

079 x^3-y^3

[080~082] $a=\sqrt{3}+1$, $b=\sqrt{3}-1$일 때, 다음 식의 값을 구하여라.

080 a^2+b^2

081 a^3+b^3

082 a^3-b^3

유형 15 $a^n+b^n+c^n$ **꼴**

[083~084] 다음 식의 값을 구하여라.

083 $a+b+c=2$, $ab+bc+ca=-1$일 때, $a^2+b^2+c^2$의 값

084 $a+b+c=6$, $a^2+b^2+c^2=14$일 때, $ab+bc+ca$의 값

[085~086] $a+b+c=1$, $a^2+b^2+c^2=9$, $abc=-4$일 때, 다음 식의 값을 구하여라.

085 $ab+bc+ca$

086 $\dfrac{1}{a}+\dfrac{1}{b}+\dfrac{1}{c}$

[087~088] $x+y+z=-2$, $x^2+y^2+z^2=6$, $xyz=2$일 때, 다음 식의 값을 구하여라.

087 $xy+yz+zx$

088 $x^3+y^3+z^3$

(1) $x^2+\dfrac{1}{x^2}=\left(x+\dfrac{1}{x}\right)^2-2=\left(x-\dfrac{1}{x}\right)^2+2$

(2) $x^3+\dfrac{1}{x^3}=\left(x+\dfrac{1}{x}\right)^3-3\left(x+\dfrac{1}{x}\right), \quad x^3-\dfrac{1}{x^3}=\left(x-\dfrac{1}{x}\right)^3+3\left(x-\dfrac{1}{x}\right)$

연·산·유·형

정답과 해설 **5**쪽

유형 16 $x^n+\dfrac{1}{x^n}$ 꼴

[089~090] $x+\dfrac{1}{x}=3$일 때, 다음 식의 값을 구하여라.

089 $x^2+\dfrac{1}{x^2}$

090 $x^3+\dfrac{1}{x^3}$

[091~092] $x-\dfrac{1}{x}=2$일 때, 다음 식의 값을 구하여라.

091 $x^2+\dfrac{1}{x^2}$

092 $x^3-\dfrac{1}{x^3}$

[093~095] $x^2-2x+1=0$일 때, 다음 식의 값을 구하여라.

093 $x+\dfrac{1}{x}$

> $x\neq0$이므로 $x^2-2x+1=0$의 양변을 x로 나누면
> $x-2+\dfrac{1}{x}=0 \qquad \therefore\ x+\dfrac{1}{x}=\square$

094 $x^2+\dfrac{1}{x^2}$

095 $x^3+\dfrac{1}{x^3}$

[096~098] $x^2-4x-1=0$일 때, 다음 식의 값을 구하여라.

096 $x-\dfrac{1}{x}$

097 $x^2+\dfrac{1}{x^2}$

098 $x^3-\dfrac{1}{x^3}$

다항식의 나눗셈

(1) **다항식의 나눗셈**

　다항식의 나눗셈은 자연수의 나눗셈과 같은 방법으로 계산한다.

(2) 다항식 A를 다항식 $B(B \neq 0)$로 나누었을 때의 몫을 Q, 나머지를 R라고 하면

　　$A = BQ + R$ (단, R의 차수는 B의 차수보다 낮다.)

　특히 $R = 0$이면 A는 B로 나누어떨어진다고 한다.

연·산·유·형

정답과 해설 **6**쪽

유형 17　다항식의 나눗셈

[099~104] 다음 나눗셈의 몫과 나머지를 구하여라.

099　$(2x^3 - x^2 + 11) \div (x^2 - 2x + 3)$

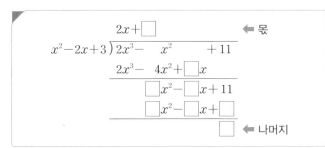

100　$(x^3 + 2x^2 - 5x + 6) \div (x - 1)$

101　$(2x^3 - 3x^2 + 3x - 5) \div (2x - 1)$

102　$(x^3 - x + 7) \div (x^2 + x - 1)$

103　$(3x^3 - x^2 + 2x - 4) \div (x^2 + 1)$

104　$(4x^4 - x^2 + x - 8) \div (2x^2 - x - 5)$

유형 18　$A = BQ + R$ 꼴로 나타내기

[105~106] 다음 두 다항식 A, B에 대하여 다항식 A를 다항식 B로 나누었을 때의 몫을 Q, 나머지를 R라고 할 때, $A = BQ + R$ 꼴로 나타내어라.

105　$A = x^3 - 3x^2 + 4x - 2$, $B = x - 3$

106　$A = 2x^3 - x^2 + 7x - 5$, $B = x^2 + 1$

다항식을 일차식으로 나눌 때, 계수와 상수항을 이용하여 몫과 나머지를 구하는 방법을 **조립제법**이라고 한다.

예 다항식 x^3-x+5를 $x+2$로 나누었을 때의 몫과 나머지를 조립제법을 이용하여 구하면

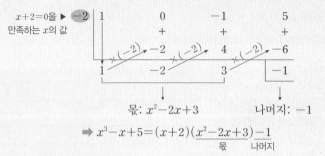

$x+2=0$을 ▶ -2
만족하는 x의 값

몫: x^2-2x+3　　나머지: -1

➡ $x^3-x+5=(x+2)\underbrace{(x^2-2x+3)}_{몫}\underbrace{-1}_{나머지}$

● 조립제법을 이용할 때, 특정 차수의 항이 없으면 그 계수를 0으로 쓴다.

참고 다항식 $f(x)$를 일차식 $x+\dfrac{b}{a}$로 나누었을 때의 몫을 $Q(x)$, 나머지를 R이라고 하면

$$f(x)=\left(x+\dfrac{b}{a}\right)Q(x)+R=(ax+b)\times\dfrac{1}{a}Q(x)+R$$

➡ 다항식 $f(x)$를 일차식 $ax+b$로 나누었을 때의 몫은 $\dfrac{1}{a}Q(x)$, 나머지는 R이다.

연·산·유·형

정답과 해설 **7**쪽

유형 **19**　조립제법

[107~113] 조립제법을 이용하여 다음 나눗셈의 몫과 나머지를 구하여라.

107 $(x^3-3x^2+2x+6)\div(x-1)$

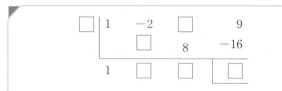

108 $(x^3-2x^2+9)\div(x+2)$

109 $(4x^3-3x+5)\div(x+1)$

110 $(x^3+3x^2-2x-4)\div(x-2)$

111 $(x^3-x^2-13x-8)\div(x+3)$

112 $(3x^3-5x^2-11x+2) \div (x-3)$

113 $(2x^3-3x^2+2x-1) \div \left(x+\dfrac{1}{2}\right)$

[114~117] 조립제법을 이용하여 다음 나눗셈의 몫과 나머지를 구하여라.

114 $(2x^3+3x^2-x+1) \div (2x+1)$

$2x+1=2\left(x+\dfrac{1}{2}\right)$이므로 다음과 같이 조립제법을 이용하면

$$
\begin{array}{r|rrrr}
-\dfrac{1}{2} & 2 & 3 & -1 & 1 \\
 & & -1 & -1 & 1 \\
\hline
 & 2 & 2 & -2 & \boxed{2}
\end{array}
$$

$2x^3+3x^2-x+1$을 $x+\dfrac{1}{2}$로 나누었을 때의 몫은

$\boxed{}$이고 나머지는 $\boxed{}$이다.

$\therefore 2x^3+3x^2-x+1=\left(x+\dfrac{1}{2}\right)(2x^2+2x-2)+2$

$\qquad\qquad\qquad = (2x+1)(\boxed{})+2$

따라서 구하는 몫은 $\boxed{}$이고 나머지는 $\boxed{}$이다.

115 $(3x^3+17x^2-6) \div (3x-1)$

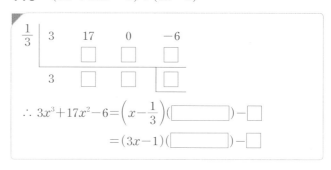

$\therefore 3x^3+17x^2-6=\left(x-\dfrac{1}{3}\right)(\boxed{})-\boxed{}$

$\qquad\qquad\qquad = (3x-1)(\boxed{})-\boxed{}$

116 $(2x^3-5x^2+3) \div (2x-1)$

117 $(6x^3+x^2-5x-1) \div (3x+2)$

연산유형 최종 점검하기

1 두 다항식
$$A=x^3-x^2+7x+8,\ B=-2x^3+5x+11$$
에 대하여 $A+B-(-A+2B)$를 계산하여라.

2 $(3x^2-xy-y^2)-(x+2y)(x-y)$를 계산하면?

① $-2xy+y^2$ ② $2xy-y^2$

③ $-2x^2+2xy-y^2$ ④ $x^2-2xy+y^2$

⑤ $2x^2-2xy+y^2$

3 다항식 $(x^3-x^2+2x-5)(3x^2+x-2)$의 전개식에서 x^2의 계수는?

① -11 ② -8 ③ -3

④ 1 ⑤ 3

4 다항식 $(x-1)(x+1)(x^2+1)(x^4+1)$을 전개하면?

① x^6-1 ② x^8+1 ③ x^8-1

④ $x^{16}+1$ ⑤ $x^{16}-1$

5 다항식 $(3x-2)^3$을 전개하면?

① $9x^3-54x^2+36x-4$

② $9x^3-18x^2+12x-4$

③ $27x^3-54x^2-36x+8$

④ $27x^3-54x^2+36x-8$

⑤ $27x^3-18x^2+12x-8$

6 다항식 $(2x-y)(4x^2+2xy+y^2)$을 전개하면 ax^3+by^3일 때, 상수 a, b의 값을 구하여라.

7 다음 보기 중 옳은 것만을 있는 대로 골라라.

┤ **보기** ├

ㄱ. $(x+2)^3=x^3+6x^2+12x+8$

ㄴ. $(3a+1)(9a^2-3a+1)=27a^3-1$

ㄷ. $(2a-b+3c)^2$
$=4a^2+b^2+9c^2-4ab-6bc-12ca$

ㄹ. $(4x^2+6xy+9y^2)(4x^2-6xy+9y^2)$
$=16x^4+36x^2y^2+81y^4$

8 $x+y=4$, $xy=-2$일 때, x^3-y^3의 값을 구하여라.
(단, $x>y$)

9 $x-y=1$, $x^2+y^2=13$일 때, x^3-y^3의 값은?

① 18   ② 19   ③ 20

④ 21   ⑤ 22

10 $a=1-\sqrt{2}$, $b=1+\sqrt{2}$일 때, a^3+b^3-ab의 값은?

① 9   ② 11   ③ 13

④ 15   ⑤ 17

11 $a+b+c=1$, $ab+bc+ca=-4$일 때, $a^2+b^2+c^2$의 값은?

① 5   ② 7   ③ 9

④ 11   ⑤ 13

12 $x+y+z=2$, $x^2+y^2+z^2=14$, $xyz=-6$일 때, $x^3+y^3+z^3$의 값을 구하여라.

13 $x^2-5x+1=0$일 때, $x^3+x^2+\dfrac{1}{x^2}+\dfrac{1}{x^3}$의 값은?

① 132   ② 133   ③ 134

④ 135   ⑤ 136

14 다항식 $2x^3-3x^2-10x+7$을 x^2-x-6으로 나누었을 때의 몫과 나머지를 차례로 나열한 것은?

① $2x-5$, $3x-11$ ② $2x-1$, $x-1$

③ $2x-1$, $x+1$ ④ $2x+1$, $x+1$

⑤ $2x+1$, $3x+5$

15 다항식 x^3-2x^2+5x-7을 $x-3$으로 나누었을 때의 몫과 나머지를 다음과 같이 조립제법을 이용하여 구하려고 할 때, 상수 a, b, c, d의 값을 구하여라.

a	1	-2	5	-7
		b	3	24
	1	c	d	17

16 다항식 $4x^3+x-3$을 $2x+1$로 나누었을 때의 몫이 ax^2+bx+1이고, 나머지가 c일 때, 상수 a, b, c의 값을 구하여라.

02

나머지정리와 인수분해

AM

02 나머지정리와 인수분해

02-1 항등식의 뜻과 성질

(1) 항등식

등식에 포함된 문자에 어떤 값을 대입해도 항상 성립하는 등식을 **항등식**이라고 한다.

예 $(x+1)(x-2)=x^2-x-2$ ➡ x에 어떤 값을 대입해도 항상 성립 ➡ 항등식

(2) 항등식의 성질

① $ax^2+bx+c=0$이 x에 대한 항등식이면 $a=0$, $b=0$, $c=0$이다.

② $ax^2+bx+c=a'x^2+b'x+c'$이 x에 대한 항등식이면 $a=a'$, $b=b'$, $c=c'$이다.

● ① $a=0$, $b=0$, $c=0$이면 $ax^2+bx+c=0$은 x에 대한 항등식이다.
② $a=a'$, $b=b'$, $c=c'$이면 ax^2+bx+c $=a'x^2+b'x+c'$ 은 x에 대한 항등식이다.

참고 항등식을 나타내는 여러 가지 표현
- 모든(임의의) x에 대하여 성립하는 등식
- x의 값에 관계없이 성립하는 등식
- x가 어떤 값을 갖더라도 성립하는 등식

연.산.유.형

정답과 해설 9쪽

유형 01 항등식의 뜻

[001~006] 다음 중 x에 대한 항등식인 것은 〇표, 항등식이 아닌 것은 ×표를 ( ) 안에 써넣어라.

001 $2x-1=0$ ( )

002 $x^2-2x=3$ ( )

003 $x^2+x-6=(x-2)(x+3)$ ( )

004 $(x+1)(x-1)=x^2$ ( )

005 $x^2+3=(x+1)^2-2(x-1)$ ( )

006 $(x-1)(x^2+x+1)=x^3-1$ ( )

유형 02 항등식의 성질

[007~008] 다음 등식이 x에 대한 항등식일 때, 상수 a, b의 값을 구하여라.

007 $ax+3=2x+b$

008 $(a+1)x+b-5=0$

[009~010] 다음 등식이 x에 대한 항등식일 때, 상수 a, b, c의 값을 구하여라.

009 $ax^2-bx+c=2x^2+3x-4$

010 $(a-1)x^2+(b+2)x-c+3=0$

항등식의 뜻과 성질을 이용하여 등식에서 미지의 계수와 상수항을 정하는 방법을
미정계수법이라고 한다.
(1) **계수비교법**: 항등식의 양변에서 동류항의 계수를 비교하여 계수를 정하는 방법
(2) **수치대입법**: 항등식의 문자에 적당한 수를 대입하여 계수를 정하는 방법

● 문제에 따라 계수비교법과
수치대입법 중 계산이 간단
한 방법을 택하여 이용한다.

연·산·유·형

정답과 해설 **9쪽**

유형 03 미정계수법

[011~015] 다음 등식이 x에 대한 항등식일 때, 상수 a, b의 값
을 구하여라.

011 $a(x-2)+b(x+1)=x+4$

[계수비교법]
주어진 등식의 좌변을 전개하여 정리하면
$(\boxed{})x-2a+b=x+4$
양변의 동류항의 계수를 비교하면
$\boxed{}=1,\ -2a+b=\boxed{}$
두 식을 연립하여 풀면
$a=\boxed{}$, $b=\boxed{}$

[수치대입법]
주어진 등식의 양변에 $x=2$를 대입하면
$\boxed{}=6$ $\therefore b=\boxed{}$
주어진 등식의 양변에 $x=\boxed{}$을 대입하면
$-3a=\boxed{}$ $\therefore a=\boxed{}$

012 $a(x-1)+bx+3=2x-5$

013 $(x+1)(x-3)=x^2+ax+b$

014 $ax(x-1)+b(x+2)=x^2+x+4$

015 $x^2+4x-5=(x-2)^2+a(x-2)+b$

[016~023] 다음 등식이 x에 대한 항등식일 때, 상수 a, b, c의 값을 구하여라.

016 $2x^2-3x+4=ax(x+1)-bx+2c$

017 $ax(x-1)+b(x-1)+c=x^2+2x-1$

018 $x^2+ax-5=(bx-1)(x+2)+c$

019 $a(x+1)^2+b(x+1)+c=3x^2-2x+4$

020 $x^2+ax+8=bx(x+1)+c(x+1)(x-2)$

021 $ax(x+2)+b(x-1)+c(x+2)=-x^2+5x+2$

022 x^2-3x+8
$=ax(x-1)+b(x-1)(x+1)+cx(x+1)$

023 $x^3+ax-6=(x-3)(x^2+bx-c)$

(1) 다항식 $f(x)$를 일차식 $x-\alpha$로 나누었을 때의 나머지를 R라고 하면

$$R=f(\alpha)$$

    예 다항식 $f(x)=x^3-2x+3$을 $x-1$로 나누었을 때의 나머지는

    $f(1)=1-2+3=2$

(2) 다항식 $f(x)$를 일차식 $ax+b$로 나누었을 때의 나머지를 R라고 하면

$$R=f\left(-\frac{b}{a}\right)$$

    예 다항식 $f(x)=2x^3-x^2+1$을 $2x-1$로 나누었을 때의 나머지는

    $f\left(\dfrac{1}{2}\right)=\dfrac{1}{4}-\dfrac{1}{4}+1=1$

● 다항식을 일차식으로 나누었을 때의 나머지는 상수이다.

연·산·유·형

정답과 해설 11쪽

유형 04   나머지정리

[024~029] 다항식 $f(x)=x^3+2x^2-5x-3$을 다음 일차식으로 나누었을 때의 나머지를 구하여라.

024 $x-1$

025 $x+1$

026 $x-2$

027 $x+3$

028 $x-\dfrac{1}{2}$

029 $x+\dfrac{1}{2}$

[030~035] 다항식 $f(x)=2x^3-3x+1$을 다음 일차식으로 나누었을 때의 나머지를 구하여라.

030 $2x-1$

031 $3x+1$

032 $2x+3$

033 $4x-3$

034 $3x+3$

035 $3x-6$

유형 05 나머지정리를 이용하여 미정계수 구하기

[036~041] 다항식 $f(x)=x^3-ax+5$를 다음 일차식으로 나누었을 때의 나머지가 [ ] 안의 수가 되도록 하는 상수 a의 값을 구하여라.

036 $x-1$ $[1]$

037 $x+1$ $[9]$

038 $x-2$ $[7]$

039 $x+3$ $[-4]$

040 $2x-1$ $[5]$

041 $3x+1$ $[6]$

[042~047] 다항식 $f(x)=2x^3+ax^2-3x-1$을 다음 일차식으로 나누었을 때의 나머지가 [ ] 안의 수가 되도록 하는 상수 a의 값을 구하여라.

042 $x+1$ $[2]$

043 $x-2$ $[13]$

044 $x+2$ $[-3]$

045 $x-3$ $[-1]$

046 $2x+3$ $[-1]$

047 $3x-3$ $[2]$

다항식 $f(x)$를 이차식 $(x-\alpha)(x-\beta)$로 나누었을 때의 나머지를 구할 때는 나머지를 $ax+b(a, b$는 상수)로 놓고 항등식을 세운다.

➡ $f(x)=(x-\alpha)(x-\beta)Q(x)+ax+b$ (단, $Q(x)$는 몫)

연·산·유·형

정답과 해설 **12쪽**

유형 06 나머지정리의 응용

[048~052] 다음 물음에 답하여라.

048 다항식 $f(x)$를 $x+1$로 나누었을 때의 나머지는 5 이고, $x-2$로 나누었을 때의 나머지는 -1일 때, $f(x)$를 $(x+1)(x-2)$로 나누었을 때의 나머지를 구하여라.

다항식 $f(x)$를 $x+1$, $x-2$로 나누었을 때의 나머지가 각각 5, -1이므로 나머지정리에 의하여
$f(-1)=\square$, $f(2)=\square$
또 다항식 $f(x)$를 $(x+1)(x-2)$로 나누었을 때의 몫을 $Q(x)$, 나머지를 $ax+b(a, b$는 상수)라고 하면
$f(x)=(x+1)(x-2)Q(x)+ax+b$
$f(-1)=\square$에서 $-a+b=\square$ ······ ㉠
$f(2)=\square$에서 $2a+b=\square$ ······ ㉡
㉠, ㉡을 연립하여 풀면 $a=\square$, $b=\square$
따라서 구하는 나머지는 $\boxed{}$

049 다항식 $f(x)$를 $x+1$로 나누었을 때의 나머지는 -3이고, $x+2$로 나누었을 때의 나머지는 9일 때, $f(x)$를 $(x+1)(x+2)$로 나누었을 때의 나머지를 구하여라.

050 다항식 $f(x)$를 $x-1$로 나누었을 때의 나머지는 6 이고, $x+3$으로 나누었을 때의 나머지는 2일 때, $f(x)$를 $(x-1)(x+3)$으로 나누었을 때의 나머지를 구하여라.

051 다항식 $f(x)$를 $x-2$로 나누었을 때의 나머지는 1 이고, $x-3$으로 나누었을 때의 나머지는 8일 때, $f(x)$를 $(x-2)(x-3)$으로 나누었을 때의 나머지를 구하여라.

052 다항식 $f(x)$를 $x-1$, $x+2$로 나누었을 때의 나머지는 각각 -1, 5일 때, $f(x)$를 x^2+x-2로 나누었을 때의 나머지를 구하여라.

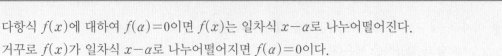

02-5 인수정리

다항식 $f(x)$에 대하여 $f(\alpha)=0$이면 $f(x)$는 일차식 $x-\alpha$로 나누어떨어진다.
거꾸로 $f(x)$가 일차식 $x-\alpha$로 나누어떨어지면 $f(\alpha)=0$이다.

참고 인수정리를 나타내는 여러 가지 표현
  • $f(x)$가 $x-\alpha$로 나누어떨어진다.
  • $f(x)$는 $x-\alpha$를 인수로 갖는다.
  • $f(x)$를 $x-\alpha$로 나누었을 때의 나머지는 0이다.
  • $f(\alpha)=0$

연·산·유·형

정답과 해설 **12**쪽

유형 07 인수정리

[053~058] 다음 중 다항식 $f(x)=x^3-4x^2+x+6$의 인수인 것은 ○표, 인수가 아닌 것은 ×표를 ( ) 안에 써넣어라.

053 $x-1$ ( )

054 $x+1$ ( )

055 $x-2$ ( )

056 $x+2$ ( )

057 $x-3$ ( )

058 $x+3$ ( )

[059~063] 다항식 $f(x)=x^3-x^2+ax+3$이 다음 일차식으로 나누어떨어지도록 하는 상수 a의 값을 구하여라.

059 $x-1$

060 $x+1$

061 $x-2$

062 $x+2$

063 $x-3$

(1) 인수분해

하나의 다항식을 두 개 이상의 다항식의 곱으로 나타내는 것을 **인수분해**라 하고, 곱을 이루는 각각의 다항식을 **인수**라고 한다.

$$x^2-3x+2 \xrightleftharpoons[\text{전개}]{\text{인수분해}} \underset{\text{인수}}{(x-1)}\underset{\text{인수}}{(x-2)}$$

(2) 인수분해 공식

① $a^2+2ab+b^2=(a+b)^2$, $a^2-2ab+b^2=(a-b)^2$

② $a^2-b^2=(a+b)(a-b)$

③ $x^2+(a+b)x+ab=(x+a)(x+b)$

④ $acx^2+(ad+bc)x+bd=(ax+b)(cx+d)$

중학교에서 배운 공식!

⑤ $a^2+b^2+c^2+2ab+2bc+2ca=(a+b+c)^2$

⑥ $a^3+3a^2b+3ab^2+b^3=(a+b)^3$, $a^3-3a^2b+3ab^2-b^3=(a-b)^3$

⑦ $a^3+b^3=(a+b)(a^2-ab+b^2)$, $a^3-b^3=(a-b)(a^2+ab+b^2)$

연·산·유·형

정답과 해설 **12**쪽

유형 08 인수분해

[064~067] 다음 식을 인수분해하여라.

064 ab^2-3a^2b

065 $x-3x^2+2xy$

066 $a(x-y)+b(y-x)$

067 $1-a-b+ab$

유형 09 $a^2\pm2ab+b^2$ 꼴

[068~071] 다음 식을 인수분해하여라.

068 x^2+6x+9

069 $4a^2+12ab+9b^2$

070 $4a^2-4a+1$

071 $x^2-8xy+16y^2$

유형 **10** a^2-b^2 꼴

[072~075] 다음 식을 인수분해하여라.

072   x^2-16

073    $4x^2-1$

074    $x^2-\dfrac{1}{9}y^2$

075    $4a^2-25b^2$

유형 **11** $x^2+(a+b)x+ab,\ acx^2+(ad+bc)x+bd$ 꼴

[076~079] 다음 식을 인수분해하여라.

076   x^2+2x-3

077    $x^2-8x+15$

078    $2x^2+5x-3$

079    $6x^2-11x+3$

유형 **12** $a^2+b^2+c^2+2ab+2bc+2ca$ 꼴

[080~085] 다음 식을 인수분해하여라.

080    $a^2+b^2+1+2ab+2b+2a$

081    $a^2+9b^2+c^2+6ab+6bc+2ca$

082    $4a^2+b^2+9c^2+4ab+6bc+12ca$

083    $a^2+b^2+c^2-2ab-2bc+2ca$

084    $a^2+b^2+c^2-2ab+2bc-2ca$

085    $a^2+b^2+4c^2-2ab-4bc+4ca$

유형 13 $a^3 \pm 3a^2b + 3ab^2 \pm b^3$ 꼴

[086~093] 다음 식을 인수분해하여라.

086 $x^3 + 3x^2 + 3x + 1$

087 $27a^3 + 27a^2 + 9a + 1$

088 $x^3 + 6x^2y + 12xy^2 + 8y^3$

089 $8a^3 + 36a^2b + 54ab^2 + 27b^3$

090 $x^3 - 9x^2 + 27x - 27$

091 $8x^3 - 12x^2 + 6x - 1$

092 $a^3 - 6a^2b + 12ab^2 - 8b^3$

093 $27x^3 - 54x^2y + 36xy^2 - 8y^3$

유형 14 $a^3 \pm b^3$ 꼴

[094~101] 다음 식을 인수분해하여라.

094 $x^3 + 1$

095 $27x^3 + 8$

096 $a^3 + 64b^3$

097 $8x^3 + y^3$

098 $a^3 - 8$

099 $8x^3 - 1$

100 $27a^3 - b^3$

101 $8x^3 - 27y^3$

공통부분이 있는 식의 인수분해

(1) 공통부분이 있는 식의 인수분해

① 공통부분이 있으면 공통부분을 한 문자로 치환하여 전개한 후 인수분해한다.

② $(x+a)(x+b)(x+c)(x+d)+k$ 꼴인 경우는 두 일차식의 상수항의 합이 같도록 짝을 지어 전개한 후 공통부분을 치환하여 인수분해한다.

(2) x^4+ax^2+b 꼴의 인수분해

$x^2=X$로 치환하여 X^2+aX+b가

① 인수분해되면

➡ 인수분해한 후 X에 x^2을 대입하여 정리한다.

② 인수분해되지 않으면

➡ x^4+ax^2+b에서 ax^2을 적당히 조절하여 A^2-B^2 꼴로 변형한 다음 인수분해한다.

● $x^4+ax^2+b(a,\ b$는 상수)와 같이 짝수 차수의 항과 상수항으로만 이루어진 다항식을 복이차식이라고 한다.

연.산.유.형

정답과 해설 **14**쪽

유형 15 공통부분이 있는 식의 인수분해

[102~106] 다음 식을 인수분해하여라.

102 $(a+b)^2-(a+b)-12$

$$\boxed{}=X로 \ 놓으면$$
$$(a+b)^2-(a+b)-12=X^2-X-12$$
$$=(X-4)(X+\boxed{})$$
$$=(a+b-4)(\boxed{})$$

103 $(x+y)(x+y+5)+4$

104 $(x^2-2x)^2-2(x^2-2x)-3$

105 $(x^2+4x)(x^2+4x-2)-15$

106 $(x^2+x-1)(x^2+x-3)+1$

[107~109] 다음 식을 인수분해하여라.

107 $x(x+1)(x+2)(x+3)-24$

$x(x+1)(x+2)(x+3)-24$
$=\{x(x+3)\}\{(x+1)(x+2)\}-24$
$=(\boxed{})(\boxed{}+2)-24$
$\boxed{}=X$로 놓으면
$X(X+2)-24=X^2+2X-24$
$\qquad\qquad\quad =(X+\boxed{})(X-4)$
$\qquad\qquad\quad =(x^2+3x+\boxed{})(x^2+3x-4)$
$\qquad\qquad\quad =(x^2+3x+\boxed{})(x+\boxed{})(x-1)$

108 $(x+1)(x+2)(x+3)(x+4)-8$

109 $(x-1)(x-2)(x+3)(x+4)-36$

유형 16 x^4+ax^2+b **꼴의 인수분해**

[110~112] 다음 식을 인수분해하여라.

110 x^4+x^2-20

111 x^4-26x^2+25

112 $x^4-10x^2y^2+9y^4$

[113~116] 다음 식을 인수분해하여라.

113 a^4+a^2+1

$a^4+a^2+1=(a^4+2a^2+1)-\boxed{}$
$\qquad\qquad =(a^2+1)^2-\boxed{}$
$\qquad\qquad =(a^2+a+1)(\boxed{})$

114 x^4+5x^2+9

115 x^4-12x^2+16

116 $16x^4+4x^2y^2+y^4$

차수가 가장 낮은 문자에 대하여 내림차순으로 정리한 다음 인수분해한다.

이때 모든 문자의 차수가 같으면 어느 한 문자에 대하여 내림차순으로 정리한다.

연.산.유.형

정답과 해설 **15**쪽

유형 **17** 문자가 여러 개인 식의 인수분해

[117~123] 다음 식을 인수분해하여라.

117 $x^2+xy+x+2y-2$

차수가 가장 낮은 y에 대하여 내림차순으로 정리하여 인수분해하면

$$x^2+xy+x+2y-2=(x+2)y+\boxed{}$$
$$=(x+2)y+(x+2)(\boxed{})$$
$$=(x+2)(\boxed{})$$

118 $x^2-2y^2-xy+yz+zx$

119 $x^3-xy^2-y^2z+x^2z$

120 $x^3-x^2y+y^2-2y+1$

121 $x^2+4xy+3y^2-3x-7y+2$

122 $x^2-y^2+2x+4y-3$

123 $a^2(b-c)+b^2(c-a)+c^2(a-b)$

인수정리를 이용한 인수분해

$f(x)$가 삼차 이상의 다항식이면 인수정리를 이용하여 다음과 같은 순서로 인수분해한다.

(1) $f(\alpha)=0$을 만족하는 상수 α의 값을 찾는다.

(2) 조립제법을 이용하여 $f(x)$를 $x-\alpha$로 나누었을 때의 몫 $Q(x)$를 구한다.

(3) $f(x)=(x-\alpha)Q(x)$ 꼴로 인수분해한다.

이때 $Q(x)$가 인수분해되면 인수분해한다.

참고 계수가 모두 정수인 다항식 $f(x)$에서 $f(\alpha)=0$을 만족하는 α가 될 수 있는 값은

$$\alpha = \pm\frac{(f(x)\text{의 상수항의 약수})}{(f(x)\text{의 최고차항의 계수의 약수})}$$

연·산·유·형

정답과 해설 **15**쪽

유형 18 인수정리를 이용한 인수분해

[124~130] 다음 식을 인수분해하여라.

124 x^3+2x^2-x-2

> $f(x)=x^3+2x^2-x-2$라고 할 때,
>
> $f(1)=\boxed{}$이므로 조립제법을 이용하여 인수분해하면
>
> | 1 | 1 | 2 | -1 | -2 |
> |---|---|---|------|------|
> | | | 1 | 3 | 2 |
> | | 1 | 3 | 2 | 0 |
>
> $x^3+2x^2-x-2=(x-1)(\boxed{})$
>
> $\qquad\qquad\qquad = (x-1)(x+1)(\boxed{})$

125 x^3-7x+6

126 x^3+2x^2-6x-7

127 x^3+6x^2-x-30

128 $2x^3+x^2-5x+2$

129 $x^4+2x^3-6x^2-2x+5$

130 $x^4+3x^3-7x^2-27x-18$

수를 문자로 치환하고 인수분해 공식을 이용하여 간단히 한 후 계산한다.

예 $\dfrac{2018^3+8}{2018\times 2016+4}$에서 $2018=x$로 놓으면

$$\dfrac{2018^3+8}{2018\times 2016+4}=\dfrac{x^3+8}{x(x-2)+4}$$

$$=\dfrac{(x+2)(x^2-2x+4)}{x^2-2x+4}$$

$$=x+2=2018+2=2020$$

연·산·유·형

정답과 해설 **16**쪽

유형 19 인수분해를 이용한 수의 계산

[131~138] 다음을 계산하여라.

131 2019^2-2021^2

132 $\dfrac{1002^2-998^2}{102^2-98^2}$

133 $\dfrac{2018^3-1}{2018^2+2018+1}$

134 $\dfrac{1234^3+1}{1234\times 1233+1}$

135 $\dfrac{1023^3-27}{1023\times 1026+9}$

136 $\dfrac{128^3-28^3}{128^2+128\times 28+28^2}$

137 $98^3+6\times 98^2+12\times 98+8$

138 $102^3-6\times 102^2+12\times 102-8$

1 다음 보기 중 x에 대한 항등식인 것만을 있는 대로 골라라.

┌ 보기 ├
ㄱ. $3x-1=x+1$
ㄴ. $x(x-3)=x^2-3$
ㄷ. $2x^2-3x=x(2x-1)-2x$
ㄹ. $x^3-3x^2+3x-1=(x-1)^3$

2 등식 $(a-2)x+(a+2b)y=0$이 x, y에 대한 항등식일 때, 상수 a, b에 대하여 $a+b$의 값은?

① -1 ② 1 ③ 2
④ 3 ⑤ 4

3 모든 실수 x에 대하여 등식
$$x^2+ax-6=bx(x-1)+c(x-1)(x+2)$$
가 성립할 때, 상수 a, b, c에 대하여 $a+b+c$의 값은?

① 2 ② 3 ③ 4
④ 5 ⑤ 6

4 다항식 $f(x)=3x^3-x^2+2x-1$을 $3x-1$로 나누었을 때의 나머지는?

① $-\dfrac{2}{3}$ ② $-\dfrac{1}{3}$ ③ $-\dfrac{2}{9}$
④ $\dfrac{2}{3}$ ⑤ $\dfrac{7}{9}$

5 다항식 $2x^3-x^2+ax+1$을 $x-1$로 나누었을 때의 나머지가 -2일 때, 상수 a의 값은?

① -4 ② -3 ③ -2
④ -1 ⑤ 0

6 다항식 x^3+ax^2+bx-1을 $x+1$로 나누었을 때의 나머지가 -7이고, $x-2$로 나누었을 때의 나머지가 5일 때, 상수 a, b의 값을 구하여라.

7 다항식 $f(x)$를 $x-1$로 나누었을 때의 나머지가 3이고, $x+3$으로 나누었을 때의 나머지가 -1일 때, $f(x)$를 x^2+2x-3으로 나누었을 때의 나머지는?

① $x-2$ ② $x+1$ ③ $x+2$
④ $2x+1$ ⑤ $2x+5$

8 다음 보기 중 다항식 $f(x)=x^3+2x^2-x-2$의 인수인 것만을 있는 대로 고른 것은?

┌ 보기 ├────────────────────
  ㄱ. $x-1$ ㄴ. $x-2$
  ㄷ. $x+2$ ㄹ. $x-3$
└─────────────────────────

① ㄱ, ㄴ   ② ㄱ, ㄷ   ③ ㄴ, ㄷ
④ ㄴ, ㄹ   ⑤ ㄷ, ㄹ

9 다항식 x^4+3x^3-ax-2가 $x+2$로 나누어떨어질 때, 상수 a의 값은?

① 1   ② 2   ③ 3
④ 4   ⑤ 5

10 다항식 x^3-2x^2+ax+b가 $x+1$, $x-2$로 각각 나누어떨어질 때, 상수 a, b에 대하여 ab의 값은?

① -2 ② -1 ③ 1
④ 2   ⑤ 3

11 다음 중 옳지 <u>않은</u> 것은?

① $a(x-y)-b(y-x)=(x-y)(a+b)$
② $x^3-x^2-2x=x(x+1)(x-2)$
③ $x^4-1=(x+1)(x-1)(x^2+1)$
④ $a^3+8b^3=(a+2b)(a^2-2ab+2b^2)$
⑤ $x^3-6x^2+12x-8=(x-2)^3$

12 다항식 $x^2+4y^2+9z^2-4xy-12yz+6zx$가 $(ax+by+cz)^2$으로 인수분해될 때, 정수 a, b, c에 대하여 abc의 값은? (단, $a>0$)

① -7 ② -6 ③ -5
④ -4 ⑤ -3

13 다항식 $8x^4-36x^3y+54x^2y^2-27xy^3$을 인수분해하여라.

14 다항식 $125x^3-27$을 인수분해하면
$(5x+a)(bx^2+cx+d)$일 때, 상수 a, b, c, d에 대하여
$a+b-c+d$의 값은?

① 10   ② 12   ③ 14

④ 16   ⑤ 18

15 다항식 $(x^2+2x-1)(x^2+2x+3)-12$가
$(x+3)(x+a)(x^2+bx+c)$로 인수분해될 때, 상수 a,
b, c의 값을 구하여라.

16 다항식 $3x^4-11x^2-4$를 인수분해하면?

① $(x^2+1)(3x^2-4)$

② $(x^2-2)(3x^2+2)$

③ $(x^2+2)(3x^2-2)$

④ $(x+1)(x-1)(3x^2+4)$

⑤ $(x+2)(x-2)(3x^2+1)$

17 다항식 x^4+4y^4을 인수분해하여라.

18 다항식 $a^2(b+c)+b^2(c+a)+c^2(a+b)+2abc$를 인수분해하면?

① $(a+b)(b+c)(c+a)$

② $(a+b)(b+c)(c-a)$

③ $(a+b)(b-c)(c+a)$

④ $(a-b)(b+c)(c+a)$

⑤ $(a-b)(b-c)(c-a)$

19 다항식 $x^3-3x^2-4x+12$를 인수분해하여라.

20 인수분해를 이용하여 $\dfrac{997^3-27}{998\times999+7}$의 값을 구하면?

① 100   ② 994   ③ 997

④ 1000   ⑤ 10000

03

복소수

AM

03 복소수

03-1 복소수

(1) 허수단위

제곱하여 -1이 되는 수를 기호 i로 나타내기로 한다. 즉,

$$i^2=-1 \ (i=\sqrt{-1})$$

이때 i를 **허수단위**라고 한다.

(2) 복소수

임의의 실수 a, b에 대하여

① $a+bi$ 꼴로 나타내어지는 수를 **복소수**라 하고, a를 복소수의 **실수부분**, b를 복소수의 **허수부분**이라고 한다.

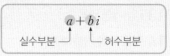

② 실수가 아닌 복소수 $a+bi \ (b\neq0)$를 **허수**라 하고, $bi \ (b\neq0)$ 꼴의 복소수를 **순허수**라고 한다.

복소수 $(a+bi)$ $\begin{cases} \text{실수} \ (b=0) \\ \text{허수} \ (b\neq0) \end{cases}$

● 임의의 실수 a는 $a+0i$로 나타낼 수 있으므로 실수도 복소수이다.

연·산·유·형

정답과 해설 **18**쪽

유형 01 실수부분과 허수부분

[001~006] 다음 복소수의 실수부분과 허수부분을 구하여라.

001 $2-i$

002 $-3+\sqrt{2}i$

003 $\dfrac{1-4i}{3}$

004 $7i$

005 -6

006 $1+\sqrt{5}$

유형 02 복소수의 분류

[007~009] 다음 수를 보기에서 있는 대로 골라라.

보기

ㄱ. $3+5i$ 　ㄴ. $1-\sqrt{3}$ 　ㄷ. $-2i$

ㄹ. π 　ㅁ. $3i-1$ 　ㅂ. $\sqrt{4}i$

ㅅ. 0 　ㅇ. i 　ㅈ. $\sqrt{9}$

007 실수

008 허수

009 순허수

두 복소수 $a+bi$, $c+di$ (a, b, c, d는 실수)에 대하여

(1) $a=c$, $b=d$이면 $a+bi=c+di$

　　$a+bi=c+di$이면 $a=c$, $b=d$

(2) $a=0$, $b=0$이면 $a+bi=0$

　　$a+bi=0$이면 $a=0$, $b=0$

예 $a+bi=2-3i$이면 $a=2$, $b=-3$

연·산·유·형

정답과 해설 18쪽

유형 03　복소수가 서로 같을 조건

[010~018] 다음 등식을 만족하는 실수 a, b의 값을 구하여라.

010　$a+bi=-1+2i$

011　$a+bi=-4i$

012　$2+3i=a-bi$

013　$-a-5i=3-bi$

014　$(a+1)+(2-b)i=0$

015　$2a+(1-b)i=6-i$

016　$(a+b)-9i=-1+3ai$

017　$(3a-b)+(a+b)i=5-i$

018　$(a-b+1)+(a+2b)i=10$

복소수 $a+bi$(a, b는 실수)에 대하여 허수부분의 부호를 바꾼 복소수 $a-bi$를 복소수 $a+bi$의 **켤레복소수**라 하고, 기호 $\overline{a+bi}$로 나타낸다.

$$\overline{a+bi}=a-bi$$

참고 복소수 $a+bi$는 보통 z로 나타내고, 그 켤레복소수는 $\bar{z}$로 나타낸다.

연·산·유·형

정답과 해설 **18**쪽

유형 **04** 켤레복소수

[019~024] 다음 복소수의 켤레복소수를 구하여라.

019 $-2+3i$

020 $7-4i$

021 $\sqrt{3}+i$

022 $-\sqrt{2}i+5$

023 -15

024 $8i$

[025~030] 다음을 만족하는 실수 a, b의 값을 구하여라.

025 $\overline{3+5i}=a+bi$

026 $\overline{-1-2i}=a+bi$

027 $\overline{i-\sqrt{5}}=a+bi$

028 $\overline{7-\sqrt{3}i}=a+bi$

029 $\overline{\sqrt{2}}=a+bi$

030 $\overline{-11i}=a+bi$

복소수의 사칙연산

두 복소수 $a+bi$, $c+di$(a, b, c, d는 실수)에 대하여

(1) $(a+bi)+(c+di)=(a+c)+(b+d)i$

(2) $(a+bi)-(c+di)=(a-c)+(b-d)i$

(3) $(a+bi)(c+di)=(ac-bd)+(ad+bc)i$

(4) $\dfrac{a+bi}{c+di}=\dfrac{(a+bi)(c-di)}{(c+di)(c-di)}=\dfrac{ac+bd}{c^2+d^2}+\dfrac{bc-ad}{c^2+d^2}i$ (단, $c+di\neq0$)

● 복소수의 나눗셈은 분모의 켤레복소수를 분모, 분자에 곱하여 계산한다.

연·산·유·형

정답과 해설 **18**쪽

유형 05 복소수의 덧셈

[031~035] 다음을 계산하여라.

031 $(3+5i)+(1+6i)$

032 $(-2+3i)+(5-4i)$

033 $(5-2i)+(-3+i)$

034 $(-3-4i)+(2i-5)$

035 $11i+(7-8i)$

유형 06 복소수의 뺄셈

[036~040] 다음을 계산하여라.

036 $(5-4i)-(2+i)$

037 $(7+6i)-(3-5i)$

038 $(4-3i)-(-2+7i)$

039 $(-2+3i)-(-1-4i)$

040 $-4i-(-9+2i)$

유형 07 복소수의 곱셈

[041~048] 다음을 계산하여라.

041 $2i(5-i)$

042 $(3-2i)(2+5i)$

043 $(4-i)(-2+3i)$

044 $(7-2i)(3-4i)$

045 $(6+i)^2$

046 $(2-3i)^2$

047 $(3-i)(3+i)$

048 $(2-i)(-2-i)$

유형 08 복소수의 나눗셈

[049~056] 다음을 $a+bi$(a, b는 실수) 꼴로 나타내어라.

049 $\dfrac{1}{2-i}$

050 $\dfrac{10}{3+i}$

051 $\dfrac{i}{1-i}$

052 $\dfrac{13i}{2-3i}$

053 $\dfrac{1+2i}{3-i}$

054 $\dfrac{8-i}{1-2i}$

055 $\dfrac{3i-5}{4+i}$

056 $\dfrac{1-\sqrt{2}i}{1+\sqrt{2}i}$

유형 09 복소수의 사칙연산

[057~060] 다음을 계산하여라.

057 $(5-8i)-(-2-3i)+10i$

058 $\dfrac{3}{1-i}-\dfrac{1}{1+i}$

059 $(2-i)(2+i)+\dfrac{5i}{1-3i}$

060 $(1+2i)^2-\dfrac{3-i}{2+i}$

유형 10 식의 값 구하기

[061~064] $a=3+i$, $b=1-2i$일 때, 다음 식의 값을 구하여라.

061 $a-b$

062 ab

063 $\dfrac{a}{b}$

064 $\dfrac{1}{a}-\dfrac{1}{b}$

[065~070] $a=1+i$, $b=1-i$일 때, 다음 식의 값을 구하여라.

065 $a+b$

066 ab

067 a^2+b^2

068 $\dfrac{1}{a}+\dfrac{1}{b}$

069 $\dfrac{b}{a}+\dfrac{a}{b}$

070 a^3+b^3

유형 11 켤레복소수의 계산

[071~074] 복소수 $z=2+i$에 대하여 다음 식의 값을 구하여라.
(단, $\bar{z}$는 z의 켤레복소수)

071 $\bar{z}$

072 $z+\bar{z}$

073 $\bar{z}^2$

074 $\dfrac{z}{\bar{z}}$

[075~078] 복소수 $z=3-4i$에 대하여 다음 식의 값을 구하여라.
(단, $\bar{z}$는 z의 켤레복소수)

075 $\bar{z}$

076 $\bar{z}-z$

077 $z\bar{z}$

078 $\dfrac{\bar{z}}{z}$

유형 12 조건을 만족하는 복소수 구하기

[079~082] 복소수 z와 그 켤레복소수 $\bar{z}$에 대하여 다음 등식을 만족하는 복소수 z를 구하여라.

079 $(1-i)z+3i\bar{z}=3-i$

$z=a+bi$(a, b는 실수)라고 하면 $\bar{z}=\boxed{}$이므로 주어진 등식에 대입하면
$(1-i)(a+bi)+3i(\boxed{})=3-i$
$(a+4b)+(\boxed{})i=3-i$
복소수가 서로 같을 조건에 의하여
$a+4b=3$, $\boxed{}=-1$
두 식을 연립하여 풀면 $a=\boxed{}$, $b=\boxed{}$
$\therefore z=\boxed{}$

080 $2iz+(1+i)\bar{z}=-3+i$

081 $(3-i)z-i\bar{z}=3-5i$

082 $(1+2i)z+(4-i)\bar{z}=-1+7i$

허수단위 i의 거듭제곱인 i^n(n은 자연수)의 값을 차례로 구하면 i, -1, $-i$, 1이
반복되어 나타나므로 i의 거듭제곱은 다음과 같은 규칙을 갖는다.

➡ $i^{4k+1}=i$, $i^{4k+2}=-1$, $i^{4k+3}=-i$, $i^{4k+4}=1$ (단, $k=0$, 1, 2, 3, $\cdots$)

예 $i^{21}=i^{4\times5+1}=i$, $i^{22}=i^{4\times5+2}=-1$

연·산·유·형

정답과 해설 21쪽

유형 13 i의 거듭제곱

[083~088] 다음을 계산하여라.

083 i^{10}

084 i^{17}

085 $(-i)^7$

086 $i^{100}-i^{102}$

087 $1+i+i^2+i^3$

088 $\dfrac{1}{i^{201}}+\dfrac{1}{i^{203}}$

유형 14 복소수의 거듭제곱

[089~092] 다음을 계산하여라.

089 $\left(\dfrac{1+i}{1-i}\right)^2$

090 $\left(\dfrac{1+i}{1-i}\right)^{100}$

091 $\left(\dfrac{1-i}{1+i}\right)^2$

092 $\left(\dfrac{1-i}{1+i}\right)^{52}$

$a > 0$일 때
(1) $\sqrt{-a} = \sqrt{a}\,i$
(2) $-a$의 제곱근은 $\pm\sqrt{a}\,i$이다.

예 ① $\sqrt{-2} = \sqrt{2}\,i$
② -2의 제곱근은 $\pm\sqrt{2}\,i$이다.

연·산·유·형

정답과 해설 21쪽

유형 **15** 음수의 제곱근

[093~097] 다음 수를 허수단위 i를 사용하여 나타내어라.

093 $\sqrt{-7}$

094 $\sqrt{-16}$

095 $-\sqrt{-12}$

096 $-\sqrt{-49}$

097 $\sqrt{-\dfrac{9}{4}}$

[098~102] 다음 수의 제곱근을 구하여라.

098 -5

099 -36

100 $-\dfrac{1}{3}$

101 $-\dfrac{1}{9}$

102 $-\dfrac{3}{25}$

(1) $a<0$, $b<0$이면 $\sqrt{a}\sqrt{b}=-\sqrt{ab}$

$a>0$, $b<0$이면 $\dfrac{\sqrt{a}}{\sqrt{b}}=-\sqrt{\dfrac{a}{b}}$

(2) $\sqrt{a}\sqrt{b}=-\sqrt{ab}$이면 $a<0$, $b<0$ 또는 $a=0$ 또는 $b=0$

$\dfrac{\sqrt{a}}{\sqrt{b}}=-\sqrt{\dfrac{a}{b}}$이면 $a>0$, $b<0$ 또는 $a=0$, $b\neq0$

연·산·유·형

정답과 해설 21쪽

유형 16 음수의 제곱근의 성질

[103~112] 다음을 $a+bi(a, b$는 실수$)$ 꼴로 나타내어라.

103 $\sqrt{-2}\sqrt{-8}$

104 $\sqrt{-4}\sqrt{9}$

105 $\sqrt{3}\sqrt{-6}$

106 $\dfrac{\sqrt{18}}{\sqrt{-2}}$

107 $\dfrac{\sqrt{-3}}{\sqrt{12}}$

108 $\dfrac{\sqrt{-40}}{\sqrt{-5}}$

109 $\sqrt{-3}\sqrt{21}+\sqrt{3}\sqrt{-21}+\sqrt{-3}\sqrt{-21}$

110 $\sqrt{-4}\sqrt{-16}-\sqrt{-9}\sqrt{-25}$

111 $\sqrt{-3}\sqrt{6}+\dfrac{\sqrt{10}}{\sqrt{-5}}$

112 $\dfrac{\sqrt{-6}}{\sqrt{2}}+\dfrac{\sqrt{6}}{\sqrt{-2}}+\dfrac{\sqrt{-6}}{\sqrt{-2}}$

최종 점검하기

1 복소수 $\dfrac{3-i}{2}$의 실수부분을 a, 허수부분을 b라고 할 때, $a+b$의 값은?

① -1 ② $\dfrac{1}{2}$ ③ 1

④ 2 ⑤ $\dfrac{5}{2}$

2 다음 보기 중 허수인 것만을 있는 대로 골라라.

┤ 보기 ├
ㄱ. $-5i$ ㄴ. $3+i$ ㄷ. $2-\sqrt{3}$
ㄹ. $3i^2$ ㅁ. $1+\pi$ ㅂ. $1+\sqrt{-2}$

3 등식 $x(2+i)-2y(1+i)=\overline{4-7i}$를 만족하는 실수 x, y에 대하여 $x+y$의 값은?

① -8 ② -5 ③ -2
④ 0 ⑤ 2

4 다음 중 옳은 것은?

① $(2-i)+(1+3i)=1+2i$
② $(5-3i)-(3-2i)=2-5i$
③ $(1+2i)(4-i)=2+7i$
④ $(2+3i)^2=13+12i$
⑤ $\dfrac{1}{3+i}+\dfrac{1}{3-i}=\dfrac{3}{5}$

5 $(3-i)(1+2i)-\dfrac{5i}{2-i}$를 $a+bi$(a, b는 실수) 꼴로 나타 내어라.

6 $a=2-i$, $b=2+i$일 때, $\dfrac{b}{a}+\dfrac{a}{b}$의 값은?

① $\dfrac{3}{4}$ ② $\dfrac{5}{6}$ ③ 1
④ $\dfrac{6}{5}$ ⑤ $\dfrac{4}{3}$

7 $z=1+3i$일 때, $1+z+\bar{z}$의 값은?

(단, $\bar{z}$는 z의 켤레복소수)

① 1   ② 2   ③ 3

④ $1+6i$ ⑤ $3+6i$

8 $\alpha=5-i$, $\beta=-2+3i$일 때, $(\alpha+\beta)(\bar{\alpha}-\bar{\beta})$의 값을 구하여라. (단, $\bar{\alpha}$, $\bar{\beta}$는 각각 α, β의 켤레복소수)

9 복소수 z와 그 켤레복소수 $\bar{z}$에 대하여 등식 $(1+i)z+2i\bar{z}=3-7i$를 만족하는 복소수 z를 구하여라.

10 $\dfrac{1}{i}+\dfrac{1}{i^2}+\dfrac{1}{i^3}+\dfrac{1}{i^4}$을 간단히 하면?

① -1 ② 0   ③ 1

④ 2   ⑤ 3

11 $\left(\dfrac{1+i}{1-i}\right)^{206}+\left(\dfrac{1-i}{1+i}\right)^{206}$을 간단히 하면?

① -2 ② -1 ③ 0

④ 1   ⑤ 2

12 다음 중 옳지 <u>않은</u> 것은?

① $\sqrt{3}\sqrt{-5}=\sqrt{15}i$

② $\sqrt{-3}\sqrt{-5}=-\sqrt{15}$

③ $\dfrac{\sqrt{-15}}{\sqrt{3}}=\sqrt{-5}$

④ $\dfrac{\sqrt{-3}}{\sqrt{-15}}=\dfrac{\sqrt{5}}{5}$

⑤ $\dfrac{\sqrt{3}}{\sqrt{-15}}=\sqrt{-\dfrac{1}{5}}$

13 $\sqrt{-2}\sqrt{-12}+\dfrac{\sqrt{18}}{\sqrt{-3}}=a+bi$일 때, 실수 a, b에 대하여 $a-b$의 값은?

① $-3\sqrt{6}$ ② $-2\sqrt{6}$ ③ $-\sqrt{6}$

④ $\sqrt{6}$ ⑤ $2\sqrt{6}$

II. 방정식과 부등식

04

이차방정식

AM

04 이차방정식

04-1 이차방정식의 풀이

(1) 이차방정식의 풀이

① 인수분해를 이용

x에 대한 이차방정식 $(ax-b)(cx-d)=0$의 근은 ➡ $x=\dfrac{b}{a}$ 또는 $x=\dfrac{d}{c}$

② 근의 공식을 이용

계수가 실수인 이차방정식 $ax^2+bx+c=0$의 근은 ➡ $x=\dfrac{-b\pm\sqrt{b^2-4ac}}{2a}$

> 참고 계수가 실수인 이차방정식 $ax^2+2b'x+c=0$의 근은 ➡ $x=\dfrac{-b'\pm\sqrt{b'^2-ac}}{a}$

(2) 이차방정식의 실근과 허근

계수가 실수인 이차방정식은 복소수 범위에서 반드시 해를 갖는다.

이때 실수인 근을 **실근**, 허수인 근을 **허근**이라고 한다.

● 특별한 언급이 없으면 이차방정식의 근은 복소수의 범위에서 구한다.

연·산·유·형

정답과 해설 23쪽

유형 01 인수분해를 이용한 이차방정식의 풀이

[001~004] 인수분해를 이용하여 다음 이차방정식을 풀어라.

001 $x^2+4x+4=0$

002 $x^2-3x+2=0$

003 $2x^2-5x-3=0$

004 $3x^2+x-2=0$

유형 02 근의 공식을 이용한 이차방정식의 풀이

[005~008] 근의 공식을 이용하여 다음 이차방정식을 풀어라.

005 $x^2-x-3=0$

006 $x^2-3x+6=0$

007 $2x^2+5x+7=0$

008 $3x^2+x-3=0$

[009~013] 근의 공식을 이용하여 다음 이차방정식을 풀어라.

009 $x^2+2x+5=0$

010 $x^2-4x+7=0$

011 $x^2+10x-2=0$

012 $2x^2-6x+5=0$

013 $3x^2-2x-4=0$

유형 **03** 실근과 허근

[014~018] 다음 이차방정식을 풀고, 그 근이 실근인지 허근인지 말하여라.

014 $x^2-5=0$

015 $x^2+x+3=0$

016 $x^2+2x-2=0$

017 $2x^2-6x+7=0$

018 $3x^2-x-1=0$

절댓값 기호를 포함한 방정식은

$$|x-a| = \begin{cases} x-a \ (x \geq a) \\ -x+a \ (x < a) \end{cases}$$

임을 이용하여 절댓값 기호 안의 식의 값이 0이 되는 x의 값을 기준으로 구간을 나누어 푼다.

주의 구한 x의 값 중에서 구간에 속한 것만 방정식의 해이다.

연·산·유·형

정답과 해설 **24**쪽

유형 04 절댓값 기호를 포함한 방정식의 풀이

[019~025] 다음 방정식을 풀어라.

019 $x^2 - |x-3| - 9 = 0$

$x^2 - |x-3| - 9 = 0$에서

(i) $x < 3$일 때

$x^2 + (x-3) - 9 = 0$, $x^2 + x - 12 = 0$

$(\boxed{})(x-3) = 0$ ∴ $x = \boxed{}$ 또는 $x = 3$

그런데 $x < 3$이므로 $x = \boxed{}$

(ii) $x \geq 3$일 때

$x^2 - (x-3) - 9 = 0$, $x^2 - x - 6 = 0$

$(x+2)(\boxed{}) = 0$ ∴ $x = -2$ 또는 $x = \boxed{}$

그런데 $x \geq 3$이므로 $x = \boxed{}$

(i), (ii)에 의하여 주어진 방정식의 해는

$x = -4$ 또는 $\boxed{}$

020 $x^2 + |x| - 6 = 0$

021 $3x^2 - 4|x| - 4 = 0$

022 $x^2 - 3|x+1| - 7 = 0$

023 $2x^2 + |x-1| = 2$

024 $3x^2 - 2|x-1| = 6$

025 $x^2 + |2x-1| - 3 = 0$

(1) 이차방정식의 판별식

계수가 실수인 이차방정식 $ax^2+bx+c=0$에서 b^2-4ac를 이차방정식의 **판별식**이라

하고, 기호 D로 나타낸다. 즉,

$$D=b^2-4ac$$

참고 계수가 실수인 이차방정식 $ax^2+2b'x+c=0$에서는 판별식 D 대신 $\dfrac{D}{4}=b'^2-ac$를 이용할 수

있다.

(2) 이차방정식의 근의 판별

계수가 실수인 이차방정식 $ax^2+bx+c=0$에서 $D=b^2-4ac$라고 할 때

① $D>0$이면 **서로 다른 두 실근**을 갖는다.

② $D=0$이면 **중근**을 갖는다.

③ $D<0$이면 **서로 다른 두 허근**을 갖는다.

연·산·유·형

정답과 해설 **25**쪽

유형 05 이차방정식의 근의 판별

[026~033] 다음 이차방정식의 근을 판별하여라.

026 $x^2-3x+5=0$

027 $x^2+2x+4=0$

028 $x^2+8x-2=0$

029 $2x^2-6x-9=0$

030 $3x^2+x-2=0$

031 $3x^2-4x+5=0$

032 $4x^2+4x+1=0$

033 $9x^2-12x+4=0$

유형 **06** 이차방정식이 서로 다른 두 실근을 가질 조건

[034~038] 다음 이차방정식이 서로 다른 두 실근을 가질 때, 실수 k의 값의 범위를 구하여라.

034 $x^2-5x+k=0$

> $x^2-5x+k=0$의 판별식을 D라고 하면
> $D=(-5)^2-4\times1\times k=25-4k$
> 서로 다른 두 실근을 가지려면 $D\boxed{}0$이어야 하므로
> $25-4k\boxed{}0$ $\quad\therefore k<\boxed{}$

035 $x^2-3x+k=0$

036 $x^2+6x-k+1=0$

037 $x^2-2kx+k^2-k+3=0$

038 $x^2+(2k+1)x+k^2=0$

유형 **07** 이차방정식이 중근을 가질 조건

[039~043] 다음 이차방정식이 중근을 가질 때, 실수 k의 값을 구하여라.

039 $x^2+4x-k=0$

> $x^2+4x-k=0$의 판별식을 D라고 하면
> $\dfrac{D}{4}=2^2-1\times(-k)=k+4$
> 중근을 가지려면 $D\boxed{}0$이어야 하므로
> $k+4\boxed{}0$ $\quad\therefore k=\boxed{}$

040 $x^2+3x+2k=0$

041 $x^2-x+k-3=0$

042 $x^2+2kx+k^2+k-2=0$

043 $x^2+kx-k-1=0$

유형 08 이차방정식이 서로 다른 두 허근을 가질 조건

[044~048] 다음 이차방정식이 서로 다른 두 허근을 가질 때, 실수 k의 값의 범위를 구하여라.

044 $x^2-x+2k=0$

$x^2-x+2k=0$의 판별식을 D라고 하면
$D=(-1)^2-4\times1\times2k=1-8k$
서로 다른 두 허근을 가지려면 $D\boxed{\phantom{<}}0$이어야 하므로
$1-8k\boxed{\phantom{<}}0$ $\therefore k>\boxed{}$

045 $x^2+5x-k=0$

046 $x^2+4x-3k+1=0$

047 $x^2-6kx+9k^2+2k-5=0$

048 $x^2+2(k-1)x+k^2-5=0$

유형 09 이차식이 완전제곱식이 되는 조건

[049~053] 다음 이차식이 완전제곱식이 되도록 하는 실수 a의 값을 구하여라.

049 ax^2-4x+1

ax^2-4x+1이 완전제곱식이 되려면 이차방정식
$ax^2-4x+1=0$이 중근을 가져야 하므로 이 이차방정식의
판별식을 D라고 하면
$\dfrac{D}{4}=(-2)^2-\boxed{}\times1=0$ $\therefore a=\boxed{}$

050 x^2+5x-a

051 ax^2+2x+4

052 ax^2-4x+a

053 $ax^2+3ax+a+2$

04-4 이차방정식의 근과 계수의 관계

이차방정식 $ax^2+bx+c=0$의 두 근을 α, β라고 하면

$$\alpha+\beta=-\frac{b}{a}, \quad \alpha\beta=\frac{c}{a}$$

예 이차방정식 $2x^2+3x-6=0$의 두 근을 α, β라고 하면

$$\alpha+\beta=-\frac{3}{2}, \ \alpha\beta=\frac{-6}{2}=-3$$

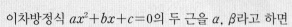

연·산·유·형

정답과 해설 **26**쪽

유형 10 이차방정식의 근과 계수의 관계

[054~062] 다음 이차방정식의 두 근의 합과 곱을 구하여라.

054 $x^2-5x+7=0$

055 $x^2+4x-2=0$

056 $x^2-2x-9=0$

057 $x^2+11=0$

058 $2x^2-x+2=0$

059 $2x^2+4x-3=0$

060 $2x^2-6x-1=0$

061 $3x^2+x-3=0$

062 $3x^2-x=0$

[070~076] 이차방정식 $x^2+2x-4=0$의 두 근을 α, β라고 할 때, 다음 식의 값을 구하여라.

070 $\alpha+\beta$

유형 **11** | 근과 계수의 관계를 이용하여 식의 값 구하기

[063~069] 이차방정식 $x^2-3x+7=0$의 두 근을 α, β라고 할 때, 다음 식의 값을 구하여라.

063 $\alpha+\beta$

071 $\alpha\beta$

064 $\alpha\beta$

072 $\dfrac{1}{\alpha}+\dfrac{1}{\beta}$

065 $\dfrac{1}{\alpha}+\dfrac{1}{\beta}$

073 $\alpha^2+\beta^2$

066 $\alpha^2+\beta^2$

074 $\dfrac{\beta}{\alpha}+\dfrac{\alpha}{\beta}$

067 $\dfrac{\beta}{\alpha}+\dfrac{\alpha}{\beta}$

075 $\alpha^3+\beta^3$

068 $\alpha^3+\beta^3$

076 $\dfrac{\beta^2}{\alpha}+\dfrac{\alpha^2}{\beta}$

069 $\dfrac{\beta^2}{\alpha}+\dfrac{\alpha^2}{\beta}$

이차방정식의 두 근의 조건이 주어지면 두 근을 다음과 같이 놓고, 근과 계수의 관계를
이용한다.

(1) 두 근의 비가 $m : n$ ➡ mk, nk $(k \neq 0)$
(2) 한 근이 다른 근의 k배 ➡ α, $k\alpha$ $(\alpha \neq 0)$
(3) 두 근의 차가 k ➡ α, $\alpha+k$ 또는 $\alpha-k$, α
(4) 두 근이 연속인 정수 ➡ α, $\alpha+1$ 또는 $\alpha-1$, α

연·산·유·형

정답과 해설 **27쪽**

유형 12 두 근의 비가 주어진 이차방정식

[077~080] 다음 이차방정식의 두 근의 비가 [   ] 안과 같을
때, 상수 m의 값을 구하여라.

077 $x^2-5x+m=0$ [2 : 3]

두 근의 비가 2 : 3이므로 두 근을 $2k$, $\square$ $(k \neq 0)$로 놓으
면 근과 계수의 관계에 의하여
$2k+3k=\square$ ····· ㉠
$2k \times 3k=m$ ····· ㉡
㉠에서 $k=\square$
이를 ㉡에 대입하면 $m=\square$

078 $x^2-14x-m=0$ [2 : 5]

079 $x^2-mx+14=0$ [2 : 7]

080 $2x^2-7x-m=0$ [3 : 4]

유형 13 한 근이 다른 근의 k배인 이차방정식

[081~084] 다음 이차방정식의 한 근이 다른 근의 k배일 때, 상
수 m의 값을 구하여라.

081 $x^2-9x-m=0$, $k=2$

한 근이 다른 근의 2배이므로 두 근을 α, $\square$ $(\alpha \neq 0)$로
놓으면 근과 계수의 관계에 의하여
$\alpha+\square=9$ ····· ㉠
$\alpha \times \square=-m$ ····· ㉡
㉠에서 $\alpha=\square$
이를 ㉡에 대입하여 풀면 $m=\square$

082 $x^2-12x+m=0$, $k=5$

083 $x^2-(2m+1)x+4=0$, $k=4$

084 $3x^2-4x-m=0$, $k=3$

유형 14   두 근의 차가 주어진 이차방정식

[085~088] 다음 이차방정식의 두 근의 차가 [   ] 안의 수와 같을 때, 상수 m의 값을 구하여라.

085 $x^2+2x+m-2=0$ [4]

> 두 근의 차가 4이므로 두 근을 α, $\alpha+\boxed{}$로 놓으면 근과 계수의 관계에 의하여
> $\alpha+(\alpha+4)=-2$ ······ ㉠
> $\alpha(\alpha+4)=\boxed{}$ ······ ㉡
> ㉠에서 $\alpha=\boxed{}$
> 이를 ㉡에 대입하여 풀면 $m=\boxed{}$

086 $x^2-3x+5m=0$ [2]

087 $x^2-mx-4=0$ [5]

088 $x^2+(m+3)x+10=0$ [3]

유형 15   두 근이 연속인 정수인 이차방정식

[089~092] 다음 이차방정식의 두 근이 연속인 정수일 때, 상수 m의 값을 구하여라.

089 $x^2+mx+6=0$

> 두 근이 연속인 정수이므로 두 근을 α, $\alpha+\boxed{}$로 놓으면 근과 계수의 관계에 의하여
> $\alpha+(\alpha+1)=-m$ ······ ㉠
> $\alpha(\alpha+1)=\boxed{}$ ······ ㉡
> ㉡에서 $\alpha^2+\alpha-\boxed{}=0$, $(\alpha+3)(\boxed{})=0$
> $\therefore \alpha=-3$ 또는 $\alpha=2$
> (ⅰ) $\alpha=-3$을 ㉠에 대입하여 풀면 $m=\boxed{}$
> (ⅱ) $\alpha=2$를 ㉠에 대입하여 풀면 $m=-5$
> (ⅰ), (ⅱ)에 의하여 $m=-5$ 또는 $m=\boxed{}$

090 $x^2-5x-m=0$

091 $x^2+3x-2m+4=0$

092 $x^2-(m+1)x+m+2=0$

두 수 α, β를 근으로 하고 x^2의 계수가 1인 x에 대한 이차방정식은

$$(x-\alpha)(x-\beta)=0 \;\Rightarrow\; x^2-\underset{\text{두 근의 합}}{(\alpha+\beta)}x+\underset{\text{두 근의 곱}}{\alpha\beta}=0$$

참고 두 수 α, β를 근으로 하고 x^2의 계수가 a인 x에 대한 이차방정식은

$$a(x-\alpha)(x-\beta)=0 \;\Rightarrow\; a\{x^2-(\alpha+\beta)x+\alpha\beta\}=0$$

연·산·유·형

정답과 해설 **28**쪽

유형 16 두 수를 근으로 하는 이차방정식

[093~102] 다음 두 수를 근으로 하고 x^2의 계수가 1인 이차방정식을 구하여라.

093 2, 4

094 -5, 3

095 $\dfrac{1}{2}$, $\dfrac{3}{2}$

096 $-\sqrt{2}$, $\sqrt{2}$

097 $-1+\sqrt{3}$, $-1-\sqrt{3}$

098 $\sqrt{3}-\sqrt{2}$, $\sqrt{3}+\sqrt{2}$

099 $-5i$, $5i$

100 $1+i$, $1-i$

101 $3-i$, $3+i$

102 $1+2i$, $1-2i$

[103~105] 다음 두 수를 근으로 하고 x^2의 계수가 2인 이차방정식을 구하여라.

103 $\dfrac{1}{2}$, 3

104 $-\dfrac{\sqrt{2}}{2}$, $\dfrac{\sqrt{2}}{2}$

105 $\dfrac{1}{1+i}$, $\dfrac{1}{1-i}$

[106~109] 이차방정식 $x^2+2x+3=0$의 두 근을 α, β라고 할 때, 다음을 두 근으로 하고 x^2의 계수가 1인 이차방정식을 구하여라.

106 $-\alpha$, $-\beta$

107 $\alpha+1$, $\beta+1$

108 $\alpha+\beta$, $\alpha\beta$

109 $\dfrac{1}{\alpha}$, $\dfrac{1}{\beta}$

유형 17 **잘못 보고 푼 이차방정식**

[110~112] 다음 물음에 답하여라.

110 이차방정식 $x^2+ax+b=0$을 푸는데 준희는 x의 계수를 잘못 보고 풀어서 두 근 -2, 6을 얻었고, 상현이는 상수항을 잘못 보고 풀어서 두 근 $1-\sqrt{2}$, $1+\sqrt{2}$를 얻었다. 처음 이차방정식을 구하여라.

> (ⅰ) 준희는 a는 잘못 보았지만 x^2의 계수와 ☐는 바르게 보고 풀었으므로 두 근의 곱은
> $$b=-2\times6=-12$$
> (ⅱ) 상현이는 b는 잘못 보았지만 x^2의 계수와 ☐는 바르게 보고 풀었으므로 두 근의 합은
> $$-a=(1-\sqrt{2})+(1+\sqrt{2}) \qquad \therefore a=☐$$
> (ⅰ), (ⅱ)에 의하여 처음 이차방정식은
> ☐

111 이차방정식 $x^2+ax+b=0$을 푸는데 창민이는 x의 계수를 잘못 보고 풀어서 두 근 2, 5를 얻었고, 민지는 상수항을 잘못 보고 풀어서 두 근 $4-i$, $4+i$를 얻었다. 처음 이차방정식을 구하여라.

112 이차방정식 $x^2+ax+b=0$을 푸는데 윤아는 x의 계수를 잘못 보고 풀어서 두 근 $2-\sqrt{7}$, $2+\sqrt{7}$을 얻었고, 지연이는 상수항을 잘못 보고 풀어서 두 근 $1+2i$, $1-2i$를 얻었다. 바르게 푼 이차방정식의 두 근을 구하여라.

이차방정식 $ax^2+bx+c=0$의 두 근을 α, β라고 하면
$$ax^2+bx+c=a(x-\alpha)(x-\beta)$$

참고 계수가 실수인 이차식은 복소수의 범위에서 두 일차식의 곱으로 나타낼 수 있다.

연·산·유·형

정답과 해설 **30**쪽

유형 **18** 이차식의 인수분해

[113~122] 다음 이차식을 복소수의 범위에서 인수분해하여라.

113 x^2-3

114 x^2+4

115 x^2+5

116 x^2+x-1

117 x^2-3x+4

118 x^2+2x+4

119 x^2+4x-2

120 x^2-6x-3

121 $2x^2+2x-7$

122 $3x^2-4x+5$

이차방정식 $ax^2+bx+c=0$에서

(1) a, b, c가 유리수일 때, 무리수 $p+q\sqrt{m}$이 근이면 $p-q\sqrt{m}$도 근이다.

(단, p, q는 유리수, $q\neq0$, $\sqrt{m}$은 무리수)

(2) a, b, c가 실수일 때, 허수 $p+qi$가 근이면 $p-qi$도 근이다.

(단, p, q는 실수, $q\neq0$, $i=\sqrt{-1}$)

● $p+q\sqrt{m}$과 $p-q\sqrt{m}$, $p+qi$와 $p-qi$를 각각 켤레근이라고 한다.

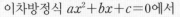

연·산·유·형

정답과 해설 **30**쪽

유형 19 이차방정식의 켤레근의 성질

[123~126] 이차방정식 $x^2+ax+b=0$의 한 근이 다음과 같을 때, 나머지 한 근과 유리수 a, b의 값을 구하여라.

123 $1+\sqrt{3}$

124 $3-\sqrt{2}$

125 $-2+\sqrt{5}$

126 $3-2\sqrt{2}$

[127~130] 이차방정식 $x^2+ax+b=0$의 한 근이 다음과 같을 때, 나머지 한 근과 실수 a, b의 값을 구하여라.

127 $-2+i$

128 $1+3i$

129 $3-\sqrt{6}i$

130 $1+2\sqrt{2}i$

연산
유형

최종 점검하기

1 이차방정식 $x^2-(a+2)x+2a=0$의 한 근이 4일 때, 다른 한 근을 구하여라.

2 방정식 $x^2+|x-2|-4=0$의 모든 근의 합은?

① -2 ② -1 ③ 0

④ 1   ⑤ 2

3 다음 보기의 이차방정식 중 실근을 갖는 것만을 있는 대로 고른 것은?

┌─ **보기** ├─

ㄱ. $x^2-2x+5=0$

ㄴ. $2x^2+4x-11=0$

ㄷ. $3x^2+\sqrt{13}x-2=0$

ㄹ. $4x^2-12x+9=0$

① ㄱ   ② ㄴ   ③ ㄱ, ㄷ

④ ㄴ, ㄹ   ⑤ ㄴ, ㄷ, ㄹ

4 이차방정식 $x^2+4kx+4k^2+k-2=0$이 중근을 가질 때, 실수 k의 값은?

① -4 ② -2 ③ 0

④ 2   ⑤ 4

5 이차방정식 $x^2-2kx+k^2+k+3=0$이 허근을 갖도록 하는 정수 k의 최솟값은?

① -3 ② -2 ③ -1

④ 1   ⑤ 2

6 이차식 ax^2+3x+6이 완전제곱식이 되도록 하는 실수 a의 값을 구하여라.

7 이차방정식 $x^2+3x+4=0$의 두 근을 α, β라고 할 때, $\alpha^2-\alpha\beta+\beta^2$의 값을 구하여라.

8 이차방정식 $x^2+4kx+2k^2+4=0$의 한 근이 다른 근의 3배일 때, 모든 실수 k의 값의 곱은?

① -4 ② -1 ③ 1

④ 2 ⑤ 4

9 이차방정식 $x^2-mx+m+4=0$의 두 근의 차가 4일 때, 양수 m의 값은?

① 4 ② 8 ③ 12

④ 16 ⑤ 20

10 이차방정식 $x^2-3x+3=0$의 두 근을 α, β라고 할 때, $\dfrac{1}{\alpha-1}$, $\dfrac{1}{\beta-1}$을 두 근으로 하고 x^2의 계수가 1인 이차방정식은?

① $x^2-x-1=0$ ② $x^2-x+1=0$

③ $x^2+3x-1=0$ ④ $x^2+3x+1=0$

⑤ $x^2+3x+3=0$

11 이차방정식 $x^2+ax+b=0$을 푸는데 지수는 x의 계수를 잘못 보고 풀어서 두 근 $3+i$, $3-i$를 얻었고, 민지는 상수항을 잘못 보고 풀어서 두 근 $4+\sqrt{3}$, $4-\sqrt{3}$을 얻었다. 이때 상수 a, b에 대하여 $a+b$의 값은?

① 1 ② 2 ③ 3

④ 4 ⑤ 5

12 다음 보기 중 이차식을 복소수 범위에서 인수분해한 것으로 옳은 것만을 있는 대로 골라라.

> **보기**
> ㄱ. $x^2+2=(x+\sqrt{2}i)(x-\sqrt{2}i)$
> ㄴ. $x^2-4x+1=(x-2-\sqrt{3})(x-2+\sqrt{3})$
> ㄷ. $x^2+5x+9=\left(x-\dfrac{5-\sqrt{11}i}{2}\right)\left(x-\dfrac{5+\sqrt{11}i}{2}\right)$
> ㄹ. $2x^2+2x-3=2(x+1-2\sqrt{2})(x+1+2\sqrt{2})$

13 이차방정식 $x^2+ax+b=0$의 한 근이 $-2-4i$일 때, 실수 a, b에 대하여 $\dfrac{b}{a}$의 값은?

① 1 ② 3 ③ 5

④ 7 ⑤ 9

05

이차방정식과
이차함수

AM

05 이차방정식과 이차함수

05-1 이차함수의 그래프

(1) **이차함수 $y=a(x-p)^2+q$의 그래프**
 ① 이차함수 $y=ax^2$의 그래프를 x축의 방향으로 p만큼, y축의 방향으로 q만큼
  평행이동한 것과 같다.
 ② 꼭짓점의 좌표는 $(p,\ q)$이다.
 ③ 축의 방정식은 $x=p$이다.
(2) **이차함수 $y=ax^2+bx+c$의 그래프**
  $y=a(x-p)^2+q$ 꼴로 변형하여 그린다.

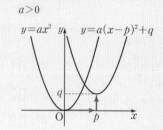

연·산·유·형

정답과 해설 32쪽

유형 01 이차함수의 그래프

[001~007] 다음 이차함수의 그래프를 그려라.

001 $y=(x-1)^2-2$

002 $y=-(x+2)^2+4$

003 $y=3x^2+2$

004 $y=2(x-3)^2-1$

005 $y=x^2-6x-1$

006 $y=2x^2+4x+3$

007 $y=-x^2-4x+2$

(1) 이차방정식과 이차함수의 관계

이차함수 $y=ax^2+bx+c$의 그래프와 x축의 교점의 x좌표는 이차방정식 $ax^2+bx+c=0$의 실근과 같다.

(2) 이차함수의 그래프와 x축의 위치 관계

이차함수 $y=ax^2+bx+c$의 그래프와 x축의 위치 관계는 이차방정식 $ax^2+bx+c=0$의 판별식 $D=b^2-4ac$의 부호에 따라 다음과 같이 결정된다.

● 이차함수 $y=ax^2+bx+c$의 그래프와 x축의 교점의 개수는 이차방정식 $ax^2+bx+c=0$의 실근의 개수와 같다.

	$D>0$	$D=0$	$D<0$
$ax^2+bx+c=0$의 근	서로 다른 두 실근 α, β $(\alpha<\beta)$	중근 α	서로 다른 두 허근
$y=ax^2+bx+c$의 그래프와 x축의 위치 관계	서로 다른 두 점 $(\alpha,\,0)$, $(\beta,\,0)$ 에서 만난다.	한 점 $(\alpha,\,0)$에서 만난다(접한다).	만나지 않는다.
$y=ax^2+bx+c\,(a>0)$의 그래프			

정답과 해설 **33**쪽

연·산·유·형

유형 02 이차함수의 그래프와 x축의 교점

[008~011] 이차함수 $y=ax^2+bx+c$의 그래프가 다음 그림과 같을 때, 이차방정식 $ax^2+bx+c=0$의 근을 구하여라.

008

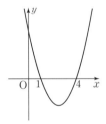

009

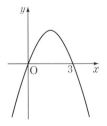

010

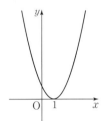

011

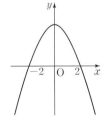

[012~017] 다음 이차함수의 그래프와 x축의 교점의 좌표를 구하여라.

012 $y=x^2-2x$

013 $y=x^2-7x+6$

014 $y=x^2+4x+4$

015 $y=2x^2+x-6$

016 $y=-x^2+4x+5$

017 $y=-x^2+10x-25$

유형 **03** 이차함수의 그래프와 x축의 위치 관계

[018~023] 다음 이차함수의 그래프와 x축의 위치 관계를 조사하여라.

018 $y=x^2+x-7$

019 $y=x^2-6x+9$

020 $y=-x^2+2x-3$

021 $y=2x^2+5x+4$

022 $y=4x^2-4x+1$

023 $y=-3x^2-2x+1$

[024~026] 다음 이차함수의 그래프가 x축과 서로 다른 두 점에서 만날 때, 실수 k의 값의 범위를 구하여라.

024 $y=x^2+2x+k$

이차함수 $y=x^2+2x+k$의 그래프가 x축과 서로 다른 두 점에서 만나려면 이차방정식 $\boxed{}$이 서로 다른 두 실근을 가져야 하므로 이 이차방정식의 판별식을 D라고 하면

$\dfrac{D}{4}=1^2-1\times k\ \boxed{}\ 0$ $\therefore k<\boxed{}$

025 $y=x^2-3x-k$

026 $y=x^2+2(k-1)x+k^2$

[027~029] 다음 이차함수의 그래프가 x축과 한 점에서 만날 때, 실수 k의 값을 구하여라.

027 $y=x^2-2x-k$

이차함수 $y=x^2-2x-k$의 그래프가 x축과 한 점에서 만나려면 이차방정식 $x^2-2x-k=0$이 $\boxed{}$을 가져야 하므로 이 이차방정식의 판별식을 D라고 하면

$\dfrac{D}{4}=(-1)^2-1\times(-k)\ \boxed{}\ 0$ $\therefore k=\boxed{}$

028 $y=-x^2-4x+2k$

029 $y=x^2+kx+4$

[030~032] 다음 이차함수의 그래프가 x축과 만나지 않을 때, 실수 k의 값의 범위를 구하여라.

030 $y=-x^2+5x-k$

이차함수 $y=-x^2+5x-k$가 x축과 만나지 않으려면 이차방정식 $-x^2+5x-k=0$이 서로 다른 두 허근을 가져야 하므로 이 이차방정식의 판별식을 D라고 하면

$D=5^2-4\times(-1)\times(-k)\ \boxed{}\ 0$

$\therefore k>\boxed{}$

031 $y=x^2+x+k-2$

032 $y=x^2-2kx+k^2-3k+6$

05-3 이차함수의 그래프와 직선의 위치 관계

이차함수 $y=ax^2+bx+c$의 그래프와 직선 $y=mx+n$의 교점의
x좌표는 이차방정식

$$ax^2+bx+c=mx+n$$

$$\Rightarrow ax^2+(b-m)x+c-n=0 \quad \cdots\cdots \text{㉠}$$

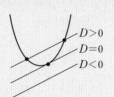

의 실근과 같으므로 이차함수 $y=ax^2+bx+c$의 그래프와 직선

$y=mx+n$의 위치 관계는 이차방정식 ㉠의 판별식 D의 부호에 따라 다음과 같이 결정
된다.

(1) $D>0$이면 서로 다른 두 점에서 만난다.

(2) $D=0$이면 한 점에서 만난다(접한다).

(3) $D<0$이면 만나지 않는다.

> ● 이차함수 $y=ax^2+bx+c$의
> 그래프와 직선 $y=mx+n$의
> 교점의 개수는 이차방정식
> $ax^2+(b-m)x+c-n=0$
> 의 실근의 개수와 같다.

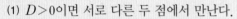

연·산·유·형

정답과 해설 **34**쪽

유형 04 이차함수의 그래프와 직선의 교점

[033~036] 다음 이차함수의 그래프와 직선의 교점의 x좌표를
구하여라.

033 $y=x^2+4x+1,\ y=2x+9$

034 $y=x^2-7x+4,\ y=-x-4$

035 $y=-x^2+3x-10,\ y=-5x+6$

036 $y=2x^2-4x+13,\ y=7x-2$

유형 05 이차함수의 그래프와 직선의 위치 관계

[037~040] 다음 이차함수의 그래프와 직선의 위치 관계를 조사
하여라.

037 $y=x^2-5x+4,\ y=x-5$

038 $y=x^2+3x-2,\ y=4x-1$

039 $y=-x^2-4x+3,\ y=2x+1$

040 $y=2x^2+x-1,\ y=-3x-4$

[041~043] 이차함수 $y=x^2-3x+k$의 그래프와 직선 $y=x-2$의 위치 관계가 다음과 같도록 하는 상수 k의 값 또는 범위를 구하여라.

041 서로 다른 두 점에서 만난다.

042 접한다.

043 만나지 않는다.

[044~046] 이차함수 $y=-x^2+4x-2k$의 그래프와 직선 $y=-2x+1$의 위치 관계가 다음과 같도록 하는 상수 k의 값 또는 범위를 구하여라.

044 서로 다른 두 점에서 만난다.

045 접한다.

046 만나지 않는다.

[047~049] 이차함수 $y=x^2+3x+1$의 그래프와 직선 $y=2x-k$의 위치 관계가 다음과 같도록 하는 상수 k의 값 또는 범위를 구하여라.

047 서로 다른 두 점에서 만난다.

048 접한다.

049 만나지 않는다.

[050~052] 이차함수 $y=2x^2+x-3$의 그래프와 직선 $y=-x+k$의 위치 관계가 다음과 같도록 하는 상수 k의 값 또는 범위를 구하여라.

050 서로 다른 두 점에서 만난다.

051 접한다.

052 만나지 않는다.

(1) 함수의 최댓값과 최솟값

함수의 함숫값 중에서 가장 큰 값을 그 함수의 **최댓값**, 가장 작은 값을 그 함수의 **최솟값**이라고 한다.

(2) 이차함수의 최대, 최소

x의 값의 범위가 실수 전체인 경우 이차함수 $f(x)=ax^2+bx+c$의 최댓값과 최솟값은 이차함수의 식을 $f(x)=a(x-p)^2+q$ 꼴로 변형한 다음 구한다.

● x의 값의 범위가 실수 전체일 때, 이차함수의 최댓값 또는 최솟값은 꼭짓점의 y좌표이다.

$a>0$

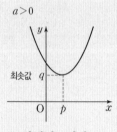

➡ 최댓값: 없다.
최솟값: $f(p)=q$

$a<0$

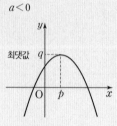

➡ 최댓값: $f(p)=q$
최솟값: 없다.

연.산.유.형

정답과 해설 **35**쪽

유형 06 이차함수의 최대, 최소

[053~058] 다음 이차함수의 최댓값과 최솟값을 구하여라.

053 $y=(x+4)^2+7$

054 $y=-(x-2)^2-3$

055 $y=5x^2-2$

056 $y=x^2+8x+5$

057 $y=-x^2+2x+3$

058 $y=-2x^2-12x+9$

[059~063] 다음을 만족하는 상수 p, q의 값을 구하여라.

059 이차함수 $y=x^2+px+q$는 $x=-2$에서 최솟값 4를 갖는다.

060 이차함수 $y=-x^2+px+q$는 $x=1$에서 최댓값 -5를 갖는다.

061 이차함수 $y=x^2+6px-q$는 $x=3$에서 최솟값 -6을 갖는다.

062 이차함수 $y=2x^2-4px-q$는 $x=-3$에서 최솟값 -1을 갖는다.

063 이차함수 $y=-4x^2-4px+3q$는 $x=-1$에서 최댓값 13을 갖는다.

[064~068] 다음 이차함수의 최댓값 또는 최솟값이 [　] 안과 같을 때, 상수 k의 값을 구하여라.

064 $y=x^2-2x+k$　[최솟값: 5]

065 $y=x^2+4x-k$　[최솟값: -3]

066 $y=-x^2-2x+k+1$　[최댓값: 4]

067 $y=3x^2-12x+2k$　[최솟값: 2]

068 $y=-2x^2+8x-k$　[최댓값: 10]

x의 값의 범위가 $\alpha \leq x \leq \beta$인 이차함수 $f(x)=a(x-p)^2+q$의 최댓값과 최솟값은

(1) **꼭짓점의 x좌표가 $\alpha \leq x \leq \beta$에 속할 때**

● x의 값의 범위가 $\alpha \leq x \leq \beta$ 일 때, 이차함수는 최댓값과 최솟값을 모두 갖는다.

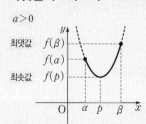

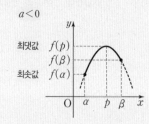

➡ $f(p)$, $f(\alpha)$, $f(\beta)$의 값 중에서 가장 큰 값이 최댓값이고 가장 작은 값이 최솟값이다.

(2) **꼭짓점의 x좌표가 $\alpha \leq x \leq \beta$에 속하지 않을 때**

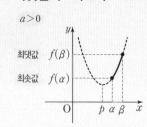

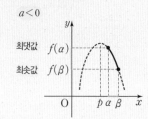

➡ $f(\alpha)$, $f(\beta)$의 값 중에서 큰 값이 최댓값이고 작은 값이 최솟값이다.

연·산·유·형

정답과 해설 **36**쪽

유형 07 제한된 범위에서 이차함수의 최대, 최소

[069~071] x의 값의 범위가 다음과 같을 때, 이차함수 $y=-(x-2)^2+2$의 최댓값과 최솟값을 구하여라.

069 $0 \leq x \leq 3$

> $0 \leq x \leq 3$에서 주어진 이차함수의 그래프는 오른쪽 그림과 같다.
> 따라서 $x=2$일 때 최댓값은 $\square$이고, $x=0$일 때 최솟값은 $\square$이다.

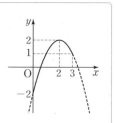

070 $-1 \leq x \leq 1$

071 $3 \leq x \leq 4$

[072~074] x의 값의 범위가 다음과 같을 때, 이차함수 $y=x^2-2x+3$의 최댓값과 최솟값을 구하여라.

072 $0 \leq x \leq 2$

073 $1 \leq x \leq 4$

074 $-1 \leq x \leq 0$

[075~077] x의 값의 범위가 다음과 같을 때, 이차함수
$y=-x^2+4x-3$의 최댓값과 최솟값을 구하여라.

075 $1\leq x\leq 4$

076 $3\leq x\leq 5$

077 $-2\leq x\leq 1$

[078~080] x의 값의 범위가 다음과 같을 때, 이차함수
$y=2x^2+4x-1$의 최댓값과 최솟값을 구하여라.

078 $-3\leq x\leq 0$

079 $-4\leq x\leq -2$

080 $1\leq x\leq 2$

[081~084] 다음을 구하여라. (단, k는 상수)

081 $2\leq x\leq 4$에서 이차함수 $f(x)=x^2-2x+k$의 최솟값이 4일 때, $f(x)$의 최댓값

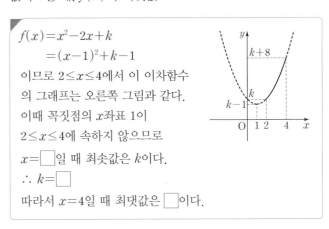

$f(x)=x^2-2x+k$
$\quad\quad =(x-1)^2+k-1$
이므로 $2\leq x\leq 4$에서 이 이차함수
의 그래프는 오른쪽 그림과 같다.
이때 꼭짓점의 x좌표 1이
$2\leq x\leq 4$에 속하지 않으므로
$x=\boxed{}$일 때 최솟값은 k이다.
$\therefore k=\boxed{}$
따라서 $x=4$일 때 최댓값은 $\boxed{}$이다.

082 $-4\leq x\leq -1$에서 이차함수 $f(x)=x^2+6x+k$의 최댓값이 -2일 때, $f(x)$의 최솟값

083 $-1\leq x\leq 1$에서 이차함수 $f(x)=-x^2-4x+k$의 최솟값이 -3일 때, $f(x)$의 최댓값

084 $0\leq x\leq 3$에서 이차함수 $f(x)=-x^2+2x+k-1$의 최댓값이 9일 때, $f(x)$의 최솟값

05-6 이차함수의 최대, 최소의 활용

이차함수의 최대, 최소의 활용 문제는 다음과 같은 순서로 푼다.
(1) 주어진 상황에 맞게 변수 x를 정하고, x에 대한 이차함수의 식을 세운다.
(2) 조건을 만족하는 x의 값의 범위를 구한다.
(3) (2)에서 구한 범위에서 최댓값 또는 최솟값을 구한다.

연·산·유·형

정답과 해설 **37**쪽

유형 **08**   **지면에서 던져 올린 공**

[085~088] 다음 물음에 답하여라.

085   지면에서 초속 10 m로 똑바로 위로 던져 올린 공의 t초 후의 지면으로부터의 높이를 h m라고 하면
$$h = -5t^2 + 10t$$
인 관계가 성립한다고 한다. 공이 가장 높이 올라갔을 때의 높이를 구하여라.

$h = -5t^2 + 10t$
$ = -5(t-1)^2 + \boxed{}$
이므로 $t = 1$일 때, 최댓값은 $\boxed{}$이다.
따라서 공이 가장 높이 올라갔을 때의 높이는 $\boxed{}$이다.

086   지면에서 초속 20 m로 똑바로 위로 쏘아 올린 물체의 t초 후의 지면으로부터의 높이를 h m라고 하면
$$h = -5t^2 + 20t$$
인 관계가 성립한다고 한다. 물체가 최고 높이에 도달할 때까지 걸린 시간을 구하여라.

087   지면에서 출발하여 지면과 수직 방향으로 움직이는 어떤 비행 물체의 t초 후의 지면으로부터의 높이를 h m라고 하면
$$h = -2t^2 + 16t$$
인 관계가 성립한다고 한다. 물체가 최고 높이에 도달할 때까지 걸린 시간과 이때의 높이를 구하여라.

088   지면으로부터 40 m 높이에서 초속 10 m로 똑바로 위로 던져 올린 공의 t초 후의 지면으로부터의 높이를 h m라고 하면
$$h = 40 + 10t - 5t^2$$
인 관계가 성립한다고 한다. 공이 가장 높이 올라갔을 때의 지면으로부터의 높이를 구하여라.

유형 09　도형의 넓이의 최대, 최소

[089~093] 다음 물음에 답하여라.

089　오른쪽 그림과 같이 담장 옆에 직사각형 모양의 정원을 가능한 한 넓게 만들려고 한다. 담장을 제외한 둘레의 길이가 20 m일 때, 정원의 넓이의 최댓값을 구하여라.

> 정원의 가로의 길이를 x m라고 하면 세로의 길이는 ([ ]) m이다.
>
> 정원의 넓이를 S m²라고 하면
>
> $S = x([\quad])$
>
> $\quad = -2(x-5)^2 + [\quad]$
>
> 이때 $0 < x < 10$이므로 정원의 넓이의 최댓값은 $x=5$일 때 [ ]이다.

090　길이가 16 m인 철망을 이용하여 오른쪽 그림과 같이 벽면을 두 변으로 하는 직사각형 모양의 가축우리를 만들려고 한다. 이때 가축우리의 넓이의 최댓값을 구하여라.
(단, 철망의 두께는 생각하지 않는다.)

091　길이가 28 cm인 철사를 구부려 직사각형을 만들 때, 직사각형의 넓이의 최댓값을 구하여라.

> 직사각형의 가로의 길이를 x cm라고 하면 세로의 길이는 ([ ]) cm이다.
>
> 직사각형의 넓이를 S cm²라고 하면
>
> $S = x([\quad])$
>
> $\quad = -(x-7)^2 + [\quad]$
>
> 이때 $0 < x < 14$이므로 직사각형의 넓이의 최댓값은 $x=7$일 때 [ ]이다.

092　직각을 낀 두 변의 길이의 합이 12 cm인 직각삼각형의 넓이의 최댓값을 구하여라.

093　길이가 40 cm인 철사를 두 개로 나누어 두 개의 정사각형을 만들려고 한다. 두 정사각형의 넓이의 합이 최소가 되도록 할 때, 나눈 두 철사의 길이를 구하여라.

최종 점검하기

1 이차함수 $y=x^2+ax+b$의 그래프가 오른쪽 그림과 같을 때, 상수 a, b에 대하여 $a+b$의 값은?

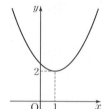

① 1　　② 2

③ 3　　④ 4

⑤ 5

2 이차함수 $y=x^2+ax+5$의 그래프와 x축의 교점의 x좌표가 -5, b일 때, 상수 a, b의 값을 구하여라.

3 이차함수 $y=x^2+4x-4k+9$의 그래프가 x축과 만나지 않도록 하는 정수 k의 최댓값은?

① -1　　② 0　　③ 1

④ 2　　⑤ 3

4 이차함수 $y=2x^2-2(k+3)x+k+7$의 그래프가 x축에 접할 때, 양수 k의 값을 구하여라.

5 이차함수 $y=x^2-6$의 그래프와 직선 $y=4x+k$가 서로 다른 두 점에서 만나도록 하는 정수 k의 최솟값은?

① -9　　② -8　　③ -7

④ -6　　⑤ -5

6 이차함수 $y=x^2+6x-k$의 그래프와 직선 $y=-2x+1$이 만나도록 하는 상수 k의 값의 범위는?

① $k\leq-20$　　② $k\leq-17$　　③ $k\geq-20$

④ $k\geq-17$　　⑤ $-20\leq k\leq20$

7 이차함수 $y=-x^2-3x+2$의 그래프와 직선 $y=x+a$가 점 $(b,\ 4)$에서 접할 때, 상수 a, b의 값을 구하여라.

8 이차함수 $y=5x^2+x+1$의 그래프와 접하고 기울기가 -1인 직선의 y절편은?

① $-\dfrac{4}{5}$ ② $-\dfrac{2}{5}$ ③ 0

④ $\dfrac{2}{5}$ ⑤ $\dfrac{4}{5}$

9 이차함수 $y=2x^2-4px+3q$가 $x=3$에서 최솟값 -9를 가질 때, 상수 p, q에 대하여 $p+q$의 값은?

① 4 ② 5 ③ 6

④ 7 ⑤ 8

10 이차함수 $y=-x^2+2x+k$가 최댓값 5를 가질 때, 상수 k의 값은?

① 1 ② 2 ③ 3

④ 4 ⑤ 5

11 $0\leq x\leq 3$에서 이차함수 $y=x^2-4x+5$의 최댓값을 M, 최솟값을 m이라고 할 때, $M-m$의 값은?

① 3 ② 4 ③ 5

④ 6 ⑤ 7

12 $-1\leq x\leq 2$에서 이차함수 $y=-x^2+2x+k+5$의 최댓값이 7일 때, 상수 k의 값은?

① -2 ② -1 ③ 1

④ 2 ⑤ 3

13 지면으로부터 $20\,\text{m}$ 높이에서 똑바로 위로 던져 올린 공의 t초 후의 지면으로부터의 높이를 $h\,\text{m}$라고 하면
$$h=-5t^2+10t+20$$
인 관계가 성립한다고 한다. 공이 가장 높이 올라갔을 때의 지면으로부터의 높이는?

① $15\,\text{m}$ ② $18\,\text{m}$ ③ $20\,\text{m}$

④ $22\,\text{m}$ ⑤ $25\,\text{m}$

14 길이가 $32\,\text{m}$인 철망을 이용하여 오른쪽 그림과 같이 벽면을 한 변으로 하는 직사각형 모양의 텃밭을 만들려고 한다. 이때 텃밭의 넓이의 최댓값을 구하여라.
(단, 철망의 두께는 생각하지 않는다.)

06

여러 가지 방정식

AM

06 여러 가지 방정식

06-1 삼차방정식과 사차방정식의 풀이

방정식 $f(x)=0$에서 $f(x)$를 인수분해한 후 다음을 이용하여 해를 구한다.

(1) $ABC=0$이면 ➡ $A=0$ 또는 $B=0$ 또는 $C=0$

(2) $ABCD=0$이면 ➡ $A=0$ 또는 $B=0$ 또는 $C=0$ 또는 $D=0$

참고 방정식 $f(x)=0$에서 $f(x)$가 인수분해 공식으로 인수분해되지 않으면 $f(\alpha)=0$을 만족하는 α의
값을 찾아 조립제법을 이용하여 $f(x)=(x-\alpha)Q(x)$ 꼴로 인수분해한다.

- 다항식 $f(x)$가 x에 대한 삼차식, 사차식일 때, 방정식 $f(x)=0$을 각각 x에 대한 삼차방정식, 사차방정식이라고 한다.

- 특별한 언급이 없으면 삼차방정식과 사차방정식의 해는 복소수 범위에서 구한다.

연·산·유·형

정답과 해설 **39**쪽

유형 01 인수분해를 이용한 삼차, 사차방정식의 풀이

[001~005] 인수분해를 이용하여 다음 삼차방정식을 풀어라.

001 $x^3+3x^2=0$

002 $x^3+x^2-2x=0$

003 $x^3+1=0$

004 $x^3-8=0$

005 $8x^3+27=0$

[006~010] 인수분해를 이용하여 다음 사차방정식을 풀어라.

006 $2x^4+x^3=0$

007 $x^4-4x^2=0$

008 $x^4-1=0$

009 $16x^4-1=0$

010 $x^4+8x=0$

유형 02 **인수정리를 이용한 삼차, 사차방정식의 풀이**

[011~019] 다음 삼차방정식을 풀어라.

011 $x^3-2x^2-5x+6=0$

$f(x)=x^3-2x^2-5x+6$이라고 할 때, $f(1)=0$이므로 조립제법을 이용하여 $f(x)$를 인수분해하면

$$
\begin{array}{r|rrrr}
1 & 1 & -2 & -5 & 6 \\
  &   & 1 & \boxed{} & -6 \\
\hline
  & 1 & \boxed{} & -6 & 0
\end{array}
$$

$f(x)=(x-1)(\boxed{})$

$\qquad =(x-1)(x+2)(\boxed{})$

따라서 주어진 방정식은

$(x+2)(x-1)(\boxed{})=0$

$\therefore x=-2$ 또는 $x=1$ 또는 $x=\boxed{}$

012 $x^3+2x^2-7x+4=0$

013 $x^3+x^2-4x-4=0$

014 $x^3-2x^2+16=0$

015 $x^3+x-10=0$

016 $x^3-5x^2-12x+36=0$

017 $x^3+4x^2+x-6=0$

018 $2x^3+6x^2+x+3=0$

019 $2x^3+3x^2-17x-30=0$

[020~026] 다음 사차방정식을 풀어라.

020 $x^4+x^2-6x-8=0$

$f(x)=x^4+x^2-6x-8$이라고 할 때, $f(-1)=0$, $f(2)=0$
이므로 조립제법을 이용하여 $f(x)$를 인수분해하면

$$
\begin{array}{r|rrrrr}
-1 & 1 & 0 & 1 & -6 & -8 \\
   &   & -1 & \square & -2 & 8 \\
\hline
2 & \square & -1 & 2 & -8 & \;\vline\; 0 \\
   &   & \square & 2 & 8 & \\
\hline
   & \square & 1 & 4 & \;\vline\; 0 \\
\end{array}
$$

$f(x)=(x+1)(x-2)(\boxed{})$
따라서 주어진 방정식은
$(x+1)(x-2)(\boxed{})=0$

$\therefore x=-1$ 또는 $x=2$ 또는 $x=\boxed{}$

021 $x^4-2x^2-8=0$

022 $x^4-x^3-2x^2+x+1=0$

023 $x^4+2x^3-11x-10=0$

024 $x^4+2x^3-7x^2-8x+12=0$

025 $x^4+4x^3-2x^2-12x+9=0$

026 $x^4-10x^3+35x^2-50x+24=0$

(1) 공통부분이 있는 방정식

방정식에 공통부분이 있으면 공통부분을 한 문자로 치환한 후 인수분해하여 푼다.

(2) $x^4+ax^2+b=0$ 꼴의 방정식

① x^2을 한 문자로 치환한 후 인수분해하여 푼다.

② ①의 방법으로 정수 범위에서 인수분해되지 않으면 $A^2-B^2=0$ 꼴로 변형한 후 인수분해하여 푼다.

(3) $ax^4+bx^3+cx^2+bx+a=0\,(a\neq0)$ 꼴의 방정식

① $x\neq0$이므로 방정식의 양변을 x^2으로 나눈다.

② $x+\dfrac{1}{x}=X$로 치환하여 X에 대한 이차방정식을 푼다.

③ $X=x+\dfrac{1}{x}$을 다시 대입하여 해를 구한다.

연·산·유·형

정답과 해설 **41**쪽

유형 03 공통부분이 있는 방정식

[027~031] 다음 방정식을 풀어라.

027 $(x^2+1)^2-7(x^2+1)+10=0$

> $\boxed{}=X$로 치환하면
> $X^2-7X+10=0$, $(X-2)(X-5)=0$
> $\therefore X=2$ 또는 $X=5$
> (i) $X=2$일 때
> $\boxed{}=2$에서 $x^2-1=0$
> $(x+1)(x-1)=0$ $\quad\therefore x=\pm1$
> (ii) $X=5$일 때
> $\boxed{}=5$에서 $x^2-4=0$
> $(x+2)(x-2)=0$ $\quad\therefore x=\boxed{}$
> (i), (ii)에 의하여 주어진 방정식의 해는
> $x=\pm1$ 또는 $x=\boxed{}$

028 $(x^2-5x)^2+10(x^2-5x)+24=0$

029 $(x^2+3x+1)(x^2+3x-9)-11=0$

030 $(x^2-x-2)(x^2-x-3)-2=0$

031 $(x^2+2x+2)(x^2+2x-1)=4$

[032~034] 다음 방정식을 풀어라.

032 $(x+1)(x+2)(x+3)(x+4)-3=0$

$\{(x+1)(x+4)\}\{(x+2)(x+3)\}-3=0$에서

$(x^2+5x+4)(x^2+\boxed{}x+6)-3=0$

$\boxed{}=X$로 치환하면

$(X+4)(X+6)-3=0,\ X^2+10X+21=0$

$(X+7)(X+3)=0$ $\therefore\ X=-7$ 또는 $X=-3$

(i) $X=-7$일 때

$\boxed{}=-7$에서 $x^2+5x+7=0$

$\therefore\ x=\dfrac{-5\pm\sqrt{3}i}{2}$

(ii) $X=-3$일 때

$x^2+5x=-3$에서 $x^2+5x+3=0$

$\therefore\ x=\boxed{}$

(i), (ii)에 의하여 주어진 방정식의 해는

$x=\dfrac{-5\pm\sqrt{3}i}{2}$ 또는 $x=\boxed{}$

033 $x(x-1)(x-2)(x-3)-8=0$

034 $(x+1)(x+2)(x-3)(x-4)+4=0$

[035~038] 다음 방정식을 풀어라.

035 $x^4+x^2-2=0$

$\boxed{}=X$로 치환하면

$X^2+X-2=0,\ (X+2)(X-1)=0$

$\therefore\ X=-2$ 또는 $X=1$

(i) $X=-2$일 때

$x^2=\boxed{}$에서 $x=\pm\sqrt{2}i$

(ii) $X=1$일 때

$x^2=1$에서 $x=\boxed{}$

(i), (ii)에 의하여 주어진 방정식의 해는

$x=\pm\sqrt{2}i$ 또는 $x=\boxed{}$

036 $x^4-7x^2+12=0$

037 $x^4+6x^2+8=0$

038 $4x^4+11x^2-3=0$

[039~043] 다음 방정식을 풀어라.

039 $x^4-8x^2+4=0$

$x^4-8x^2+4=0$에서

$(x^4-4x^2+4)-\boxed{}=0$

$(x^2-2)^2-(2x)^2=0$

$(x^2+2x-2)(\boxed{})=0$

$\therefore x^2+2x-2=0$ 또는 $\boxed{}=0$

따라서 주어진 방정식의 해는

$x=-1\pm\sqrt{3}$ 또는 $x=\boxed{}$

040 $x^4-18x^2+1=0$

041 $x^4-9x^2+16=0$

042 $x^4+7x^2+16=0$

043 $x^4-3x^2+9=0$

유형 **05** $ax^4+bx^3+cx^2+bx+a=0\,(a\neq0)$ **꼴의 방정식**

[044~046] 다음 방정식을 풀어라.

044 $x^4+3x^3+4x^2+3x+1=0$

$x\neq0$이므로 방정식의 양변을 x^2으로 나누면

$x^2+3x+4+\dfrac{3}{x}+\dfrac{1}{x^2}=0$

$\left(x+\dfrac{1}{x}\right)^2+3\left(x+\dfrac{1}{x}\right)+\boxed{}=0$

$\boxed{}=X$로 치환하면 $X^2+3X+2=0$

$(X+2)(X+1)=0$ $\therefore X=-2$ 또는 $X=-1$

(i) $X=-2$일 때

$\boxed{}=-2$에서 $x^2+2x+1=0$

$(x+1)^2=0$ $\therefore x=\boxed{}$ (중근)

(ii) $X=-1$일 때

$x+\dfrac{1}{x}=-1$에서 $x^2+x+1=0$

$\therefore x=\boxed{}$

(i), (ii)에 의하여 주어진 방정식의 해는

$x=-1$ (중근) 또는 $x=\boxed{}$

045 $x^4-2x^3+3x^2-2x+1=0$

046 $x^4+x^3-4x^2+x+1=0$

삼차방정식 $ax^3+bx^2+cx+d=0$의 세 근을 α, β, γ라고 하면

$$\alpha+\beta+\gamma=-\frac{b}{a}, \quad \alpha\beta+\beta\gamma+\gamma\alpha=\frac{c}{a}, \quad \alpha\beta\gamma=-\frac{d}{a}$$

예 삼차방정식 $2x^3+3x^2+5x-6=0$의 세 근을 α, β, γ라고 하면

$$\alpha+\beta+\gamma=-\frac{3}{2}, \quad \alpha\beta+\beta\gamma+\gamma\alpha=\frac{5}{2}, \quad \alpha\beta\gamma=-\frac{-6}{2}=3$$

연·산·유·형

정답과 해설 **43**쪽

유형 06   삼차방정식의 근과 계수의 관계

[047~053] 다음 삼차방정식의 세 근을 α, β, γ라고 할 때, $\alpha+\beta+\gamma$, $\alpha\beta+\beta\gamma+\gamma\alpha$, $\alpha\beta\gamma$의 값을 구하여라.

047 $x^3+x^2+4x+5=0$

048 $x^3-2x^2-x-1=0$

049 $x^3-4x^2+2x-3=0$

050 $x^3-3x+2=0$

051 $x^3-7x^2-3=0$

052 $2x^3+4x^2-x+2=0$

053 $3x^3-6x^2+2x-9=0$

유형 07 근과 계수의 관계를 이용하여 식의 값 구하기

[054~060] 삼차방정식 $x^3+2x^2+x+3=0$의 세 근을 α, β, γ 라고 할 때, 다음 식의 값을 구하여라.

054 $\alpha+\beta+\gamma$

055 $\alpha\beta+\beta\gamma+\gamma\alpha$

056 $\alpha\beta\gamma$

057 $(\alpha+1)(\beta+1)(\gamma+1)$

058 $\dfrac{1}{\alpha}+\dfrac{1}{\beta}+\dfrac{1}{\gamma}$

059 $\alpha^2+\beta^2+\gamma^2$

060 $\dfrac{1}{\alpha\beta}+\dfrac{1}{\beta\gamma}+\dfrac{1}{\gamma\alpha}$

[061~067] 삼차방정식 $x^3-x^2-5x+4=0$의 세 근을 α, β, γ 라고 할 때, 다음 식의 값을 구하여라.

061 $\alpha+\beta+\gamma$

062 $\alpha\beta+\beta\gamma+\gamma\alpha$

063 $\alpha\beta\gamma$

064 $(\alpha+1)(\beta+1)(\gamma+1)$

065 $\dfrac{1}{\alpha}+\dfrac{1}{\beta}+\dfrac{1}{\gamma}$

066 $\alpha^2+\beta^2+\gamma^2$

067 $\dfrac{1}{\alpha\beta}+\dfrac{1}{\beta\gamma}+\dfrac{1}{\gamma\alpha}$

세 수 α, β, γ를 근으로 하고 x^3의 계수가 1인 x에 대한 삼차방정식은

$$(x-\alpha)(x-\beta)(x-\gamma)=0$$

$$\Rightarrow x^3-\underbrace{(\alpha+\beta+\gamma)}_{\text{세 근의 합}}x^2+\underbrace{(\alpha\beta+\beta\gamma+\gamma\alpha)}_{\text{두 근의 곱의 합}}x-\underbrace{\alpha\beta\gamma}_{\text{세 근의 곱}}=0$$

연·산·유·형

정답과 해설 **43**쪽

유형 **08** 세 수를 근으로 하는 삼차방정식

[068~072] 다음 세 수를 근으로 하고 x^3의 계수가 1인 삼차방정식을 구하여라.

068 0, 1, 3

069 -4, 1, 2

070 1, $\sqrt{3}$, $-\sqrt{3}$

071 -1, $1+\sqrt{2}$, $1-\sqrt{2}$

072 -3, $-1+2i$, $-1-2i$

[073~076] 삼차방정식 $x^3-4x^2+3x+1=0$의 세 근을 α, β, γ라고 할 때, 다음 값을 세 근으로 하고 x^3의 계수가 1인 삼차방정식을 구하여라.

073 $\dfrac{1}{\alpha}$, $\dfrac{1}{\beta}$, $\dfrac{1}{\gamma}$

삼차방정식의 근과 계수의 관계에 의하여

$\alpha+\beta+\gamma=\boxed{}$, $\alpha\beta+\beta\gamma+\gamma\alpha=\boxed{}$, $\alpha\beta\gamma=-1$

구하는 삼차방정식의 세 근이 $\dfrac{1}{\alpha}$, $\dfrac{1}{\beta}$, $\dfrac{1}{\gamma}$이므로

(i) $\dfrac{1}{\alpha}+\dfrac{1}{\beta}+\dfrac{1}{\gamma}=\dfrac{\alpha\beta+\beta\gamma+\gamma\alpha}{\alpha\beta\gamma}=\boxed{}$

(ii) $\dfrac{1}{\alpha}\times\dfrac{1}{\beta}+\dfrac{1}{\beta}\times\dfrac{1}{\gamma}+\dfrac{1}{\gamma}\times\dfrac{1}{\alpha}=\dfrac{\alpha+\beta+\gamma}{\alpha\beta\gamma}=-4$

(iii) $\dfrac{1}{\alpha}\times\dfrac{1}{\beta}\times\dfrac{1}{\gamma}=\dfrac{1}{\alpha\beta\gamma}=\boxed{}$

(i), (ii), (iii)에 의하여 구하는 방정식은

$\boxed{}$

074 $-\alpha$, $-\beta$, $-\gamma$

075 $\alpha-1$, $\beta-1$, $\gamma-1$

076 $\alpha\beta$, $\beta\gamma$, $\gamma\alpha$

삼차방정식 $ax^3+bx^2+cx+d=0$에서

(1) a, b, c, d가 유리수일 때, 무리수 $p+q\sqrt{m}$이 근이면 $p-q\sqrt{m}$도 근이다.

(단, p, q는 유리수, $q\neq0$, $\sqrt{m}$은 무리수)

(2) a, b, c, d가 실수일 때, 허수 $p+qi$가 근이면 $p-qi$도 근이다.

(단, p, q는 실수, $q\neq0$, $i=\sqrt{-1}$)

연·산·유·형

정답과 해설 44쪽

유형 09 삼차방정식의 켤레근의 성질

[077~079] 삼차방정식 $x^3+x^2+ax+b=0$의 한 근이 다음과 같을 때, 유리수 a, b의 값을 구하여라.

077 $-1+\sqrt{2}$

---

a, b가 유리수이므로 주어진 삼차방정식의 한 근이 $-1+\sqrt{2}$이면 □□□□도 근이다.

나머지 한 근을 α라고 하면 삼차방정식의 근과 계수의 관계에 의하여

$(-1+\sqrt{2})+(\boxed{})+\alpha=-1$ $\cdots\cdots$ ㉠

$(-1+\sqrt{2})(-1-\sqrt{2})+(-1-\sqrt{2})\alpha+\alpha(-1+\sqrt{2})=a$ $\cdots\cdots$ ㉡

$(-1+\sqrt{2})(-1-\sqrt{2})\alpha=-b$ $\cdots\cdots$ ㉢

㉠에서 $\alpha=\boxed{}$

㉡에서 $a=\boxed{}$

㉢에서 $b=\boxed{}$

---

078 $2+\sqrt{3}$

079 $-2\sqrt{2}$

[080~083] 다음 삼차방정식의 한 근이 [　] 안의 수와 같을 때, 실수 a, b의 값을 구하여라.

080 $x^3-ax^2+2x-b=0$ $[\ 1+i\ ]$

081 $x^3+ax^2+bx+10=0$ $[\ 2-i\ ]$

082 $x^3-5x^2+ax+b=0$ $[\ 1-3i\ ]$

083 $x^3+ax^2+7x-b=0$ $[\ 3+2i\ ]$

06-6 삼차방정식 $x^3=1$, $x^3=-1$의 허근의 성질

(1) 삼차방정식 $x^3=1$의 한 허근을 ω라고 하면 다음이 성립한다.

(단, $\overline{\omega}$는 ω의 켤레복소수)

① $\omega^3=1$, $\omega^2+\omega+1=0$

② $\omega+\overline{\omega}=-1$, $\omega\overline{\omega}=1$

③ $\omega^2=\overline{\omega}=\dfrac{1}{\omega}$

(2) 삼차방정식 $x^3=-1$의 한 허근을 ω라고 하면 다음이 성립한다.

(단, $\overline{\omega}$는 ω의 켤레복소수)

① $\omega^3=-1$, $\omega^2-\omega+1=0$

② $\omega+\overline{\omega}=1$, $\omega\overline{\omega}=1$

③ $\omega^2=-\overline{\omega}=-\dfrac{1}{\omega}$

● ω는 그리스 문자 Ω의 소문자로 오메가(omega)라고 읽는다.

연·산·유·형

정답과 해설 **45**쪽

유형 10   삼차방정식 $x^3=1$, $x^3=-1$의 허근의 성질

[084~088] 삼차방정식 $x^3=1$의 한 허근을 ω라고 할 때, 다음 식의 값을 구하여라. (단, $\overline{\omega}$는 ω의 켤레복소수)

084　$\omega^2+\omega+1$

085　$\omega+\overline{\omega}$

086　$\omega^{20}+\omega^{10}$

087　$\omega^2+\dfrac{1}{\omega^2}$

088　$\dfrac{\overline{\omega}}{\omega^2}$

[089~093] 삼차방정식 $x^3=-1$의 한 허근을 ω라고 할 때, 다음 식의 값을 구하여라. (단, $\overline{\omega}$는 ω의 켤레복소수)

089　$\omega^2-\omega+1$

090　$\omega\overline{\omega}$

091　$\omega^8-\omega^7+1$

092　$\omega+\dfrac{1}{\omega}$

093　$\dfrac{\overline{\omega}^2}{\omega}$

(1) **일차방정식과 이차방정식으로 이루어진 연립이차방정식**

일차방정식을 한 문자에 대하여 정리하고, 이를 이차방정식에 대입하여 푼다.

(2) **두 이차방정식으로 이루어진 연립이차방정식**

인수분해되는 이차방정식을 인수분해하여 얻은 두 일차방정식을 각각 다른 이차방정식과 연립하여 푼다.

● 미지수가 2개인 연립방정식에서 차수가 가장 높은 방정식이 이차방정식인 연립방정식을 연립이차방정식이라고 한다.

연·산·유·형

정답과 해설 **46**쪽

유형 11 일차방정식과 이차방정식으로 이루어진 연립이차방정식의 풀이

[094~099] 다음 연립방정식을 풀어라.

094 $\begin{cases} x+y=5 & \cdots\cdots \ \unicode{x1F150} \\ x^2+y^2=13 & \cdots\cdots \ \unicode{x1F151} \end{cases}$

$\unicode{x1F150}$에서 $y=-x+\boxed{}$ $\quad\cdots\cdots\ \unicode{x1F152}$

이를 $\unicode{x1F151}$에 대입하면

$x^2+(-x+5)^2=13,\ x^2-5x+6=0$

$(x-2)(x-3)=0$ $\quad\therefore\ x=2$ 또는 $x=3$

이를 각각 $\unicode{x1F152}$에 대입하면 $x=2$일 때 $y=\boxed{}$, $x=3$일 때

$y=\boxed{}$이므로 연립방정식의 해는

$\begin{cases} x=2 \\ y=\boxed{} \end{cases}$ 또는 $\begin{cases} x=3 \\ y=\boxed{} \end{cases}$

095 $\begin{cases} x-y=3 & \cdots\cdots \ \unicode{x1F150} \\ x^2+y^2=17 & \cdots\cdots \ \unicode{x1F151} \end{cases}$

096 $\begin{cases} 2x-y=-3 & \cdots\cdots \ \unicode{x1F150} \\ 2x^2-y^2=1 & \cdots\cdots \ \unicode{x1F151} \end{cases}$

097 $\begin{cases} x-2y=-6 & \cdots\cdots \ \unicode{x1F150} \\ x^2-xy+y^2=12 & \cdots\cdots \ \unicode{x1F151} \end{cases}$

098 $\begin{cases} x+y=1 & \cdots\cdots \ \unicode{x1F150} \\ x^2+y^2-2y=7 & \cdots\cdots \ \unicode{x1F151} \end{cases}$

099 $\begin{cases} x-2y=1 & \cdots\cdots \ \unicode{x1F150} \\ x^2-xy-y^2=11 & \cdots\cdots \ \unicode{x1F151} \end{cases}$

유형 12 두 이차방정식으로 이루어진
연립이차방정식의 풀이

[100~106] 다음 연립방정식을 풀어라.

100 $\begin{cases} 2x^2-3xy+y^2=0 & \cdots\cdots \ \bigcirc \\ x^2+y^2=20 & \cdots\cdots \ \bigcirc \end{cases}$

$\bigcirc$에서 $(x-y)(2x-y)=0$ $\quad \therefore \ y=x$ 또는 $y=\boxed{}$

(i) $y=x$일 때

$y=x$를 $\bigcirc$에 대입하면

$x^2+x^2=20$, $x^2=10$ $\quad \therefore \ x=\pm\sqrt{10}$

$\therefore \ x=-\sqrt{10}$일 때 $y=\boxed{}$, $x=\sqrt{10}$일 때 $y=\sqrt{10}$

(ii) $y=2x$일 때

$y=2x$를 $\bigcirc$에 대입하면

$x^2+4x^2=20$, $x^2=4$ $\quad \therefore \ x=\pm2$

$\therefore \ x=-2$일 때 $y=\boxed{}$, $x=2$일 때 $y=4$

(i), (ii)에 의하여 주어진 연립방정식의 해는

$\begin{cases} x=-\sqrt{10} \\ y=\boxed{} \end{cases}$ 또는 $\begin{cases} x=\sqrt{10} \\ y=\sqrt{10} \end{cases}$ 또는 $\begin{cases} x=-2 \\ y=\boxed{} \end{cases}$ 또는 $\begin{cases} x=2 \\ y=4 \end{cases}$

101 $\begin{cases} (x+y)(x-3y)=0 & \cdots\cdots \ \bigcirc \\ x^2+2y^2=33 & \cdots\cdots \ \bigcirc \end{cases}$

102 $\begin{cases} x^2-2xy=0 & \cdots\cdots \ \bigcirc \\ x^2+y^2=25 & \cdots\cdots \ \bigcirc \end{cases}$

103 $\begin{cases} x^2-y^2=8 & \cdots\cdots \ \bigcirc \\ x^2+2xy-3y^2=0 & \cdots\cdots \ \bigcirc \end{cases}$

104 $\begin{cases} 4x^2-y^2=0 & \cdots\cdots \ \bigcirc \\ x^2-xy+y^2=21 & \cdots\cdots \ \bigcirc \end{cases}$

105 $\begin{cases} x^2-xy-2y^2=0 & \cdots\cdots \ \bigcirc \\ x^2+3xy+y^2=11 & \cdots\cdots \ \bigcirc \end{cases}$

106 $\begin{cases} x^2-5xy+6y^2=0 & \cdots\cdots \ \bigcirc \\ 2x^2-3xy-4y^2=10 & \cdots\cdots \ \bigcirc \end{cases}$

연립이차방정식의 활용

107 대각선의 길이가 10 cm인 직사각형 모양의 색종이가 있다. 이 색종이의 가로의 길이와 세로의 길이를 각각 1 cm, 2 cm 잘라내면 색종이의 넓이는 처음 색종이의 넓이보다 18 cm²만큼 줄어든다고 할 때, 처음 색종이의 넓이를 구하여라.

> 처음 색종이의 가로의 길이를 x cm, 세로의 길이를 y cm라고 하면
>
> $$\begin{cases} x^2 + \boxed{} = 10^2 & \cdots\cdots \text{㉠} \\ (x-1)(y-2) = \boxed{} - 18 & \cdots\cdots \text{㉡} \end{cases}$$
>
> ㉡에서 $y = -2x + 20$을 ㉠에 대입하면
>
> $x^2 + (-2x+20)^2 = 100$
>
> $x^2 - 16x + 60 = 0$, $(x-6)(x-10) = 0$
>
> $\therefore x = 6$ 또는 $x = 10$
>
> 그런데 $1 < x < 10$이므로 $x = 6$
>
> $\therefore x = 6$, $y = \boxed{}$
>
> 따라서 처음 색종이의 넓이는
>
> $xy = \boxed{}$ (cm²)

108 대각선의 길이가 13 m인 직사각형 모양의 땅이 있다. 이 땅의 가로의 길이를 5 m 줄이고, 세로의 길이를 5 m 늘이면 땅의 넓이는 처음 땅의 넓이보다 10 m²만큼 넓다고 할 때, 처음 땅의 넓이를 구하여라.

109 각 자리의 숫자의 제곱의 합이 20인 두 자리의 자연수가 있다. 각 자리의 숫자의 순서를 바꾼 수와 처음 수의 합이 66일 때, 처음 수를 구하여라. (단, 처음 수의 십의 자리의 숫자는 일의 자리의 숫자보다 크다.)

> 처음 수의 십의 자리의 숫자를 x, 일의 자리의 숫자를 y라고 하면
>
> $$\begin{cases} x^2 + y^2 = 20 & \cdots\cdots \text{㉠} \\ (10x+y) + (\boxed{}) = 66 & \cdots\cdots \text{㉡} \end{cases}$$
>
> ㉡에서 $y = -x + 6$을 ㉠에 대입하면
>
> $x^2 + (-x+6)^2 = 20$
>
> $x^2 - 6x + 8 = 0$, $(x-2)(x-4) = 0$
>
> $\therefore x = 2$ 또는 $x = 4$
>
> $\therefore x = 2$일 때 $y = 4$, $x = 4$일 때 $y = 2$
>
> 그런데 처음 수의 십의 자리의 숫자가 일의 자리의 숫자보다 크므로
>
> $x = \boxed{}$, $y = \boxed{}$
>
> 따라서 처음 수는 $\boxed{}$이다.

110 각 자리의 숫자의 제곱의 합이 106인 두 자리의 자연수가 있다. 각 자리의 숫자의 순서를 바꾼 수와 처음 수의 합이 154일 때, 처음 수를 구하여라. (단, 처음 수의 십의 자리의 숫자는 일의 자리의 숫자보다 크다.)

06-8 대칭형의 연립방정식

x, y를 서로 바꾸어도 식이 변하지 않는 연립방정식은 다음과 같은 순서로 푼다.

(1) $x+y=u$, $xy=v$로 놓고 u, v에 대한 연립방정식을 푼다.

(2) x, y는 t에 대한 이차방정식 $t^2-ut+v=0$의 두 근임을 이용하여 x, y의 값을 구한다.

연.산.유.형

정답과 해설 **48**쪽

유형 14 **대칭형의 연립방정식**

[111~113] 다음 연립방정식을 풀어라.

111 $\begin{cases} x+y=6 \\ xy=8 \end{cases}$

주어진 연립방정식을 만족하는 x, y는 이차방정식의 근과 계수의 관계에 의하여 t에 대한 이차방정식 $t^2-6t+8=0$의 두 근이다.

$t^2-6t+8=0$에서 $(t-2)(t-4)=0$

$\therefore t=2$ 또는 $t=\boxed{}$

따라서 주어진 연립방정식의 해는

$\begin{cases} x=2 \\ y=\boxed{} \end{cases}$ 또는 $\begin{cases} x=\boxed{} \\ y=\boxed{} \end{cases}$

112 $\begin{cases} x+y=-5 \\ xy=4 \end{cases}$

113 $\begin{cases} x+y=-2 \\ xy=-24 \end{cases}$

[114~115] 다음 연립방정식을 풀어라.

114 $\begin{cases} xy=3 \\ x^2+y^2=10 \end{cases}$

주어진 연립방정식을 변형하면 $\begin{cases} xy=3 \\ (x+y)^2-2xy=10 \end{cases}$

$x+y=u$, $xy=v$로 놓으면 $\begin{cases} v=3 \\ \boxed{}=10 \end{cases}$

$v=3$을 $u^2-2v=10$에 대입하여 풀면 $u=\boxed{}$

(ⅰ) $u=-4$, $v=3$, 즉 $x+y=-4$, $xy=3$일 때

x, y를 두 근으로 하는 t에 대한 이차방정식은

$t^2+4t+3=0$, $(t+3)(t+1)=0$

$\therefore t=-3$ 또는 $t=-1$

$\therefore \begin{cases} x=-3 \\ y=-1 \end{cases}$ 또는 $\begin{cases} x=\boxed{} \\ y=\boxed{} \end{cases}$

(ⅱ) $u=4$, $v=3$, 즉 $x+y=4$, $xy=3$일 때

x, y를 두 근으로 하는 t에 대한 이차방정식은

$\boxed{}=0$, $(t-1)(t-3)=0$

$\therefore t=1$ 또는 $t=\boxed{}$

$\therefore \begin{cases} x=1 \\ y=\boxed{} \end{cases}$ 또는 $\begin{cases} x=\boxed{} \\ y=1 \end{cases}$

(ⅰ), (ⅱ)에 의하여 주어진 연립방정식의 해는

$\begin{cases} x=-3 \\ y=-1 \end{cases}$ 또는 $\begin{cases} x=\boxed{} \\ y=\boxed{} \end{cases}$ 또는 $\begin{cases} x=1 \\ y=\boxed{} \end{cases}$ 또는 $\begin{cases} x=\boxed{} \\ y=1 \end{cases}$

115 $\begin{cases} xy=2 \\ x^2+y^2=5 \end{cases}$

(1) **정수 조건이 있는 부정방정식**

주어진 부정방정식을 (일차식)×(일차식)=(정수) 꼴로 변형한 후 두 일차식이 모두 정수임을 이용한다.

(2) **실수 조건이 있는 부정방정식**

[방법 1] $A^2+B^2=0$ 꼴로 변형 ➡ $A=0$, $B=0$임을 이용

[방법 2] 내림차순으로 정리 ➡ 판별식 $D≥0$임을 이용

● 방정식의 개수가 미지수의 개수보다 적어 그 근을 정할 수 없는 방정식을 부정방정식이라고 한다.

연·산·유·형

정답과 해설 48쪽

유형 15 정수 조건이 있는 부정방정식

[116~118] 다음 방정식을 만족하는 정수 x, y의 순서쌍 (x, y)를 구하여라.

116 $xy-x-2y+1=0$

$xy-x-2y+1=0$에서
$x(y-1)-2(y-1)-1=0$
$∴ (x-2)(\boxed{})=1$
그런데 x, y가 정수이므로
(i) $x-2=-1$, $y-1=-1$일 때, $x=\boxed{}$, $y=\boxed{}$
(ii) $x-2=1$, $y-1=\boxed{}$일 때, $x=\boxed{}$, $y=\boxed{}$
따라서 구하는 순서쌍 (x, y)는
$(1, 0)$, $\boxed{}$

117 $xy+2x+3y+9=0$

118 $xy+2x-4y-10=0$

유형 16 실수 조건이 있는 부정방정식

[119~121] 다음 방정식을 만족하는 실수 x, y의 값을 구하여라.

119 $x^2+y^2+2x-6y+10=0$

[방법 1] $x^2+y^2+2x-6y+10=0$에서
$(x+1)^2+(\boxed{})^2=0$
그런데 x, y가 실수이므로
$x+1=0$, $\boxed{}=0$　　$∴ x=-1$, $y=\boxed{}$

[방법 2] 주어진 방정식의 좌변을 x에 대하여 내림차순으로 정리하면
$x^2+2x+y^2-6y+10=0$　　$……$ ㉠
이때 x는 실수이므로 방정식 ㉠은 실근을 갖는다.
㉠의 판별식을 D라고 하면
$\dfrac{D}{4}=-y^2+6y-9≥0$, $(\boxed{})^2≤0$
그런데 y도 실수이므로 $y=\boxed{}$
$y=\boxed{}$을 ㉠에 대입하여 풀면 $x=\boxed{}$

120 $x^2+y^2-8x-6y+25=0$

121 $2x^2+y^2-2xy-4x+4=0$

연산
유형

최종 점검하기

1 삼차방정식 $x^3 - 2x - 4 = 0$의 두 허근의 곱은?

① 2   ② 4   ③ 6
④ 8   ⑤ 10

2 사차방정식 $x^4 + 4x^3 + 7x^2 + 8x + 4 = 0$의 모든 실근의 곱은?

① 1   ② 2   ③ 3
④ 4   ⑤ 5

3 삼차방정식 $x^3 + kx^2 + 2kx - 4 = 0$의 한 근이 1일 때, 나머지 두 근을 구하여라. (단, k는 상수)

4 방정식 $(x^2 - 3x)^2 - 2(x^2 - 3x) - 8 = 0$의 네 근을 α, β, γ, δ라고 할 때, $\alpha + \beta - \gamma + \delta$의 값은?

(단, $\alpha < \beta < \gamma < \delta$)

① -2 ② -1 ③ 0
④ 1   ⑤ 2

5 사차방정식 $x^4 + x^2 - 20 = 0$의 두 실근을 α, β, 두 허근을 γ, δ라고 할 때, $\alpha\beta + \gamma\delta$의 값을 구하여라.

6 사차방정식 $x^4 - 7x^2 + 9 = 0$의 네 근 중 가장 큰 것을 α, 가장 작은 것을 β라고 할 때, $\alpha + \beta$의 값은?

① -2 ② -1 ③ 0
④ 1   ⑤ 2

7 사차방정식 $x^4 - 6x^3 + 7x^2 - 6x + 1 = 0$의 실근은?

① $\dfrac{1 \pm \sqrt{3}}{2}$ ② $\dfrac{4 \pm \sqrt{3}}{2}$ ③ $\dfrac{5 \pm \sqrt{21}}{2}$
④ $2 \pm \sqrt{3}$ ⑤ $5 \pm \sqrt{21}$

8 삼차방정식 $x^3 + 2x^2 + 4x - 3 = 0$의 세 근을 α, β, γ라고 할 때, $(\alpha - 1)(\beta - 1)(\gamma - 1)$의 값을 구하여라.

9 삼차방정식 $x^3+x^2+1=0$의 세 근을 α, β, γ라고 할 때, $\dfrac{1}{\alpha}$, $\dfrac{1}{\beta}$, $\dfrac{1}{\gamma}$을 세 근으로 하고 x^3의 계수가 1인 삼차방정식은?

① $x^3-x^2-1=0$ ② $x^3-x+1=0$
③ $x^3+x-1=0$ ④ $x^3+x+1=0$
⑤ $x^3+x^2+1=0$

10 삼차방정식 $x^3+x^2+ax+b=0$의 한 근이 $1+i$일 때, 실수 a, b에 대하여 ab의 값을 구하여라.

11 삼차방정식 $x^3=1$의 한 허근을 ω라고 할 때, $\dfrac{\omega^{14}}{\omega+1}$의 값은?

① -2 ② -1 ③ 1
④ 2 ⑤ 3

12 연립방정식 $\begin{cases} x-y=2 \\ x^2+y^2=10 \end{cases}$의 해를 $x=\alpha$, $y=\beta$라고 할 때, $\alpha\beta$의 값은?

① 1 ② 3 ③ 5
④ 7 ⑤ 9

13 연립방정식 $\begin{cases} 2x^2-3xy+y^2=0 \\ x^2+xy-y^2=25 \end{cases}$를 만족하는 양의 정수 x, y에 대하여 $x+y$의 값을 구하여라.

14 연립방정식 $\begin{cases} xy=-3 \\ x^2+y^2=10 \end{cases}$의 해를 $x=\alpha$, $y=\beta$라고 할 때, $\alpha+\beta$의 최댓값은?

① -2 ② -1 ③ 0
④ 1 ⑤ 2

15 방정식 $xy-2x-y-1=0$을 만족하는 자연수 x, y의 순서쌍 (x, y)의 개수는?

① 1 ② 2 ③ 3
④ 4 ⑤ 5

16 방정식 $2x^2+y^2+2xy+6x+9=0$을 만족하는 실수 x, y에 대하여 $x-y$의 값을 구하여라.

07

일차부등식

AM

07 일차부등식

07-1 부등식의 성질

세 실수 a, b, c에 대하여

(1) $a>b$, $b>c$이면 $a>c$

(2) $a>b$이면 $a+c>b+c$, $a-c>b-c$

(3) $a>b$, $c>0$이면 $ac>bc$, $\dfrac{a}{c}>\dfrac{b}{c}$

(4) $a>b$, $c<0$이면 $ac<bc$, $\dfrac{a}{c}<\dfrac{b}{c}$

● 부등식의 양변에 음수를 곱하거나 양변을 음수로 나눌 때는 부등호의 방향이 바뀐다.

연·산·유·형

정답과 해설 **51**쪽

유형 01   부등식의 성질

[001~005] $a>b$일 때, 다음 □ 안에 알맞은 부등호를 써넣어라.

001 $a+3 \,\square\, b+3$

002 $a-4 \,\square\, b-4$

003 $-a \,\square\, -b$

004 $\dfrac{a}{10} \,\square\, \dfrac{b}{10}$

005 $-\dfrac{3a}{4}+5 \,\square\, -\dfrac{3b}{4}+5$

[006~009] $a<0<b$일 때, 다음 □ 안에 알맞은 부등호를 써넣어라.

006 $2a \,\square\, a+b$

007 $a+b \,\square\, 2b$

008 $a^2 \,\square\, ab$

009 $\dfrac{a}{b} \,\square\, 1$

부등식 $ax>b$의 해는

(1) $a>0$이면 $x>\dfrac{b}{a}$ (2) $a<0$이면 $x<\dfrac{b}{a}$

(3) $a=0$이면 $\begin{cases} b\geq0\text{일 때, 해는 없다.} \\ b<0\text{일 때, 해는 모든 실수} \end{cases}$

연·산·유·형

정답과 해설 **51**쪽

유형 02 부등식 $ax>b$의 풀이

[010~014] 다음 일차부등식을 풀어라.

010 $3x-1\geq x-7$

011 $x-9>5x+7$

012 $2(x+4)\leq-x+3(x-1)$

013 $5(x+1)-x<4x+9$

014 $\dfrac{x}{5}-1>\dfrac{x-5}{3}$

[015~018] 다음 x에 대한 부등식을 풀어라.

015 $ax>1$

(i) $a>0$일 때, $x \;\square\; \dfrac{1}{a}$

(ii) $a=0$일 때, 해는 없다.

(iii) $a<0$일 때, $x \;\square\; \dfrac{1}{a}$

016 $ax\leq a$

017 $(a-1)x>1$

018 $(a+1)x\geq a+1$

07-3 연립일차부등식의 풀이

(1) **연립부등식**: 두 개 이상의 부등식을 한 쌍으로 묶어 나타낸 것
(2) **연립부등식의 해**: 두 개 이상의 부등식의 공통인 해
(3) **연립일차부등식의 풀이**

각 일차부등식의 해를 수직선 위에 나타내어 공통부분을 구한다.

● 연립부등식의 해를 구하는
것을 연립부등식을 푼다고
한다.

참고 $a < b$일 때

$\begin{cases} x > a \\ x < b \end{cases}$ ➡ $a < x < b$ $\begin{cases} x > a \\ x > b \end{cases}$ ➡ $x > b$ $\begin{cases} x < a \\ x < b \end{cases}$ ➡ $x < a$

   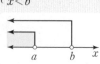

연·산·유·형

정답과 해설 **51쪽**

유형 03 연립일차부등식의 풀이

[019~022] 연립부등식 $\begin{cases} 3x+5 > 2 & \cdots\cdots ㉠ \\ x-7 < 2 & \cdots\cdots ㉡ \end{cases}$ 에 대하여 다음 물음에 답하여라.

019 일차부등식 ㉠을 풀어라.

020 일차부등식 ㉡을 풀어라.

021 각 부등식의 해를 수직선 위에 나타내어라.

022 연립부등식의 해를 구하여라.

[023~026] 연립부등식 $\begin{cases} 2x+3 \geq 3x-2 & \cdots\cdots ㉠ \\ x-1 < 2 & \cdots\cdots ㉡ \end{cases}$ 에 대하여 다음 물음에 답하여라.

023 일차부등식 ㉠을 풀어라.

024 일차부등식 ㉡을 풀어라.

025 각 부등식의 해를 수직선 위에 나타내어라.

026 연립부등식의 해를 구하여라.

[027~030] 다음 연립부등식을 풀어라.

027 $\begin{cases} x+1 \ge -3 \\ 4x < 8 \end{cases}$

028 $\begin{cases} x-2 < 3x \\ 5x-7 \ge 3 \end{cases}$

029 $\begin{cases} x+7 \le 4(x-2) \\ 5(x-1) > x+3 \end{cases}$

030 $\begin{cases} 4-(x-2) \le 2x+7 \\ 18x+11 \ge 12x+13 \end{cases}$

유형 **04** 계수가 정수가 아닌
연립일차부등식의 풀이

[031~038] 다음 연립부등식을 풀어라.

031 $\begin{cases} \dfrac{x-1}{12} < 1 \\ 6(x-7) > x+3 \end{cases}$

032 $\begin{cases} 5x < 2(x-4)+1 \\ \dfrac{5x-1}{6} \le x+1 \end{cases}$

033 $\begin{cases} 3(x-2) < 2x-1 \\ \dfrac{3}{4}x+1 \ge \dfrac{1}{2}x-\dfrac{1}{4} \end{cases}$

034 $\begin{cases} \dfrac{x+1}{4} \le \dfrac{x+2}{5} \\ -x-1 \ge \dfrac{x-3}{2} \end{cases}$

035 $\begin{cases} \dfrac{x}{4}-2 \leq \dfrac{x}{2}-1 \\ \dfrac{x-1}{6} \geq \dfrac{x-3}{2} \end{cases}$

036 $\begin{cases} 0.7(x-1) \geq 1.2x+1.3 \\ \dfrac{1}{6}x-2 < 3-\dfrac{1}{4}x \end{cases}$

037 $\begin{cases} 3.2x-0.2 \geq 2.4x-1 \\ -\dfrac{x}{12} < \dfrac{x}{4}+1 \end{cases}$

038 $\begin{cases} \dfrac{2}{3}x+1 \leq \dfrac{7}{3}x+\dfrac{1}{6} \\ 0.5x-0.7 < 0.2(3-x)+0.8 \end{cases}$

유형 **05** 해가 주어진 연립일차부등식

[039~042] 연립부등식과 그 해가 다음과 같을 때, 상수 a의 값을 구하여라.

039 $\begin{cases} x+6 > 2a \\ 3x-2 < 7 \end{cases}$

연립부등식의 해: $-2 < x < 3$

> $x+6 > 2a$에서 $x > 2a-6$
> $3x-2 < 7$에서 $x < \square$
> 연립부등식의 해가 $-2 < x < 3$이므로
> $2a-6 = \square$ $\therefore a = \square$

040 $\begin{cases} x-4 < 2x-1 \\ 5x-a \leq 7 \end{cases}$

연립부등식의 해: $-3 < x \leq 1$

041 $\begin{cases} 2x-4 > -a \\ -2x+16 > 3x-4 \end{cases}$

연립부등식의 해: $-4 < x < 4$

042 $\begin{cases} 9-3x \geq 2x-1 \\ 4(x-2) \geq 3x-a \end{cases}$

연립부등식의 해: $-1 \leq x \leq 2$

해가 특수한 연립일차부등식

(1) 해가 1개인 경우

$$\begin{cases} x \geq a \\ x \leq a \end{cases} \Rightarrow x = a$$

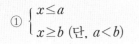

(2) 해가 없는 경우

① $\begin{cases} x \leq a \\ x \geq b \end{cases}$ (단, $a < b$) ② $\begin{cases} x > a \\ x < a \end{cases}$ ③ $\begin{cases} x \geq a \\ x < a \end{cases}$

 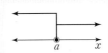

연·산·유·형

정답과 해설 **53**쪽

유형 06 특수한 해를 갖는 연립일차부등식의 풀이

[043~045] 다음 연립부등식을 수직선을 이용하여 풀어라.

043 $\begin{cases} x \leq -1 \\ x > 3 \end{cases}$

044 $\begin{cases} x \leq 2 \\ x \geq 2 \end{cases}$

045 $\begin{cases} x < -5 \\ x \geq -5 \end{cases}$

[046~049] 다음 연립부등식을 풀어라.

046 $\begin{cases} 2x + 5 \leq x + 6 \\ 7x \geq 5x + 2 \end{cases}$

047 $\begin{cases} 34x + 14 > -3 \\ -4 + x \geq 3x \end{cases}$

048 $\begin{cases} 3(x+1) \geq 4x + 6 \\ 5x - 2 < 8x + 7 \end{cases}$

049 $\begin{cases} \dfrac{x}{4} + 2 \leq \dfrac{x}{2} + 1 \\ \dfrac{x-2}{6} \leq -\dfrac{x-5}{3} \end{cases}$

07-5 $A < B < C$ 꼴의 부등식

$A < B < C$ 꼴의 부등식은 $A < B$이고 $B < C$이므로 연립부등식 $\begin{cases} A < B \\ B < C \end{cases}$ 꼴로 고쳐서 푼다.

예 부등식 $3x - 1 < 2x < x + 4$는 연립부등식 $\begin{cases} 3x - 1 < 2x \\ 2x < x + 4 \end{cases}$ 로 고쳐서 푼다.

주의 $A < B < C$를 $\begin{cases} A < B \\ A < C \end{cases}$ 또는 $\begin{cases} A < C \\ B < C \end{cases}$로 고쳐서 풀지 않도록 주의한다.

연.산.유.형

정답과 해설 **53**쪽

유형 07 $A < B < C$ 꼴의 부등식의 풀이

[050~057] 다음 부등식을 풀어라.

050 $-2 \leq 3x + 1 \leq 10$

주어진 부등식은 $\begin{cases} -2 \leq 3x + 1 \\ 3x + 1 \leq \square \end{cases}$ 으로 나타낼 수 있다.

$-2 \leq 3x + 1$에서 $x \geq -1$

$3x + 1 \leq \square$에서 $x \leq \square$

따라서 주어진 부등식의 해는

$-1 \leq x \leq \square$

051 $-7 < 2x - 1 \leq 9$

052 $2x \leq x - 1 < 2$

053 $5x + 30 \leq 180 \leq 6x$

054 $4x + 5 < 7x - 1 < 3x + 11$

055 $2x - 3 < x + 1 \leq -9x + 7$

056 $3 - 2x \leq 7(1 - x) < 11 - 5x$

057 $\dfrac{1}{2}(x - 3) < x \leq \dfrac{4 - x}{3}$

유형 08 연립일차부등식의 활용

[058~060] 다음 물음에 답하여라.

058 연속하는 세 홀수의 합이 30보다 크고 36보다 작을 때, 세 홀수를 구하여라.

구하는 세 홀수 중 가운데 수를 x라고 하면
세 홀수는 각각 $x-2$, x, $x+2$이므로
$30<(x-2)+x+(x+2)<$ ☐
이 부등식을 풀면
☐$<x<$☐
이때 x는 홀수이므로 $x=$☐
따라서 구하는 세 홀수는 ☐, ☐, ☐이다.

059 한 개에 1000원인 과자와 한 개에 600원인 사탕을 합하여 15개를 사려고 한다. 전체 금액이 12000원 이상 12800원 이하가 되도록 할 때, 과자를 최대 몇 개 살 수 있는지 구하여라.

060 가로의 길이가 세로의 길이보다 30 m 긴 직사각형 모양의 꽃밭의 둘레의 길이가 300 m 이상 400 m 이하가 되도록 하려고 한다. 이 꽃밭의 세로의 길이의 범위를 구하여라.

[061~063] 다음 물음에 답하여라.

061 어느 모임에서 선물을 나누어 주는데 회원 1명에게 5개씩 주면 13개가 남고, 6개씩 주면 마지막 한 명은 1개 이상 3개 이하의 선물을 받는다. 이때 최대 회원 수를 구하여라.

회원 수를 x명이라고 하면 선물의 개수는 $(5x+13)$이고
선물을 6개씩 주면 6개를 받은 회원 수는 $(x-1)$명이므로
$6(x-1)+$☐$\leq 5x+13\leq 6(x-1)+$☐
이 부등식을 풀면
☐$\leq x\leq$☐
따라서 최대 회원 수는 ☐명이다.

062 혜미네 반 학생들이 긴 의자에 앉으려고 한다. 6명씩 앉으면 7명이 남고, 7명씩 앉으면 의자가 1개 남을 때, 의자의 최대 개수를 구하여라.

063 사과를 상자에 담는데 한 상자에 12개씩 담으면 사과가 5개 남고, 15개씩 담으면 상자가 2개 남는다. 이때 상자의 최소 개수를 구하여라.

07-6 절댓값 기호를 포함한 일차부등식

(1) 절댓값의 성질을 이용하여 풀기

$a>0$일 때

① $|x|<a$이면 $-a<x<a$

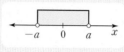

② $|x|>a$이면 $x<-a$ 또는 $x>a$

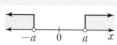

(2) 구간을 나누어 풀기

① 절댓값 기호 안의 식의 값이 0이 되는 x의 값을 기준으로 구간을 나눈다.

② 각 구간에서 절댓값 기호를 없앤 후, 부등식의 해를 구한다.

이때 구간 안에 속하는 것만을 부등식의 해로 한다.

③ ②에서 구한 해를 합한 범위를 구한다.

$\bullet\ |x|=\begin{cases} x\ (x\geq0) \\ -x\ (x<0) \end{cases}$

연·산·유·형

정답과 해설 **55**쪽

유형 09 절댓값 기호가 한 개인 일차부등식의 풀이

[064~067] 다음 부등식을 풀어라.

064 $|x-1|<2$

$\boxed{}<x-1<2$이므로
$\boxed{}<x<3$

065 $|x+4|\leq10$

066 $|2x+1|<7$

067 $|1-x|\leq6$

[068~071] 다음 부등식을 풀어라.

068 $|x-2|\geq5$

$x-2\leq\boxed{}$ 또는 $x-2\geq5$
$\therefore x\leq\boxed{}$ 또는 $x\geq\boxed{}$

069 $|x+3|>6$

070 $|4x-3|>12$

071 $\left|3-\dfrac{x}{2}\right|\geq4$

[072~075] 다음 부등식을 풀어라.

072 $|x-1|<3x$

$x-1=0$, 즉 $x=1$을 기준으로 구간을 나누면

(i) $x<1$일 때

$-(x-1)<3x$에서 $x>\dfrac{1}{4}$

그런데 $x<1$이므로

$\boxed{}<x<1$

(ii) $x\geq 1$일 때

$x-1<3x$에서 $x>-\dfrac{1}{2}$

그런데 $x\geq 1$이므로

$x\geq\boxed{}$

(i), (ii)에 의하여 주어진 부등식의 해는

$x>\boxed{}$

073 $|x+2|\geq 2x$

074 $|6x-5|<x+11$

075 $2|x+1|<6x-7$

유형 10 **절댓값 기호가 두 개인 일차부등식의 풀이**

[076~079] 다음 부등식을 풀어라.

076 $|x+3|+|x-2|\leq 7$

$x+3=0$, $x-2=0$, 즉 $x=-3$, $x=2$를 기준으로 구간을
나누면

(i) $x<-3$일 때

$-(x+3)-(x-2)\leq 7$에서 $x\geq -4$

그런데 $x<-3$이므로

$\boxed{}\leq x<-3$

(ii) $-3\leq x<2$일 때

$(x+3)-(x-2)\leq 7$

$0\cdot x\leq 2$이므로 해는 모든 실수이다.

그런데 $-3\leq x<2$이므로 $-3\leq x<\boxed{}$

(iii) $x\geq 2$일 때

$(x+3)+(x-2)\leq 7$에서 $x\leq 3$

그런데 $x\geq 2$이므로

$\boxed{}\leq x\leq 3$

(i), (ii), (iii)에 의하여 주어진 부등식의 해는

$\boxed{}\leq x\leq\boxed{}$

077 $|x|+|x-1|<2$

078 $|x-3|+2|x+2|\leq 5$

079 $|x-1|+|x-2|\geq -2x+7$

1 $a>b$일 때, 다음 중 항상 성립하는 것은?

① $a+1<b+1$

② $a-2<b-2$

③ $3a-1<3b-1$

④ $4-a<4-b$

⑤ $\dfrac{a}{5}+6<\dfrac{b}{5}+6$

2 다음 중 부등식 $ax\geq b$에 대한 설명으로 옳지 <u>않은</u> 것은? (단, a, b는 상수)

① $a<0$이면 $x\leq\dfrac{b}{a}$이다.

② $a>0$이면 $x\geq\dfrac{b}{a}$이다.

③ $a=0$, $b<0$이면 해는 모든 실수이다.

④ $a=0$, $b=0$이면 해는 없다.

⑤ $a=0$, $b>0$이면 해는 없다.

3 다음 중 연립부등식 $\begin{cases} x-2\geq 3x-10 \\ -x+2<2x+1 \end{cases}$의 해가 <u>아닌</u> 것은?

① 1   ② 2   ③ 3

④ 4   ⑤ 5

4 연립부등식 $\begin{cases} \dfrac{x}{6}-2\leq\dfrac{x}{3}-1 \\ \dfrac{x-1}{6}>\dfrac{x-3}{4} \end{cases}$의 해가 $a\leq x<b$일 때, ab의 값을 구하여라.

5 오른쪽 그림은 연립부등식 $\begin{cases} 5x-4>-a \\ -x+12>2x-3 \end{cases}$의 해를 수직선 위에 나타낸 것이다. 상수 a의 값은?

① -11 ② -4 ③ 1

④ 7   ⑤ 11

6 다음 부등식을 만족하는 모든 정수 x의 값의 합은?

$$\dfrac{x}{2}-1<\dfrac{x}{5}\leq\dfrac{3x}{4}+1$$

① 2   ② 3   ③ 4

④ 5   ⑤ 6

7 다음 부등식 중 해가 없는 것은?

① $\begin{cases} 2x < 5 \\ 6x - 5 \leq 3x + 4 \end{cases}$

② $\begin{cases} x - 3 \leq -1 - x \\ 1 - 4x \leq -2 - x \end{cases}$

③ $\begin{cases} 2x \geq 5x + 6 \\ 4(x+1) > 2(x-4) \end{cases}$

④ $\begin{cases} \dfrac{x}{10} + \dfrac{1}{5} \leq \dfrac{1}{20} \\ \dfrac{x}{2} - 3 > 1 \end{cases}$

⑤ $x - 3 \leq 6x + 2 < 10 - 2x$

8 연립부등식 $\begin{cases} 3(x-1) \geq 4x - a \\ 5x + b \leq 8x - 7 \end{cases}$ 의 해가 $x = 3$일 때, 상수 a, b에 대하여 ab의 값은?

① 3   ② 6   ③ 12

④ 24   ⑤ 48

9 한 개에 12 g인 막대 사탕과 한 개에 3 g인 알사탕을 합하여 30개를 사려고 한다. 전체 무게가 180 g 이상 225 g 이하가 되도록 할 때, 살 수 있는 막대 사탕의 최대 개수는?

① 12   ② 13   ③ 14

④ 15   ⑤ 16

10 상윤이네 반 학생들이 캠핑을 하려고 한다. 한 텐트에 4명씩 들어가면 학생이 8명 남고 5명씩 들어가면 텐트가 3개 남는다. 이때 텐트의 최소 개수는?

① 22   ② 23   ③ 24

④ 25   ⑤ 26

11 부등식 $|3x + 1| \leq 5$의 해가 $a \leq x \leq b$일 때, $a + b$의 값은?

① $-\dfrac{2}{3}$ ② $-\dfrac{1}{3}$ ③ 1

④ 3   ⑤ $\dfrac{10}{3}$

12 부등식 $2|x + 1| + |x - 1| < 5$를 만족하는 정수 x의 개수는?

① 1   ② 2   ③ 3

④ 4   ⑤ 5

08

이차부등식

AM

08 이차부등식

08-1 이차부등식과 이차함수의 관계

(1) **이차부등식**

부등식의 모든 항을 좌변으로 이항하여 정리하였을 때, 좌변이 x에 대한 이차식으로 나타내어지는 부등식

(2) **이차부등식의 해**

① 이차부등식 $ax^2+bx+c>0$의 해

➡ $y=ax^2+bx+c$에서 $y>0$인 x의 값의 범위

➡ $y=ax^2+bx+c$의 그래프가 x축보다 위쪽에 있는 부분의 x의 값의 범위

② 이차부등식 $ax^2+bx+c<0$의 해

➡ $y=ax^2+bx+c$에서 $y<0$인 x의 값의 범위

➡ $y=ax^2+bx+c$의 그래프가 x축보다 아래쪽에 있는 부분의 x의 값의 범위

연.산.유.형

정답과 해설 **58**쪽

유형 01 이차부등식과 이차함수의 관계

[001~004] 이차함수 $y=f(x)$의 그래프가 오른쪽 그림과 같을 때, 다음 부등식의 해를 구하여라.

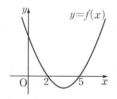

001 $f(x)>0$

002 $f(x)<0$

003 $f(x)\geq 0$

004 $f(x)\leq 0$

[005~008] 이차함수 $y=f(x)$의 그래프가 오른쪽 그림과 같을 때, 다음 부등식의 해를 구하여라.

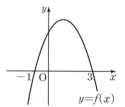

005 $f(x)>0$

006 $f(x)\geq 0$

007 $f(x)<0$

008 $f(x)\leq 0$

08-2 이차부등식의 풀이

이차방정식 $ax^2+bx+c=0$의 판별식을 D라고 하면 이차부등식의 해는 다음과 같다.

	$D>0$	$D=0$	$D<0$
$y=ax^2+bx+c$의 그래프			
$ax^2+bx+c>0$의 해	$x<\alpha$ 또는 $x>\beta$	$x\neq\alpha$인 모든 실수	모든 실수
$ax^2+bx+c\geq0$의 해	$x\leq\alpha$ 또는 $x\geq\beta$	모든 실수	모든 실수
$ax^2+bx+c<0$의 해	$\alpha<x<\beta$	없다.	없다.
$ax^2+bx+c\leq0$의 해	$\alpha\leq x\leq\beta$	$x=\alpha$	없다.

● x^2의 계수가 음수인 경우에는 양변에 -1을 곱하여 양수로 고쳐서 생각한다.

연·산·유·형

정답과 해설 58쪽

유형 02 이차부등식의 풀이: $D>0$

[009~018] 다음 이차부등식을 풀어라.

009 $x^2+x-2<0$

$x^2+x-2<0$에서
$(x+\boxed{})(x-1)<0$ ∴ $\boxed{}<x<1$

010 $x^2-x-6\geq0$

011 $2x^2-3x-9>0$

012 $2x^2+x-6\leq0$

013 $-3x^2+10x-3<0$

014 $x^2+2x-1>0$

015 $3x^2<2-5x$

016 $-x^2+11x-30\geq0$

017 $-x^2+1<0$

018 $-2x^2+3x+2\geq0$

유형 **03** **이차부등식의 풀이: $D=0$**

[019~029] 다음 이차부등식을 풀어라.

019 $x^2-6x+9\le 0$

$x^2-6x+9\le 0$에서
$(x-3)^2\le 0$ $\quad$ $\therefore$ $x=\boxed{}$

020 $-x^2+4x-4<0$

021 $x^2-24x+144<0$

022 $4x^2+20x+25>0$

023 $9x^2-24x+16<0$

024 $2x^2\le 4x-2$

025 $4x(3+x)\ge -9$

026 $-x^2+20x-100\le 0$

027 $-25x^2-40x-16>0$

028 $-2x^2+2x-\dfrac{1}{2}\ge 0$

029 $-25x^2+30x-9<0$

유형 **04** 이차부등식의 풀이: $D<0$

[030~040] 다음 이차부등식을 풀어라.

030 $x^2-x+1\leq0$

이차방정식 $x^2-x+1=0$의 판별식을 D라고 하면

D ☐ 0

따라서 주어진 이차부등식의 해는 ☐

031 $x^2+3x+9\geq0$

032 $x^2+3x+5>0$

033 $x^2-5x+10<0$

034 $-x^2+x-1\geq0$

035 $2x^2-x+1\geq0$

036 $3x^2+4x+5\leq0$

037 $-x^2+4x-5<0$

038 $x(5-x)>7$

039 $-3x^2-8x-25<0$

040 $2x^2+4x+5<0$

(1) 해가 $\alpha < x < \beta$이고 x^2의 계수가 1인 이차부등식은
$(x-\alpha)(x-\beta) < 0 \Rightarrow x^2 - (\alpha+\beta)x + \alpha\beta < 0$

(2) 해가 $x < \alpha$ 또는 $x > \beta$이고 x^2의 계수가 1인 이차부등식은
$(x-\alpha)(x-\beta) > 0 \Rightarrow x^2 - (\alpha+\beta)x + \alpha\beta > 0$

● 해가 $x=\alpha$이고 x^2의 계수가 1인 이차부등식은 $(x-\alpha)^2 \leq 0$이다.

연·산·유·형

정답과 해설 **59**쪽

유형 05   해가 주어진 이차부등식

[041~045] 해가 다음과 같고 x^2의 계수가 1인 이차부등식을 구하여라.

041 $4 < x < 5$

> 해가 $4 < x < 5$이고 x^2의 계수가 1인 이차부등식은
> $(x-4)(x-\boxed{}) < 0$에서
> $x^2 - \boxed{}x + \boxed{} < 0$

042 $x \leq -3$ 또는 $x \geq 3$

043 $-1 \leq x \leq 2$

044 $x < -7$ 또는 $x > -4$

045 $-3 < x < 0$

[046~049] 이차부등식과 그 해가 다음과 같을 때, 상수 a, b의 값을 구하여라.

046 $x^2 + ax + b < 0$
이차부등식의 해: $1 < x < 3$

> 해가 $1 < x < 3$이고 x^2의 계수가 1인 이차부등식은
> $(x-1)(x-\boxed{}) < 0$에서
> $x^2 - \boxed{}x + \boxed{} < 0$ $\therefore a = \boxed{}$, $b = \boxed{}$

047 $x^2 + ax + b \geq 0$
이차부등식의 해: $x \leq 7$ 또는 $x \geq 10$

048 $x^2 + ax + b \leq 0$
이차부등식의 해: $-6 \leq x \leq 3$

049 $x^2 + ax + b > 0$
이차부등식의 해: $x < -\dfrac{1}{2}$ 또는 $x > 2$

이차방정식 $ax^2+bx+c=0$의 판별식을 D라고 하면 이차부등식

$$ax^2+bx+c>0, \ ax^2+bx+c\geq0, \ ax^2+bx+c<0, \ ax^2+bx+c\leq0$$

이 항상 성립할 조건은 다음과 같다.

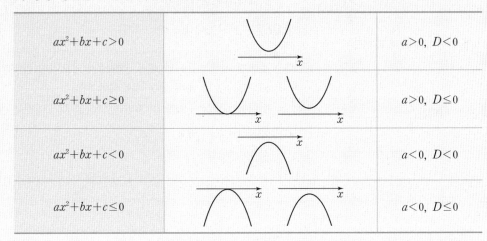

$ax^2+bx+c>0$		$a>0, \ D<0$
$ax^2+bx+c\geq0$		$a>0, \ D\leq0$
$ax^2+bx+c<0$		$a<0, \ D<0$
$ax^2+bx+c\leq0$		$a<0, \ D\leq0$

● 이차부등식 $f(x)>0$이 항상 성립하려면 $y=f(x)$의 그래프가 x축보다 항상 위쪽에 있어야 한다.

참고 이차부등식 $ax^2+bx+c>0$의 해가 존재하지 않으면 이차부등식 $ax^2+bx+c\leq0$은 항상 성립하고, 이차부등식 $ax^2+bx+c\geq0$의 해가 존재하지 않으면 이차부등식 $ax^2+bx+c<0$은 항상 성립한다.

연·산·유·형

정답과 해설 60쪽

유형 06 이차부등식이 항상 성립할 조건

[050~056] 다음 이차부등식이 항상 성립하도록 하는 실수 k의 값의 범위를 구하여라.

050 $x^2+2x+k>0$

이차방정식 $x^2+2x+k=0$의 판별식을 D라고 하면
$$\frac{D}{4}=\square-k<0 \qquad \therefore \ k>\square$$

051 $-x^2-3x+k\leq0$

052 $x^2-kx+4\geq0$

053 $x^2+kx+k>0$

054 $-2x^2+kx-3<0$

055 $-x^2+2kx-k\leq0$

056 $x^2+(k+1)x+k+1>0$

[057~061] 다음 이차부등식이 모든 실수 x에 대하여 성립하도록 하는 실수 k의 값의 범위를 구하여라.

057 $kx^2+2kx+4>0$

$k \;\boxed{}\; 0$ $\cdots\cdots$ ㉠

이차방정식 $kx^2+2kx+4=0$의 판별식을 D라고 하면

$\dfrac{D}{4}=k^2-4k \;\boxed{}\; 0$

$\therefore \; 0<k<\boxed{}$ $\cdots\cdots$ ㉡

㉠, ㉡에 의하여 구하는 k의 값의 범위는

$0<k<\boxed{}$

---

058 $kx^2+4kx+3k-5\leq0$

059 $kx^2-2(k+3)x-4<0$

060 $kx^2-3kx>-4$

061 $(k-1)x^2-2(k+1)x-1\leq0$

유형 07   이차부등식의 해가 존재하지 않을 조건

[062~065] 다음 이차부등식의 해가 존재하지 않도록 하는 실수 k의 값의 범위를 구하여라.

062 $x^2-2x+k<0$

주어진 이차부등식의 해가 존재하지 않으려면 이차부등식

$x^2-2x+k \;\boxed{}\; 0$이 항상 성립해야 한다.

이차방정식 $x^2-2x+k=0$의 판별식을 D라고 하면

$\dfrac{D}{4}=1-k \;\boxed{}\; 0$

$\therefore \; k \;\boxed{}\; 1$

---

063 $-x^2-x+k>0$

064 $x^2+4kx+8\leq0$

065 $x^2+(k-8)x+k<0$

08-5 두 함수의 그래프와 이차부등식의 해

이차함수 $y=f(x)$의 그래프와 직선 $y=g(x)$에 대하여
부등식 $f(x)<g(x)$의 해

➡ 이차함수 $y=f(x)$의 그래프가 직선 $y=g(x)$보다
　아래쪽에 있는 부분의 x의 값의 범위

➡ $a<x<b$

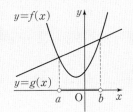

● 두 이차함수 $y=f(x)$,
$y=g(x)$의 그래프가 주어진
경우에도 마찬가지 방법으로
부등식 $f(x)<g(x)$의 해를
구할 수 있다.

연·산·유·형

정답과 해설 **61**쪽

유형 08 만나는 두 그래프와 이차부등식

[066~068] 이차함수 $y=ax^2+bx+c$
의 그래프와 직선 $y=mx+n$이 오른쪽
그림과 같을 때, 다음 부등식의 해를
구하여라.

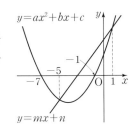

066 $ax^2+bx+c>0$

067 $ax^2+bx+c>mx+n$

068 $ax^2+(b-m)x+(c-n)\leq0$

[069~071] 두 이차함수 $y=f(x)$,
$y=g(x)$의 그래프가 오른쪽 그림과
같을 때, 다음 부등식의 해를 구하여라.

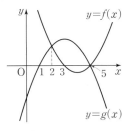

069 $f(x)>g(x)$

070 $f(x)<g(x)$

071 $f(x)-g(x)\geq0$

(1) 연립이차부등식

차수가 가장 높은 부등식이 이차부등식인 연립부등식

(2) 연립이차부등식의 풀이

각 부등식을 풀어 공통부분을 구한다.

📘 연립부등식 $\begin{cases} x-2>0 \\ x^2-4x+3\leq0 \end{cases}$ 에서

$x-2>0$을 풀면 $x>2$ $\cdots\cdots$ ㉠

$x^2-4x+3\leq0$을 풀면 $(x-1)(x-3)\leq0$

$\therefore 1\leq x\leq3$ $\cdots\cdots$ ㉡

주어진 연립부등식의 해는 ㉠, ㉡의 공통부분이므로 $2<x\leq3$

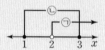

연.산.유.형

정답과 해설 61쪽

유형 09 연립이차부등식의 풀이

[072~077] 다음 연립부등식을 풀어라.

072 $\begin{cases} x-4\leq0 \\ x^2-6x-7<0 \end{cases}$

073 $\begin{cases} 2x+5\geq0 \\ x^2+3x-4\leq0 \end{cases}$

074 $\begin{cases} 2x-1\geq x-2 \\ x^2+x-15>5 \end{cases}$

075 $\begin{cases} 4x+1\leq5 \\ 8x^2-5x-7<x+2 \end{cases}$

076 $\begin{cases} 3x+2<x+6 \\ x^2-x-5>1 \end{cases}$

077 $x^2-3x<3x-6\leq7x+2$

[078~085] 다음 연립부등식을 풀어라.

078 $\begin{cases} x^2-2x-3\geq 0 \\ x^2-3x-10<0 \end{cases}$

079 $\begin{cases} x^2-x-5>3x \\ 2x^2-2x-6\leq x^2+2 \end{cases}$

080 $\begin{cases} 2x^2-4<0 \\ -x^2+5x-3>3 \end{cases}$

081 $\begin{cases} x^2\geq x+6 \\ x^2<4x+5 \end{cases}$

082 $\begin{cases} -x^2-11x-14\geq 4 \\ 3x^2+7x+1\geq 1 \end{cases}$

083 $4<x^2-2x+1\leq 16$

084 $x+9<x^2+7\leq 9x-13$

085 $x^2-3x+5\leq 2x^2-5<x^2+7x+3$

연산 유형 최종 점검하기

1 이차부등식 $x^2 \leq 8x + 2$를 만족하는 실수 x의 최댓값과 최솟값의 차는?

① 4　　　　② $3\sqrt{2}$　　　　③ 8

④ $6\sqrt{2}$　　　⑤ 12

2 다음 이차부등식 중 해가 없는 것은?

① $-x^2 + x - 1 \geq 0$

② $-x^2 + 2x - 3 < 0$

③ $x^2 + 2x + 1 \leq 0$

④ $x^2 + 3x - 4 < 0$

⑤ $x^2 + 3x + 8 > 0$

3 부등식 $x^2 - 4 < 2|x - 2|$를 만족하는 정수 x의 개수는?

① 3　　　　② 4　　　　③ 5

④ 6　　　　⑤ 7

4 이차부등식 $ax^2 + bx + c \geq 0$의 해가 $x = 2$뿐일 때, 상수 a, b, c에 대하여 다음 중 옳은 것은?

① $a < 0$, $b < 0$, $c > 0$

② $a < 0$, $b > 0$, $c < 0$

③ $a < 0$, $b > 0$, $c > 0$

④ $a > 0$, $b < 0$, $c > 0$

⑤ $a > 0$, $b > 0$, $c < 0$

5 이차부등식 $x^2 + ax + b < 0$의 해가 $1 < x < 3$일 때, 이차부등식 $x^2 - bx + a > 0$의 해를 구하여라. (단, a, b는 상수)

6 이차부등식 $x^2 - 2ax + 2a^2 - a + 1 > 3$이 모든 실수 x에 대하여 성립하도록 하는 실수 a의 값의 범위는?

① $-2 < a < 1$

② $-1 < a < 2$

③ $a < -2$ 또는 $a > 1$

④ $a < -1$ 또는 $a > 2$

⑤ $a < 1$ 또는 $a > 2$

7 이차부등식 $kx^2-2(k+1)x+4<0$의 해가 존재하지 않도록 하는 실수 k의 값은?

① 1   ② 2   ③ 3

④ 4   ⑤ 5

8 이차함수 $y=ax^2+bx+c$의 그래프와 직선 $y=mx+n$이 오른쪽 그림과 같을 때, 이차부등식 $ax^2+(b-m)x+c-n<0$의 해는?

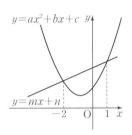

① $x>1$

② $x<-2$

③ $x<1$

④ $-2<x<1$

⑤ $x<-2$ 또는 $x>1$

9 연립부등식 $\begin{cases} 2x-1>3 \\ x^2-3x-5\leq -1 \end{cases}$ 의 해가 $a<x\leq b$일 때, $a+b$의 값은?

① -6 ② -2 ③ 6

④ 8   ⑤ 10

10 다음 부등식을 만족하는 모든 정수 x의 값의 합은?

$$4x+1\leq x^2+4<2x+5$$

① -1 ② 0   ③ 1

④ 2   ⑤ 3

11 연립부등식 $\begin{cases} |x+2|<2 \\ x^2+2x+3\geq x+5 \end{cases}$ 의 해가 $a<x\leq b$일 때, ab의 값은?

① -8 ② -4 ③ 4

④ 8   ⑤ 12

12 예리가 지면으로부터 $1\,m$ 높이에서 위로 똑바로 던져 올린 공의 t초 후의 지면으로부터의 높이를 $h\,m$라고 하면

$$h=-5t^2+10t+1$$

의 관계가 성립한다고 한다. 공의 높이가 지면으로부터 $1\,m$ 이상이 되는 시간은 몇 초 동안인지 구하여라.

09

평면좌표

AM

09 평면좌표

09-1 두 점 사이의 거리

(1) **수직선 위의 두 점 사이의 거리**

수직선 위의 두 점 $A(x_1)$, $B(x_2)$ 사이의 거리

➡ $\overline{AB} = |x_2 - x_1|$

$$\overset{A}{\underset{x_1}{\bullet}}\cdots|x_2-x_1|\cdots\overset{B}{\underset{x_2}{\bullet}}$$

(2) **좌표평면 위의 두 점 사이의 거리**

① 좌표평면 위의 두 점 $A(x_1, y_1)$, $B(x_2, y_2)$ 사이의 거리

➡ $\overline{AB} = \sqrt{(x_2-x_1)^2 + (y_2-y_1)^2}$

② 원점 O와 점 $A(x_1, y_1)$ 사이의 거리

➡ $\overline{OA} = \sqrt{x_1^2 + y_1^2}$

연·산·유·형

정답과 해설 **63**쪽

유형 01 수직선 위의 두 점 사이의 거리

[001~004] 다음 두 점 A, B 사이의 거리를 구하여라.

001 $A(-2)$, $B(4)$

002 $A(0)$, $B(-7)$

003 $A(5)$, $B(-2)$

004 $A(-10)$, $B(-5)$

유형 02 좌표평면 위의 두 점 사이의 거리

[005~008] 다음 두 점 A, B 사이의 거리를 구하여라.

005 $A(1, 0)$, $B(3, 3)$

006 $A(0, 0)$, $B(-4, 2)$

007 $A(-4, -5)$, $B(-2, -3)$

008 $A(0, -1)$, $B(2, 2)$

[009~013] 두 점 A, B와 선분 AB의 길이가 다음과 같을 때, a 의 값을 모두 구하여라.

009 A$(3, 2)$, B$(a, 5)$, $\overline{AB}=5$

> $\sqrt{(a-3)^2+(5-2)^2}=5$이므로 양변을 제곱하면
> $(a-3)^2+9=25$, $a^2-6a-\square=0$
> $(a+1)(a-\square)=0$ $\quad\therefore a=-1$ 또는 $a=\square$

010 A$(3, a)$, B$(-1, 1)$, $\overline{AB}=4\sqrt{2}$

011 A$(a, 2)$, B$(-1, 2a-1)$, $\overline{AB}=\sqrt{5}$

012 A$(2, -2)$, B$(a+1, a+4)$, $\overline{AB}=13$

013 A$(-1, 3)$, B$(a, a+1)$, $\overline{AB}=3$

유형 **03** 같은 거리에 있는 점

[014~022] 다음 두 점 A, B에서 같은 거리에 있는 x축 위의 점 P와 y축 위의 점 Q의 좌표를 구하여라.

014 A$(1, 1)$, B$(-2, 4)$

> P$(a, 0)$이라고 하면 $\overline{AP}=\overline{BP}$에서 $\overline{AP}^2=\overline{BP}^2$이므로
> $(a-1)^2+1=(a+2)^2+\square$
> $\therefore a=\square$
> 따라서 점 P의 좌표는 P$(\square, 0)$이다.
> Q$(0, b)$라고 하면 $\overline{AQ}=\overline{BQ}$에서 $\overline{AQ}^2=\overline{BQ}^2$이므로
> $1+(b-1)^2=\square+(b-4)^2$
> $\therefore b=\square$
> 따라서 점 Q의 좌표는 Q$(0, \square)$이다.

015 A$(0, 1)$, B$(3, 3)$

016 A$(0, 0)$, B$(-5, 4)$

017 A$(1, 2)$, B$(3, 4)$

018 A$(2, 0)$, B$(-5, 8)$

019 A$(-1, -4)$, B$(-2, -5)$

020 A$(2, 3)$, B$(7, -4)$

021 A$(-2, 3)$, B$(2, 1)$

022 A$(-1, 3)$, B$(3, 5)$

유형 **04**   **선분의 길이의 합의 최솟값**

[023~026] 다음 세 점 A, B, P에 대하여 $\overline{AP}^2 + \overline{BP}^2$의 최솟값을 구하여라.

023 두 점 A$(0, 1)$, B$(4, 3)$과 x축 위의 점 P

> P$(a, 0)$이라고 하면
> $$\overline{AP}^2 + \overline{BP}^2 = a^2 + 1 + (a-4)^2 + 9$$
> $$= 2\left(a - \square\right)^2 + \square$$
> 따라서 $a = \square$일 때 $\overline{AP}^2 + \overline{BP}^2$의 최솟값은 $\square$이다.

024 두 점 A$(2, 3)$, B$(4, 5)$와 y축 위의 점 P

025 두 점 A$(3, 0)$, B$(5, -2)$와 x축 위의 점 P

026 두 점 A$(-8, 4)$, B$(4, -1)$과 y축 위의 점 P

유형 05 삼각형의 모양

[027~031] 다음 세 점 A, B, C를 꼭짓점으로 하는 삼각형 ABC는 어떤 삼각형인지 말하여라.

027 $A(-2, -1)$, $B(1, -2)$, $C(1, 3)$

> $\overline{AB}=\sqrt{(1+2)^2+(-2+1)^2}=\sqrt{10}$
> $\overline{BC}=\sqrt{(1-1)^2+(3+2)^2}=\boxed{}$
> $\overline{CA}=\sqrt{(-2-1)^2+(-1-3)^2}=\boxed{}$
> 따라서 삼각형 ABC는 $\overline{BC}=\boxed{}$인 이등변삼각형이다.

028 $A(0, 0)$, $B(5, 5)$, $C(-2, 4)$

029 $A(1, 2)$, $B(2, 0)$, $C(5, 4)$

030 $A(-1, 0)$, $B(1, 2\sqrt{3})$, $C(3, 0)$

031 $A(1, 1)$, $B(0, 5)$, $C(-3, 0)$

[032~035] 다음 세 점 A, B, C를 꼭짓점으로 하는 삼각형 ABC의 모양이 [ ] 안과 같을 때, a의 값을 구하여라.

032 $A(2, -3)$, $B(4, 0)$, $C(a, 1)$
[$\angle A=90°$인 직각삼각형]

> $\overline{AB}=\sqrt{13}$
> $\overline{BC}=\sqrt{a^2-8a+\boxed{}}$
> $\overline{CA}=\sqrt{a^2-\boxed{}a+20}$
> 삼각형 ABC가 $\angle A=90°$인 직각삼각형이므로
> $\overline{AB}^2+\overline{CA}^2=\overline{BC}^2$에서
> $13+a^2-\boxed{}a+20=a^2-8a+\boxed{}$
> $\therefore a=\boxed{}$

033 $A(0, -1)$, $B(1, 2)$, $C(a, -2)$
[$\overline{BC}=\overline{CA}$인 이등변삼각형]

034 $A(0, 0)$, $B(1, \sqrt{3})$, $C(2, a)$
[정삼각형]

035 $A(3, 2)$, $B(-2, -4)$, $C(1, a)$
[$\angle A=90°$인 직각삼각형]

09-2 수직선 위의 선분의 내분점과 외분점

(1) 내분점

선분 AB 위의 점 P에 대하여

$$\overline{AP} : \overline{PB} = m : n \, (m > 0, \, n > 0)$$

일 때, 점 P는 선분 AB를 $m : n$으로 내분한다고 하고,
점 P를 선분 AB의 내분점이라고 한다.

(2) 외분점

선분 AB의 연장선 위의 점 Q에 대하여

$$\overline{AQ} : \overline{BQ} = m : n \, (m > 0, \, n > 0, \, m \neq n)$$

일 때, 점 Q는 선분 AB를 $m : n$으로 외분한다고 하고,
점 Q를 선분 AB의 외분점이라고 한다.

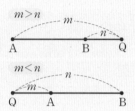

(3) 수직선 위의 선분의 내분점과 외분점

수직선 위의 두 점 $A(x_1)$, $B(x_2)$를 이은 선분 AB를 $m : n \, (m > 0, \, n > 0)$으로

① 내분하는 점 P의 좌표 ➡ $P\left(\dfrac{mx_2 + nx_1}{m + n}\right)$

② 외분하는 점 Q의 좌표 ➡ $Q\left(\dfrac{mx_2 - nx_1}{m - n}\right)$ (단, $m \neq n$)

● 두 점 $A(x_1)$, $B(x_2)$를 이은 선분 AB의 중점 M의 좌표는 $M\left(\dfrac{x_1 + x_2}{2}\right)$이다.

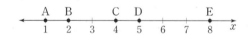 연.산.유.형

정답과 해설 **65**쪽

유형 06 **수직선 위의 선분의 내분점과 외분점**

[036~038] 다음 그림과 같은 수직선 위의 점 A, B, C, D, E
에 대하여 ☐ 안에 알맞은 것을 써넣어라.

A(1) B(2) C(4) D(5) E(8)

036 점 B는 선분 AC를 ☐ : 2로 내분한다.

037 점 C는 선분 BD를 ☐ : 1로 내분한다.

038 점 ☐는 선분 CE를 1 : 3으로 내분한다.

[039~042] 다음 그림과 같은 수직선 위의 점 A, B, C, D, E
에 대하여 ☐ 안에 알맞은 것을 써넣어라.

A(−3) B(−2) C(0) D(1) E(3)

039 점 A는 선분 BC를 1 : ☐으로 외분한다.

040 점 E는 선분 BC를 ☐ : 3으로 외분한다.

041 점 ☐는 선분 AB를 4 : 3으로 외분한다.

042 점 ☐는 선분 CD를 2 : 3으로 외분한다.

[043~047] 다음 두 점 A, B를 이은 선분 AB를 $2:1$로 내분하는 점 P와 $2:3$으로 외분하는 점 Q의 좌표를 구하여라.

043 A(3), B(12)

P(x), Q(y)라고 하면
$$x=\frac{2\times12+1\times3}{2+1}=\boxed{} \qquad \therefore \text{P}(\boxed{})$$
$$y=\frac{2\times12-3\times3}{2-3}=\boxed{} \qquad \therefore \text{Q}(\boxed{})$$

044 A(-2), B(7)

045 A(1), B(4)

046 A(-11), B(-3)

047 A(0), B(-8)

[048~052] 다음 두 점 A, B를 이은 선분 AB를 $3:2$로 내분하는 점 P와 $2:1$로 외분하는 점 Q의 좌표를 구하여라.

048 A(3), B(-7)

P(x), Q(y)라고 하면
$$x=\frac{3\times(-7)+2\times3}{3+2}=\boxed{} \qquad \therefore \text{P}(\boxed{})$$
$$y=\frac{2\times(-7)-1\times3}{2-1}=\boxed{} \qquad \therefore \text{Q}(\boxed{})$$

049 A(-5), B(5)

050 A(-6), B(-12)

051 A(0), B(5)

052 A(4), B(13)

좌표평면 위의 두 점 $A(x_1, y_1)$, $B(x_2, y_2)$를 이은 선분 AB를 $m : n$ $(m>0,\ n>0)$으로

① 내분하는 점 P의 좌표 ➡ $P\left(\dfrac{mx_2+nx_1}{m+n},\ \dfrac{my_2+ny_1}{m+n}\right)$

② 외분하는 점 Q의 좌표 ➡ $Q\left(\dfrac{mx_2-nx_1}{m-n},\ \dfrac{my_2-ny_1}{m-n}\right)$ (단, $m\neq n$)

연.산.유.형

정답과 해설 **66**쪽

유형 07 **좌표평면 위의 선분의 내분점과 외분점**

[053~057] 다음 두 점 A, B를 이은 선분 AB를 $3:1$로 내분하는 점 P와 외분하는 점 Q의 좌표를 구하여라.

053 $A(1,\ 3)$, $B(-2,\ -3)$

054 $A(-1,\ 2)$, $B(4,\ 7)$

055 $A(2,\ -7)$, $B(3,\ 2)$

056 $A(3,\ 4)$, $B(-3,\ 8)$

057 $A(0,\ -5)$, $B(-1,\ 9)$

[058~062] 다음 두 점 A, B를 이은 선분 AB의 중점 M과 $2:3$으로 외분하는 점 Q의 좌표를 구하여라.

058 $A(-1,\ 2)$, $B(5,\ 4)$

059 $A(1,\ 4)$, $B(3,\ 2)$

060 $A(-2,\ 4)$, $B(-6,\ 4)$

061 $A(-3,\ 1)$, $B(5,\ 8)$

062 $A(-4,\ -10)$, $B(-8,\ -6)$

[063~067] 다음 두 점 A, B를 이은 선분 AB를 1 : 4로 내분하는 점 P와 4 : 3으로 외분하는 점 Q의 좌표를 구하여라.

063 $A(0, -10), B(-8, 5)$

064 $A(2, 5), B(1, 3)$

065 $A(-4, 7), B(1, 3)$

066 $A(-4, 1), B(2, 3)$

067 $A(-6, 1), B(4, -2)$

[068~071] 다음을 만족하는 a, b의 값을 구하여라.

068 두 점 $A(-3, 1), B(a, b)$를 이은 선분 AB를 2 : 3으로 내분하는 점의 좌표가 $(-1, 3)$이다.

선분 AB를 2 : 3으로 내분하는 점의 좌표는
$$\left(\frac{2 \times a + 3 \times (-\square)}{2+3}, \frac{2 \times b + 3 \times 1}{2+3} \right)$$
$$\therefore \left(\frac{2a - \square}{5}, \frac{2b+3}{5} \right)$$
이 점이 점 $(-1, 3)$이므로
$$\frac{2a - \square}{5} = -1, \frac{2b+3}{5} = 3$$
$$\therefore a = \square, b = \square$$

069 두 점 $A(a, -2), B(4, b)$를 이은 선분 AB의 중점의 좌표가 $(2, 1)$이다.

070 두 점 $A(6, a), B(a, b)$를 이은 선분 AB를 2 : 1로 외분하는 점의 좌표가 $(4, -9)$이다.

071 두 점 $A(1, -3), B(a, b)$를 이은 선분 AB를 4 : 3으로 내분하는 점의 좌표가 $(5, 9)$이다.

세 점 $A(x_1, y_1)$, $B(x_2, y_2)$, $C(x_3, y_3)$을 꼭짓점으로 하는 삼각형 ABC의 무게중심
G의 좌표

➡ $G\left(\dfrac{x_1+x_2+x_3}{3}, \dfrac{y_1+y_2+y_3}{3}\right)$

연·산·유·형

정답과 해설 68쪽

유형 08   삼각형의 무게중심

[072~076] 다음 세 점 A, B, C를 꼭짓점으로 하는 삼각형 ABC의 무게중심의 좌표를 구하여라.

072 $A(4, 0)$, $B(1, 2)$, $C(-2, -5)$

073 $A(-3, -2)$, $B(3, 8)$, $C(6, 3)$

074 $A(-6, 3)$, $B(-1, -2)$, $C(5, 4)$

075 $A(2, -3)$, $B(-4, 1)$, $C(10, -7)$

076 $A(5, 3)$, $B(12, -9)$, $C(-2, -6)$

[077~081] 다음 세 점 A, B, C를 꼭짓점으로 하는 삼각형 ABC의 무게중심이 G일 때, a, b의 값을 구하여라.

077 $A(3, 2)$, $B(1, -3)$, $C(a, b)$, $G(1, 3)$

삼각형 ABC의 무게중심이 $G(1, 3)$이므로
$\dfrac{3+1+a}{3}=1$, $\dfrac{2-3+b}{\square}=3$ ∴ $a=\square$, $b=\square$

078 $A(3, 2)$, $B(-6, 4)$, $C(a, b)$, $G(0, 0)$

079 $A(-5, a)$, $B(b, 3)$, $C(4, -1)$, $G(1, 1)$

080 $A(-2, -1)$, $B(-6, a)$, $C(5, 10)$, $G(b, 4)$

081 $A(-3, 2)$, $B(5, -1)$, $C(a, 5)$, $G(2, b)$

사각형의 성질의 활용

(1) 평행사변형의 두 대각선은 서로 다른 것을 이등분한다.
　➡ 두 대각선의 중점은 일치한다.

(2) 마름모의 두 대각선은 서로 다른 것을 수직이등분한다.
　➡ 두 대각선의 중점은 일치한다.

연·산·유·형

정답과 해설 68쪽

유형 09　평행사변형의 성질의 활용

[082~084] 다음 네 점 A, B, C, D를 꼭짓점으로 하는 사각형 ABCD가 평행사변형일 때, a, b의 값을 구하여라.

082　$A(0, 6)$, $B(6, -2)$, $C(7, 5)$, $D(a, b)$

대각선 AC의 중점의 좌표는 $\left(\dfrac{7}{2}, \dfrac{11}{2}\right)$

대각선 BD의 중점의 좌표는 $\left(\dfrac{\square+a}{2}, \dfrac{-2+\square}{2}\right)$

두 대각선의 중점은 일치하므로

$\dfrac{7}{2} = \dfrac{\square+a}{2}$, $\dfrac{11}{2} = \dfrac{-2+\square}{2}$

$\therefore a = \square$, $b = \square$

083　$A(1, 4)$, $B(-2, 3)$, $C(5, -2)$, $D(a, b)$

084　$A(-3, 3)$, $B(a, b)$, $C(3, -1)$, $D(2, 4)$

유형 10　마름모의 성질의 활용

[085~087] 다음 네 점 A, B, C, D를 꼭짓점으로 하는 사각형 ABCD가 마름모일 때, a, b의 값을 구하여라.

085　$A(3, 1)$, $B(5, 2)$, $C(a, 4)$, $D(b, 3)$ (단, $a < 5$)

대각선 AC의 중점의 좌표는 $\left(\dfrac{a+3}{2}, \dfrac{5}{2}\right)$

대각선 BD의 중점의 좌표는 $\left(\dfrac{b+5}{2}, \dfrac{5}{2}\right)$

두 대각선의 중점은 일치하므로

$\dfrac{a+3}{2} = \dfrac{b+5}{2}$에서 $b = a - \square$

또 $\overline{AB} = \overline{CB}$에서 $\overline{AB}^2 = \overline{CB}^2$이므로

$(5-3)^2 + (2-1)^2 = (5-a)^2 + (2-4)^2$

$\therefore a = \square$ 또는 $a = 6$

그런데 $a < 5$이므로 $a = \square$, $b = \square$

086　$A(0, 0)$, $B(1, a)$, $C(3, b)$, $D(2, 1)$ (단, $a < 0$)

087　$A(a, 1)$, $B(b, -1)$, $C(7, 3)$, $D(3, 5)$ (단, $a < 3$)

연산유형 최종 점검하기

1 수직선 위의 네 점 A(3), B(0), C(-5), D(-1)에 대하여 다음 선분 중 길이가 가장 긴 것은?

① $\overline{AB}$ ② $\overline{BC}$ ③ $\overline{BD}$
④ $\overline{CA}$ ⑤ $\overline{CD}$

2 두 점 A(a, 6), B(-5, -2) 사이의 거리가 10일 때, a의 값은? (단, $a>0$)

① 1 ② 2 ③ 3
④ 4 ⑤ 5

3 두 점 A(1, -1), B(3, 3)에서 같은 거리에 있는 x축 위의 점을 P, y축 위의 점을 Q라고 할 때, 선분 PQ의 길이는?

① 4 ② $2\sqrt{5}$ ③ 5
④ $3\sqrt{5}$ ⑤ 7

4 세 점 A(-2, 2), B(1, -4), C(4, 5)를 꼭짓점으로 하는 삼각형 ABC는 어떤 삼각형인가?

① 정삼각형
② $\overline{AB}=\overline{BC}$인 이등변삼각형
③ $\overline{BC}=\overline{CA}$인 이등변삼각형
④ ∠A=90°인 직각이등변삼각형
⑤ ∠B=90°인 직각이등변삼각형

5 세 점 A(-1, 7), B(1, a), C(4, 2)를 꼭짓점으로 하는 삼각형 ABC가 ∠B=90°인 직각삼각형일 때, a의 값은? (단, $a>1$)

① 4 ② 5 ③ 6
④ 7 ⑤ 8

6 다음 보기 중 그림에 대한 설명으로 옳은 것만을 있는 대로 고른 것은?

┤ 보기 ├
ㄱ. 점 A는 선분 BC를 2:5로 외분하는 점이다.
ㄴ. 점 B는 선분 AC를 3:2로 내분하는 점이다.
ㄷ. 점 C는 선분 AB를 5:2로 외분하는 점이다.

① ㄱ ② ㄴ ③ ㄷ
④ ㄱ, ㄷ ⑤ ㄴ, ㄷ

7 수직선 위의 두 점 $A(1)$, $B(-1)$에 대하여 직선 AB 위의 점 $P(x)$가 $\overline{AP}=2\overline{BP}$를 만족할 때, 모든 x의 값의 곱은?

① -1 ② 0 ③ 1
④ 2 ⑤ 3

8 두 점 $A(-1, 1)$, $B(4, 6)$을 이은 선분 AB를 $3:2$로 내분하는 점을 P, 외분하는 점을 Q라고 할 때, 선분 PQ의 중점은 점 $M(a, b)$이다. 이때 $a+b$의 값은?

① 15 ② 18 ③ 20
④ 23 ⑤ 25

9 두 점 $A(a, 2)$, $B(-1, b)$를 이은 선분 AB를 $1:2$로 외분하는 점의 좌표가 $(3, 5)$일 때, $a-b$의 값은?

① -1 ② 0 ③ 1
④ 2 ⑤ 3

10 세 점 $A(a, 1)$, $B(2a, 5)$, $C(-3, b)$를 꼭짓점으로 하는 삼각형 ABC의 무게중심의 좌표가 $(1, b)$일 때, ab의 값은?

① 2 ② 4 ③ 6
④ 8 ⑤ 10

11 네 점 $A(5, a)$, $B(b, 3)$, $C(1, 5)$, $D(1, 2)$를 꼭짓점으로 하는 사각형 $ABCD$가 평행사변형일 때, $a+b$의 값은?

① 1 ② 3 ③ 5
④ 7 ⑤ 9

12 네 점 $A(a, 2)$, $B(6, 3)$, $C(7, 6)$, $D(b, 5)$를 꼭짓점으로 하는 사각형 $ABCD$가 마름모일 때, $a+b$의 값을 구하여라. (단, $a<6$)

10

직선의 방정식

AM

10 직선의 방정식

10-1 한 점과 기울기가 주어진 직선의 방정식

(1) **한 점과 기울기가 주어진 직선의 방정식**

점 (x_1, y_1)을 지나고 기울기가 m인 직선의 방정식은 $y-y_1=m(x-x_1)$

(2) **좌표축에 평행한 직선의 방정식**

점 (x_1, y_1)을 지나고

① x축에 평행한 직선의 방정식은 $y=y_1$ ◀ y축에 수직인 직선

② y축에 평행한 직선의 방정식은 $x=x_1$ ◀ x축에 수직인 직선

예 점 $(1, 2)$를 지나고 x축에 평행한 직선의 방정식은 $y=2$

점 $(-2, 3)$을 지나고 y축에 평행한 직선의 방정식은 $x=-2$

● 기울기가 m, y절편이 n인 직선의 방정식은
$$y=mx+n$$

● x축의 양의 방향과 이루는 각의 크기가 θ인 직선의 기울기는 $\tan\theta$

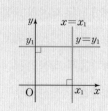

연·산·유·형

정답과 해설 **70**쪽

유형 **01** **한 점과 기울기가 주어진 직선의 방정식**

[001~008] 다음 직선의 방정식을 구하여라.

001 원점을 지나고 기울기가 3인 직선

002 기울기가 -1이고 y절편이 3인 직선

003 기울기가 4이고 x절편이 2인 직선

004 점 $(2, 1)$을 지나고 기울기가 6인 직선

005 점 $(1, -1)$을 지나고 기울기가 -2인 직선

006 점 $(-2, 6)$을 지나고 기울기가 5인 직선

007 직선 $y=x-1$과 기울기가 같고 점 $(-2, 3)$을 지나는 직선

008 직선 $y=-6x+4$와 기울기가 같고 점 $(3, -4)$를 지나는 직선

유형 **02** 한 점과 x축의 양의 방향과 이루는 각의 크기가 주어진 직선의 방정식

[009~014] 다음 직선의 방정식을 구하여라.

009 x축의 양의 방향과 이루는 각의 크기가 30°이고 원점을 지나는 직선

010 x축의 양의 방향과 이루는 각의 크기가 45°이고 y절편이 1인 직선

011 x축의 양의 방향과 이루는 각의 크기가 60°이고 x절편이 −3인 직선

012 점 $(\sqrt{3}, 2)$를 지나고 x축의 양의 방향과 이루는 각의 크기가 30°인 직선

013 점 $(−2, 5)$를 지나고 x축의 양의 방향과 이루는 각의 크기가 45°인 직선

014 점 $(\sqrt{3}, −4)$를 지나고 x축의 양의 방향과 이루는 각의 크기가 60°인 직선

유형 **03** 좌표축에 평행한 직선의 방정식

[015~020] 다음 직선의 방정식을 구하여라.

015 점 $(2, 5)$를 지나고 x축에 평행한 직선

016 점 $(−3, 4)$를 지나고 x축에 수직인 직선

017 점 $(4, −6)$을 지나고 x축에 평행한 직선

018 점 $(1, −9)$를 지나고 y축에 평행한 직선

019 점 $(−4, 8)$을 지나고 y축에 수직인 직선

020 점 $(−2, −7)$을 지나고 y축에 평행한 직선

좌표평면 위의 두 점 $A(x_1, y_1)$, $B(x_2, y_2)$를 지나는 직선의 방정식은

① $x_1 \neq x_2$이면 $y - y_1 = \dfrac{y_2 - y_1}{x_2 - x_1}(x - x_1)$

② $x_1 = x_2$일 때, $x = x_1$

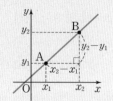

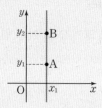

연·산·유·형

정답과 해설 **70**쪽

유형 **04** 　두 점을 지나는 직선의 방정식

[021~030] 다음 두 점을 지나는 직선의 방정식을 구하여라.

021 $(1, 4)$, $(3, 2)$

022 $(2, 1)$, $(4, 5)$

023 $(1, 3)$, $(-1, 5)$

024 $(-2, 8)$, $(3, -2)$

025 $(5, -2)$, $(-1, 10)$

026 $(-4, 3)$, $(-2, 9)$

027 $(2, 8)$, $(2, -6)$

028 $(-4, -1)$, $(-4, 3)$

029 $(4, -1)$, $(7, -1)$

030 $(-3, 5)$, $(1, 5)$

x절편이 a, y절편이 b인 직선의 방정식은

$$\frac{x}{a}+\frac{y}{b}=1 \ (단, \ a\neq 0, \ b\neq 0)$$

예 x절편이 2, y절편이 3인 직선의 방정식은 $\frac{x}{2}+\frac{y}{3}=1$

참고 x절편이 a, y절편이 b인 직선은 두 점 $(a, 0)$, $(0, b)$를 지나는 직선과 같다.

연.산.유.형

정답과 해설 71쪽

유형 05 x절편과 y절편이 주어진 직선의 방정식

[031~034] 다음 직선의 방정식을 구하여라.

031 x절편이 4, y절편이 -2인 직선

032 x절편이 -5, y절편이 7인 직선

033 x절편이 3, y절편이 -6인 직선

034 두 점 $(2, 0)$, $(0, -8)$을 지나는 직선

유형 06 좌표축과 직선으로 둘러싸인 도형의 넓이

[035~037] 다음 직선과 x축 및 y축으로 둘러싸인 도형의 넓이를 구하여라.

035 $x+\dfrac{y}{2}=1$

직선 $x+\dfrac{y}{2}=1$의 x절편은 $\square$, y절편은 $\square$이므로 이 직선과 x축 및 y축으로 둘러싸인 도형은 오른쪽 그림의 색칠한 삼각형이고 그 넓이는

$$\frac{1}{2}\times\square\times\square=\square$$

036 $-\dfrac{x}{3}+\dfrac{y}{2}=1$

037 $\dfrac{x}{4}-\dfrac{y}{5}=1$

세 점 $A(x_1, y_1)$, $B(x_2, y_2)$, $C(x_3, y_3)$이 한 직선 위에 있으면
(직선 AB의 기울기)=(직선 BC의 기울기)=(직선 AC의 기울기)

➡ $\dfrac{y_2-y_1}{x_2-x_1}=\dfrac{y_3-y_2}{x_3-x_2}=\dfrac{y_3-y_1}{x_3-x_1}$ (단, $x_1 \neq x_2$, $x_2 \neq x_3$, $x_3 \neq x_1$)

연·산·유·형

정답과 해설 **71**쪽

유형 07 세 점이 한 직선 위에 있을 조건

[038~040] 다음 세 점이 한 직선 위에 있도록 하는 k의 값을 구하여라.

038 $A(-1, 1)$, $B(1, 3)$, $C(2, k)$

세 점 A, B, C가 한 직선 위에 있으려면
(직선 AB의 기울기)=(직선 BC의 기울기)이어야 하므로

$\dfrac{\square - \square}{1+1} = \dfrac{k-3}{\square - \square}$

$1=k-\square$ ∴ $k=\square$

039 $A(-1, k)$, $B(2, 3)$, $C(3, 5)$

040 $A(-3, -7)$, $B(1, k)$, $C(2, 8)$

[041~043] 다음 세 점이 한 직선 위에 있도록 하는 양수 a의 값을 구하여라.

041 $A(-1, 1)$, $B(0, 2a+1)$, $C(a, 5)$

042 $A(2a+3, 3)$, $B(2, 2)$, $C(3, a+2)$

043 $A(6, a-1)$, $B(3a-2, -1)$, $C(2, -3)$

직선의 방정식은 모두 x, y에 대한 일차방정식 $ax+by+c=0$ $(a\neq0$ 또는 $b\neq0)$ 꼴로 나타낼 수 있다.

또 x, y에 대한 일차방정식 $ax+by+c=0$ $(a\neq0$ 또는 $b\neq0)$은 다음과 같이 변형되므로 직선의 방정식이다.

① $a\neq0$, $b\neq0$일 때, $y=-\dfrac{a}{b}x-\dfrac{c}{b}$이므로 기울기가 $-\dfrac{a}{b}$, y절편이 $-\dfrac{c}{b}$인 직선

② $a\neq0$, $b=0$일 때, $x=-\dfrac{c}{a}$이므로 y축에 평행한 직선

③ $a=0$, $b\neq0$일 때, $y=-\dfrac{c}{b}$이므로 x축에 평행한 직선

● x, y에 대한 일차방정식 $ax+by+c=0$ 꼴을 직선의 방정식의 일반형이라고 한다.

연·산·유·형

정답과 해설 **71**쪽

유형 **08**　일차방정식 $ax+by+c=0$이 나타내는 도형

[044~049] 다음 일차방정식이 나타내는 도형을 좌표평면 위에 그려라.

044　$x-3y+6=0$

045　$5x+4y-20=0$

046　$3x-2y-6=0$

047　$5x+8y+40=0$

048　$4x+2=0$

049　$6y-4=0$

유형 09 직선의 개형

[050~055] 다음 조건을 만족하는 직선 $ax+by+c=0$의 개형을 그려라.

050 $a<0,\ b=0,\ c<0$

051 $a>0,\ b>0,\ c<0$

052 $a>0,\ b<0,\ c>0$

053 $a>0,\ b<0,\ c<0$

054 $a<0,\ b<0,\ c>0$

055 $a<0,\ b<0,\ c<0$

[056~058] 직선 $ax+by+c=0\,(a>0)$의 개형이 다음 그림과 같을 때, b, c의 부호를 말하여라.

056

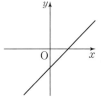

057

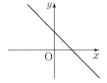

058

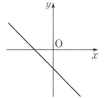

[059~061] 직선 $ax+by+c=0$의 개형이 다음 그림과 같을 때, 직선 $cx+ay+b=0$의 개형을 그려라. (단, a, b, c는 상수)

059

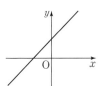

060

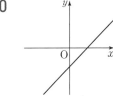

061

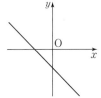

(1) **정점을 지나는 직선의 방정식**

방정식 $(ax+by+c)+k(a'x+b'y+c')=0$의 그래프가 실수 k의 값에 관계없이

항상 지나는 점은 두 직선 $ax+by+c=0$, $a'x+b'y+c'=0$의 교점이다.

(2) **두 직선의 교점을 지나는 직선의 방정식**

두 직선 $ax+by+c=0$, $a'x+b'y+c'=0$의 교점을 지나는 직선의 방정식은

$(ax+by+c)+k(a'x+b'y+c')=0$ (단, k는 실수)

꼴로 나타낼 수 있다.

● 실수 k의 값에 관계없이 항상 성립 ➡ 실수 k에 대한 항등식

● □$+k$△$=0$이 실수 k에 대한 항등식 ➡ □$=0$, △$=0$

● 두 직선의 교점을 지나는 직선의 방정식은 보통 두 직선을 제외한 경우를 말한다.

연·산·유·형

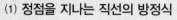

정답과 해설 **73**쪽

유형 **10** 정점을 지나는 직선의 방정식

[062~065] 다음 직선이 실수 k의 값에 관계없이 항상 지나는 점의 좌표를 구하여라.

062 $x+y-1+k(2x-y-5)=0$

> 주어진 등식이 k의 값에 관계없이 항상 성립하려면
> $x+y-\boxed{}=0$, $2x-y-\boxed{}=0$
> 두 식을 연립하여 풀면 $x=\boxed{}$, $y=\boxed{}$
> 따라서 구하는 점의 좌표는 ($\boxed{}$, $\boxed{}$)이다.

063 $k(x-3y+2)+2x+y+4=0$

064 $kx+2y-3k+4=0$

065 $(3k+1)x+(k-1)y-2k-6=0$

유형 **11** 두 직선의 교점을 지나는 직선의 방정식

[066~069] 다음 두 직선의 교점과 점 P를 지나는 직선의 방정식을 구하여라.

066 $x+y+2=0$, $x-3y-1=0$, P$(0, 0)$

> 주어진 두 직선의 교점을 지나는 직선의 방정식을
> $x+y+\boxed{}+k(x-\boxed{}y-1)=0$ (k는 실수)
> 으로 놓으면 이 직선이 점 P$(0, 0)$을 지나므로
> $\boxed{}-k=0$ ∴ $k=\boxed{}$
> 따라서 구하는 직선의 방정식은
> $x+y+\boxed{}+\boxed{}(x-\boxed{}y-1)=0$ ∴ $\boxed{}x-\boxed{}y=0$

067 $x+2y-1=0$, $2x-y+2=0$, P$(0, 1)$

068 $4x-3y-4=0$, $3x+2y-7=0$, P$(2, 0)$

069 $2x+3y+6=0$, $4x-7y+8=0$, P$(3, 2)$

(1) 두 직선 $y=mx+n$, $y=m'x+n'$이

① 평행하다. ➡ $m=m'$, $n\neq n'$ ◀ 두 직선의 기울기가 같고, y절편이 다르다.

② 수직이다. ➡ $mm'=-1$ ◀ 두 직선의 기울기의 곱이 -1이다.

(2) 두 직선 $ax+by+c=0$, $a'x+b'y+c'=0$이

① 평행하다. ➡ $\dfrac{a}{a'}=\dfrac{b}{b'}\neq\dfrac{c}{c'}$

② 수직이다. ➡ $aa'+bb'=0$

연.산.유.형

정답과 해설 **74**쪽

유형 12 두 직선의 위치 관계

[070~073] 다음 두 직선의 위치 관계를 말하여라.

070 $y=x-6$, $y=-x+2$

071 $y=3x+1$, $y=3x-4$

072 $2x-y+6=0$, $2x-y+2=0$

073 $3x-2y+3=0$, $2x+3y-7=0$

유형 13 두 직선의 평행 조건

[074~077] 다음 두 직선이 평행하도록 하는 상수 k의 값을 구하여라.

074 $y=4x+5$, $y=kx-2$

075 $y=(k+1)x+1$, $y=-x-3$

076 $4x+ky+2=0$, $2x-3y-5=0$

077 $3x+y-6=0$, $6x+(k-2)y+4=0$

유형 14 두 직선의 수직 조건

[078~083] 다음 두 직선이 수직이 되도록 하는 상수 k의 값을 구하여라.

078 $y=kx-4,\ y=2x+1$

079 $y=-\dfrac{1}{3}x+2,\ y=(k-1)x-7$

080 $y=(2k-1)x+1,\ y=\dfrac{1}{4}x-6$

081 $3x+ky-5=0,\ (k+4)x+3y+4=0$

082 $kx+3y+2=0,\ 6x+(k-3)y-7=0$

083 $4x+(k-1)y+3=0,\ (k+2)x-y+5=0$

유형 15 위치 관계를 이용하여 직선의 방정식 구하기

[084~086] 점 $(3,\ -1)$을 지나고 다음 직선에 평행한 직선의 방정식을 구하여라.

084 $y=-\dfrac{1}{3}x+4$

085 $4x-y+3=0$

086 $2x+3y-5=0$

[087~089] 점 $(-6,\ 5)$를 지나고 다음 직선에 수직인 직선의 방정식을 구하여라.

087 $y=-3x+2$

088 $y=\dfrac{1}{2}x-3$

089 $2x+5y-1=0$

10-8 선분의 수직이등분선의 방정식

선분 AB의 수직이등분선을 l이라 하면
① $l \perp \overline{AB}$이므로 직선 l과 직선 AB의 기울기의 곱은 -1이다.
② 직선 l은 선분 AB의 중점을 지난다.

연·산·유·형

정답과 해설 75쪽

유형 16 선분의 수직이등분선의 방정식

[090~094] 다음 두 점 A, B를 이은 선분 AB의 수직이등분선의 방정식을 구하여라.

090 A$(-1, 4)$, B$(3, -4)$

두 점 A, B를 지나는 직선의 기울기는 $\boxed{}$이므로 선분 AB
의 수직이등분선의 기울기는 $\boxed{}$이다.
또 선분 AB의 중점의 좌표는 $(\boxed{}, \boxed{})$이다.
따라서 선분 AB의 수직이등분선은 기울기가 $\boxed{}$이고 점
$(\boxed{}, \boxed{})$을 지나는 직선이므로
$y = \boxed{} x - \boxed{}$

091 A$(2, -1)$, B$(6, 3)$

092 A$(2, 0)$, B$(0, 4)$

093 A$(-4, 2)$, B$(4, 6)$

094 A$(3, -4)$, B$(5, -2)$

10-9 세 직선의 위치 관계

세 직선이 삼각형을 이루지 않는 경우는 다음과 같다.
① 세 직선이 모두 평행할 때
➡ 세 직선의 기울기가 모두 같다.
② 세 직선 중 두 직선이 평행할 때
➡ 두 직선의 기울기는 같고, 다른 한 직선의 기울기는 다르다.
③ 세 직선이 한 점에서 만날 때
➡ 두 직선의 교점을 다른 한 직선이 지난다.

연·산·유·형

정답과 해설 **75**쪽

유형 **17**　세 직선의 위치 관계

[095~098] 다음 세 직선이 삼각형을 이루지 않도록 하는 상수 k의 값을 모두 구하여라.

095　$y=x$, $y=-x+1$, $y=kx+2$

두 직선 $y=x$, $y=-x+1$은 한 점에서 만나므로 주어진 세 직선이 삼각형을 이루지 않는 경우는 다음과 같다.
(i) 세 직선 중 두 직선이 평행할 때
　두 직선 $y=x$, $y=kx+2$가 평행한 경우
　➡ $k=\square$
　두 직선 $y=-x+1$, $y=kx+2$가 평행한 경우
　➡ $k=\square$
(ii) 세 직선이 한 점에서 만날 때
　직선 $y=kx+2$가 두 직선 $y=x$, $y=-x+1$의 교점
　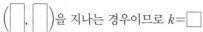을 지나는 경우이므로 $k=\square$
(i), (ii)에 의하여 상수 k의 값은

096　$y=-x+2$, $y=kx-1$, $y=x+1$

097　$x+y=0$, $x-y+3=0$, $kx+y-2=0$

098　$2x+3y+2=0$, $x+ky-5=0$, $3x-6y-4=0$

점과 직선 사이의 거리

점 (x_1, y_1)과 직선 $ax+by+c=0$ 사이의 거리 d는

$$d=\frac{|ax_1+by_1+c|}{\sqrt{a^2+b^2}}$$

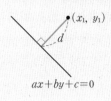
$ax+by+c=0$

예 점 $(1, 2)$와 직선 $3x+4y-1=0$ 사이의 거리는 $\dfrac{|3\times1+4\times2-1|}{\sqrt{3^2+4^2}}=\dfrac{10}{5}=2$

참고 원점과 직선 $ax+by+c=0$ 사이의 거리 d는 $d=\dfrac{|c|}{\sqrt{a^2+b^2}}$

연·산·유·형

정답과 해설 **76**쪽

유형 18 점과 직선 사이의 거리

[099~102] 다음 점 P와 직선 l 사이의 거리를 구하여라.

099 $P(0, 0)$, $l: 5x+12y-13=0$

100 $P(-4, 2)$, $l: 3x-y+10=0$

101 $P(-2, -5)$, $l: 4x+3y+8=0$

102 $P(3, -1)$, $l: y=-x+3$

[103~106] 다음 점 P와 직선 l 사이의 거리가 [ ] 안의 수일 때, 상수 k의 값을 모두 구하여라.

103 $P(0, 0)$, $l: 3x+4y+k=0$ [1]

104 $P(-1, 1)$, $l: x-y+k=0$ [$\sqrt{2}$]

105 $P(2, k)$, $l: x+2y-3=0$ [$\sqrt{5}$]

106 $P(k, 5)$, $l: y=2x-5$ [$2\sqrt{5}$]

10-11 평행한 두 직선 사이의 거리

평행한 두 직선 l, m 사이의 거리는 다음과 같은 방법으로 구한다.
① 직선 l 위의 한 점 (x_1, y_1)을 임의로 잡는다.
② 점 (x_1, y_1)과 직선 m 사이의 거리 d를 구한다.

참고 ▶ 점 (x_1, y_1)은 x절편, y절편 등과 같이 계산이 쉽게 되는 점으로 선택한다.

예 두 직선 $x+y-1=0$, $x+y+1=0$ 사이의 거리 d는 직선 $x+y-1=0$
위의 점 $(1, 0)$과 직선 $x+y+1=0$ 사이의 거리와 같으므로
$$d=\frac{|1+0+1|}{\sqrt{1^2+1^2}}=\frac{2}{\sqrt{2}}=\sqrt{2}$$

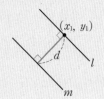

연·산·유·형

정답과 해설 **76**쪽

유형 **19** **평행한 두 직선 사이의 거리**

[107~113] 다음 평행한 두 직선 사이의 거리를 구하여라.

107 $2x+y-2=0$, $2x+y+3=0$

> 두 직선이 평행하므로 두 직선 사이의 거리는 직선
> $2x+y-2=0$ 위의 한 점 $(\boxed{}, 0)$과 직선 $2x+y+3=0$
> 사이의 거리와 같다.
> 따라서 구하는 거리는
> $$\frac{|2\times\boxed{}+0+\boxed{}|}{\sqrt{2^2+1^2}}=\boxed{}$$

108 $x-2y+1=0$, $x-2y-4=0$

109 $3x+4y-4=0$, $3x+4y+6=0$

110 $2x-3y+4=0$, $2x-3y-9=0$

111 $y=2x-2$, $y=2x+3$

112 $y=-\dfrac{4}{3}x-2$, $y=-\dfrac{4}{3}x+3$

113 $y=\dfrac{3}{2}x-\dfrac{5}{2}$, $y=\dfrac{3}{2}x+4$

세 꼭짓점의 좌표가 주어진 삼각형의 넓이

세 점 A, B, C를 꼭짓점으로 하는 삼각형 ABC의 넓이는 다음의 순서로 구한다.

① 삼각형 ABC의 밑변의 길이인 선분 BC의 길이를 구한다.

② 직선 BC의 방정식을 구한다.

③ 삼각형 ABC의 높이인 점 A와 선분 BC 사이의 거리 h를 구한다.

④ $\triangle ABC = \dfrac{1}{2} \times \overline{BC} \times h$임을 이용하여 삼각형의 넓이를 구한다.

연·산·유·형

정답과 해설 77쪽

유형 20 세 꼭짓점의 좌표가 주어진 삼각형의 넓이

[114~117] 다음 세 점을 꼭짓점으로 하는 삼각형 ABC의 넓이를 구하여라.

114 A$(0, 3)$, B$(-2, 0)$, C$(4, 4)$

선분 BC의 길이를 구하면

$\overline{BC} = \sqrt{(4+\square)^2 + 4^2} = \square$

직선 BC의 방정식을 구하면

$y = \dfrac{4}{4+\square}(x+\square)$

$\therefore 2x - \square y + 4 = 0$

점 A$(0, 3)$과 직선 $2x - \square y + 4 = 0$ 사이의 거리 h를 구하면

$h = \dfrac{|2 \times 0 - \square \times 3 + 4|}{\sqrt{2^2 + (-3)^2}} = \dfrac{\square}{\sqrt{13}}$

따라서 삼각형 ABC의 넓이를 구하면

$\triangle ABC = \dfrac{1}{2} \times \overline{BC} \times h$

$= \dfrac{1}{2} \times \square \times \dfrac{\square}{\sqrt{13}} = \square$

115 A$(1, 3)$, B$(0, 0)$, C$(6, 2)$

116 A$(3, 4)$, B$(-1, 1)$, C$(2, 0)$

117 A$(-4, 5)$, B$(-2, -3)$, C$(4, 1)$

연산 유형

최종 점검하기

1 x축의 양의 방향과 이루는 각의 크기가 45°이고, 두 점 A$(-1, 2)$, B$(3, -6)$을 이은 선분 AB의 중점을 지나는 직선의 방정식을 구하여라.

2 두 점 $(-1, 8)$, $(2, -1)$을 지나는 직선의 y절편은?

① -5 　　② -3 　　③ 1

④ 3 　　⑤ 5

3 직선 $x-16y-8=0$과 x축 및 y축으로 둘러싸인 도형의 넓이는?

① 2 　　② 3 　　③ 4

④ 5 　　⑤ 6

4 세 점 A$(-1, k)$, B$(1, 4)$, C$(2k+7, 10)$이 한 직선 위에 있도록 하는 모든 k의 값의 합은?

① -3 　　② -1 　　③ 0

④ 1 　　⑤ 3

5 $ab>0$, $bc<0$일 때, 직선 $ax+by+c=0$이 지나지 <u>않는</u> 사분면은?

① 제1사분면 　　② 제2사분면

③ 제3사분면 　　④ 제4사분면

⑤ 제1사분면, 제3사분면

6 직선 $(2k+3)x+(3k+5)y-5k-7=0$이 실수 k의 값에 관계없이 항상 지나는 점의 좌표는?

① $(-3, 2)$ 　　② $(-2, 1)$ 　　③ $(-1, 3)$

④ $(2, -2)$ 　　⑤ $(4, -1)$

7 다음 중 두 직선 $3x-2y+3=0$, $x+4y-5=0$의 교점과 점 $(-1, 2)$를 지나는 직선 위의 점인 것은?

① $(5, -3)$ 　　② $(3, 1)$ 　　③ $(1, 2)$

④ $(-2, -1)$ 　　⑤ $(-4, -2)$

8 두 직선 $kx+y+1=0$, $2x+(k-1)y-2=0$이 서로 수직이 되도록 하는 상수 k의 값을 구하여라.

9 점 $(1, 4)$를 지나고 직선 $3x-y-2=0$에 평행한 직선이 점 $(-2, k)$를 지날 때, k의 값은?

① -5 ② -3 ③ -1

④ 2 ⑤ 4

10 두 점 $A(-2, 5)$, $B(4, 3)$을 이은 선분 AB의 수직이등분선을 l이라고 할 때, 직선 l의 x절편은?

① $-\dfrac{1}{4}$ ② $-\dfrac{1}{3}$ ③ $-\dfrac{1}{2}$

④ 1 ⑤ 2

11 직선 $4x+3y+24=0$이 x축, y축과 만나는 점을 각각 A, B라고 할 때, 선분 AB의 수직이등분선의 방정식을 구하여라.

12 세 직선 $x-y+1=0$, $2x+y-3=0$, $x+ky+2=0$이 삼각형을 이루지 않도록 하는 모든 상수 k의 값의 곱은?

① $\dfrac{1}{5}$ ② $\dfrac{2}{5}$ ③ $\dfrac{3}{5}$

④ $\dfrac{4}{5}$ ⑤ 1

13 점 $(5, -3)$과 직선 $y=x+2$ 사이의 거리를 구하여라.

14 점 $(-2, 3)$과 직선 $4x-3y+k=0$ 사이의 거리가 4일 때, 음수 k의 값은?

① -5 ② -4 ③ -3

④ -2 ⑤ -1

15 평행한 두 직선 $2x-y-2=0$, $2x-y+3=0$ 사이의 거리는?

① $\sqrt{2}$ ② $\sqrt{3}$ ③ 2

④ $\sqrt{5}$ ⑤ $\sqrt{6}$

16 세 점 $A(2, 4)$, $B(-2, 5)$, $C(4, 3)$을 꼭짓점으로 하는 삼각형 ABC의 넓이는?

① 1 ② 2 ③ 3

④ 4 ⑤ 5

11

원의 방정식

AM

11 원의 방정식

11-1 원의 방정식

중심이 점 (a, b)이고 반지름의 길이가 r인 원의 방정식은
$$(x-a)^2+(y-b)^2=r^2$$

참고 중심이 원점이고 반지름의 길이가 r인 원의 방정식은
$$x^2+y^2=r^2$$

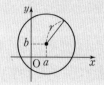

연·산·유·형

정답과 해설 79쪽

유형 01 원의 방정식

[001~004] 다음 방정식이 나타내는 원의 중심의 좌표와 반지름의 길이를 구하여라.

001 $(x-1)^2+y^2=4$

002 $(x-3)^2+(y-2)^2=7$

003 $(x+4)^2+(y-5)^2=16$

004 $(x-6)^2+(y+3)^2=25$

[005~008] 다음 원의 방정식을 구하여라.

005 중심이 원점이고 반지름의 길이가 3인 원

006 중심이 점 $(2, -1)$이고 반지름의 길이가 6인 원

007 중심이 점 $(-4, -6)$이고 반지름의 길이가 $\sqrt{5}$인 원

008 중심이 점 $(-3, 7)$이고 반지름의 길이가 $3\sqrt{2}$인 원

유형 02   중심과 한 점이 주어진 원의 방정식

[009~014] 다음 원의 방정식을 구하여라.

009 중심이 점 $(1, 2)$이고 점 $(2, 3)$을 지나는 원

> 원의 반지름의 길이를 r라고 하면
> $(x-\square)^2+(y-\square)^2=r^2$
> 이 원이 점 $(2, 3)$을 지나므로
> $(2-\square)^2+(3-\square)^2=r^2$ $\therefore r^2=\square$
> 따라서 구하는 원의 방정식은
> $(x-\square)^2+(y-\square)^2=\square$

010 중심이 원점이고 점 $(-2, 1)$을 지나는 원

011 중심이 점 $(3, -5)$이고 원점을 지나는 원

012 중심이 점 $(-2, 4)$이고 점 $(-4, 1)$을 지나는 원

013 중심이 점 $(1, -3)$이고 점 $(3, -4)$를 지나는 원

014 중심이 점 $(-5, -6)$이고 점 $(1, -8)$을 지나는 원

유형 03   두 점을 지름의 양 끝점으로 하는
원의 방정식

[015~020] 다음 두 점을 지름의 양 끝점으로 하는 원의 방정식을 구하여라.

015 $(-1, 4)$, $(5, -2)$

> 원의 중심은 두 점 $(-1, 4)$, $(5, -2)$를 이은 선분의 중점이므로 그 좌표는 $(\square, \square)$이다.
> 또 원의 반지름의 길이는 두 점 $(-1, 4)$, $(5, -2)$ 사이의 거리의 $\frac{1}{2}$이므로 $\square$이다.
> 따라서 구하는 원의 방정식은
> $(x-\square)^2+(y-\square)^2=\square$

016 $(-2, 3)$, $(2, -3)$

017 $(3, -1)$, $(3, 9)$

018 $(4, 1)$, $(-4, 5)$

019 $(6, -3)$, $(-2, 9)$

020 $(-3, -2)$, $(-5, 6)$

(1) 중심의 좌표가 (a, b)이고 x축에 접하는 원의 방정식은
$$(x-a)^2+(y-b)^2=b^2$$
◀ (반지름의 길이)$=|$(중심의 y좌표)$|=|b|$

(2) 중심의 좌표가 (a, b)이고 y축에 접하는 원의 방정식은
$$(x-a)^2+(y-b)^2=a^2$$
◀ (반지름의 길이)$=|$(중심의 x좌표)$|=|a|$

연·산·유·형

정답과 해설 **80**쪽

유형 04 x축에 접하는 원의 방정식

[021~023] 다음 그림이 나타내는 원의 방정식을 구하여라.

021

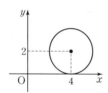

022

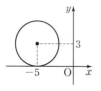

023

[024~028] 다음 점을 중심으로 하고, x축에 접하는 원의 방정식을 구하여라.

024 $(2, 1)$

> 주어진 원은 중심이 점 $(2, 1)$이고 x축에 접하므로
> (반지름의 길이)$=|$(중심의 y좌표)$|=$ ☐
> 따라서 구하는 원의 방정식은
> $(x-$☐$)^2+(y-$☐$)^2=$☐

025 $(4, -3)$

026 $(-6, 2)$

027 $(7, -5)$

028 $(-8, -4)$

[032~036] 다음 점을 중심으로 하고, y축에 접하는 원의 방정식을 구하여라.

032 $(2, 3)$

> 주어진 원은 중심이 점 $(2, 3)$이고 y축에 접하므로
> (반지름의 길이)$=|$(중심의 x좌표)$|=\square$
> 따라서 구하는 원의 방정식은
> $(x-\square)^2+(y-\square)^2=\square$

033 $(-3, 5)$

034 $(-4, -6)$

035 $(5, -8)$

036 $(-6, -10)$

유형 **05** y축에 접하는 원의 방정식

[029~031] 다음 그림이 나타내는 원의 방정식을 구하여라.

029

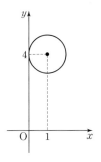

030

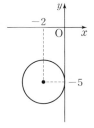

031

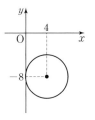

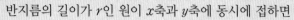

11-3 x축과 y축에 동시에 접하는 원의 방정식

반지름의 길이가 r인 원이 x축과 y축에 동시에 접하면

(반지름의 길이)$=|$(중심의 x좌표)$|=|$(중심의 y좌표)$|=r$

이므로 중심의 위치에 따른 원의 방정식은 다음과 같다.

(1) 중심이 제1사분면 위에 있으면 $(x-r)^2+(y-r)^2=r^2$

(2) 중심이 제2사분면 위에 있으면 $(x+r)^2+(y-r)^2=r^2$

(3) 중심이 제3사분면 위에 있으면 $(x+r)^2+(y+r)^2=r^2$

(4) 중심이 제4사분면 위에 있으면 $(x-r)^2+(y+r)^2=r^2$

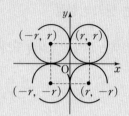

연·산·유·형

정답과 해설 **81**쪽

유형 06 x축과 y축에 동시에 접하는 원의 방정식

[037~039] 다음 그림이 나타내는 원의 방정식을 구하여라.

037

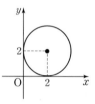

038

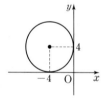

039

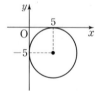

[040~042] 다음 점을 중심으로 하고, x축과 y축에 동시에 접하는 원의 방정식을 구하여라.

040 $(1, 1)$

041 $(-3, 3)$

042 $(6, -6)$

[043~045] 다음 사분면에 중심이 있고, x축과 y축에 동시에 접하면서 반지름의 길이가 8인 원의 방정식을 구하여라.

043 제2사분면

044 제3사분면

045 제4사분면

이차방정식 $x^2+y^2+Ax+By+C=0$이 나타내는 도형

x, y에 대한 이차방정식 $x^2+y^2+Ax+By+C=0$을 변형하면

$$\left(x+\frac{A}{2}\right)^2+\left(y+\frac{B}{2}\right)^2=\frac{A^2+B^2-4C}{4} \text{ (단, } A^2+B^2-4C>0)$$

이므로 이 이차방정식은 중심이 점 $\left(-\dfrac{A}{2},\ -\dfrac{B}{2}\right)$, 반지름의 길이가 $\dfrac{\sqrt{A^2+B^2-4C}}{2}$인

원을 나타낸다.

● 이차방정식
$x^2+y^2+Ax+By+C=0$
꼴을 원의 방정식의 일반형
이라고 한다.

참고 이차방정식 $x^2+y^2+Ax+By+C=0$이 나타내는 도형이 원이 되기 위한 조건
➡ $A^2+B^2-4C>0$

연·산·유·형

정답과 해설 81쪽

유형 07 이차방정식 $x^2+y^2+Ax+By+C=0$이
나타내는 도형

[046~052] 다음 이차방정식이 나타내는 원의 중심의 좌표와
반지름의 길이를 구하여라.

046 $x^2+y^2+2x=0$

047 $x^2+y^2-4y-7=0$

048 $x^2+y^2+4x+2y+1=0$

049 $x^2+y^2-8x-2y+5=0$

050 $x^2+y^2-6x+4y+5=0$

051 $x^2+y^2+8x-4y-7=0$

052 $x^2+y^2-2x-6y+3=0$

유형 08 이차방정식 $x^2+y^2+Ax+By+C=0$이 원이 되기 위한 조건

[053~058] 다음 이차방정식이 나타내는 도형이 원이 되도록 하는 실수 k의 값의 범위를 구하여라.

053 $x^2+y^2-4x+k=0$

주어진 식을 변형하면
$(x-\square)^2+y^2=\square-k$
이 방정식이 나타내는 도형이 원이 되려면
$\square-k>0$ $\therefore k<\square$

054 $x^2+y^2+6y+2k-5=0$

055 $x^2+y^2+2x+2y-3k-1=0$

056 $x^2+y^2+4x-6y-k^2+25=0$

057 $x^2+y^2-8x+4y+k^2+k+14=0$

058 $x^2+y^2-6x-8y+2k^2-5k+27=0$

유형 09 원점과 두 점을 지나는 원의 방정식

[059~063] 다음 세 점 O, P, Q를 지나는 원의 방정식을 구하여라.

059 O(0, 0), P(1, −2), Q(−4, 3)

원의 방정식을 $x^2+y^2+Ax+By+C=0$으로 놓으면
점 O(0, 0)을 지나므로 $C=\square$
즉, 구하는 원의 방정식은 $x^2+y^2+Ax+By=0$이고
이 원이 두 점 P, Q를 지나므로
$5+A-\square B=0$, $25-4A+\square B=0$
두 식을 연립하여 풀면 $A=\square$, $B=\square$
따라서 구하는 원의 방정식은
$x^2+y^2+\square x+\square y=0$

060 O(0, 0), P(−2, 0), Q(2, −2)

061 O(0, 0), P(2, 6), Q(6, −2)

062 O(0, 0), P(−4, 6), Q(1, 1)

063 O(0, 0), P(7, 3), Q(10, −4)

원과 직선의 위치 관계

(1) **판별식을 이용한 원과 직선의 위치 관계**

원의 방정식과 직선의 방정식을 연립하여 얻은 이차방정식의 판별식을 D라고 하면 원과 직선의 위치 관계는

① $D>0$이면 서로 다른 두 점에서 만난다.

② $D=0$이면 한 점에서 만난다(접한다).

③ $D<0$이면 만나지 않는다.

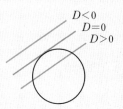

(2) **원의 중심과 직선 사이의 거리를 이용한 원과 직선의 위치 관계**

반지름의 길이가 r인 원의 중심과 직선 사이의 거리를 d라고 하면 원과 직선의 위치 관계는

① $d<r$이면 서로 다른 두 점에서 만난다.

② $d=r$이면 한 점에서 만난다(접한다).

③ $d>r$이면 만나지 않는다.

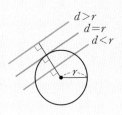

연·산·유·형

정답과 해설 82쪽

유형 10 원과 직선의 위치 관계

[064~068] 판별식을 이용하여 원 $x^2+y^2=2$와 다음 직선의 위치 관계를 조사하여라.

064 $y=x-1$

> $y=x-1$을 $x^2+y^2=2$에 대입하여 정리하면
>
> $x^2+(x-\square)^2=2$ $\therefore 2x^2-\square x-\square=0$
>
> 이 이차방정식의 판별식을 D라고 하면
>
> $\dfrac{D}{4}=\square>0$
>
> 따라서 원 $x^2+y^2=2$와 직선 $y=x-1$은 서로 다른 두 점에서 만난다.

065 $y=x+2$

066 $y=2x-3$

067 $x-y+4=0$

068 $3x-y-1=0$

[069~073] 원의 중심과 직선 사이의 거리를 이용하여 원 $x^2+y^2-4x+2y-5=0$과 다음 직선의 위치 관계를 조사하여라.

069 $2x-y+5=0$

$x^2+y^2-4x+2y-5=0$을 변형하면
$(x-\square)^2+(y+\square)^2=\square$
원의 중심 $(\square, \square)$과 직선 $2x-y+5=0$ 사이의 거리
를 d라고 하면 $d=\square$
원의 반지름의 길이를 r라고 하면 $r=\square$
$\therefore d>r$
따라서 원 $x^2+y^2-4x+2y-5=0$과 직선 $2x-y+5=0$
은 만나지 않는다.

070 $x-y+3=0$

071 $3x-y-2=0$

072 $y=3x+3$

073 $y=x+1$

유형 **11** **원과 직선이 서로 다른 두 점에서 만날 조건**

[074~077] 다음 원 C와 직선 l이 서로 다른 두 점에서 만나도록 하는 실수 k의 값의 범위를 구하여라.

074 $C: x^2+y^2=3,$
$\quad\quad l: y=x+k$

075 $C: (x-2)^2+y^2=5,$
$\quad\quad l: y=-2x+k$

076 $C: x^2+(y+2)^2=4,$
$\quad\quad l: x+ky+1=0$

077 $C: x^2+y^2+2x-4y-5=0,$
$\quad\quad l: 3x+y+k=0$

유형 12 원과 직선이 접할 조건

[078~081] 다음 원 C와 직선 l이 한 점에서 만나도록 하는 실수 k의 값을 모두 구하여라.

078 $C: x^2+y^2=2$,
$l: y=-x+k$

079 $C: (x+3)^2+y^2=8$,
$l: y=kx-1$

080 $C: x^2+(y+k)^2=36$,
$l: x-y+k=0$

081 $C: x^2+y^2-4x+6y-3=0$,
$l: 3x+4y+k=0$

유형 13 원과 직선이 만나지 않을 조건

[082~085] 다음 원 C와 직선 l이 만나지 않도록 하는 실수 k의 값의 범위를 구하여라.

082 $C: x^2+y^2=9$,
$l: y=2x+k$

083 $C: x^2+(y+1)^2=10$,
$l: y=3x+k$

084 $C: (x-k)^2+y^2=20$,
$l: x+2y+k=0$

085 $C: x^2+y^2+8x-4y+8=0$,
$l: kx-y+2=0$

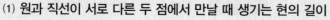

(1) **원과 직선이 서로 다른 두 점에서 만날 때 생기는 현의 길이**

원의 중심 C에서 직선까지의 거리를 d, 원의 반지름의 길이를 r,

현의 길이를 l이라고 하면

$$l = 2\sqrt{r^2 - d^2}$$

(2) **원과 직선이 만나지 않을 때 원 위의 점과 직선 사이의 거리**

원의 중심에서 직선까지의 거리를 d, 원의 반지름의 길이를 r라고

하면 원 위의 점과 직선 사이의 거리의 최댓값과 최솟값은

(최댓값)$=d+r$, (최솟값)$=d-r$

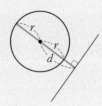

연.산.유.형

정답과 해설 85쪽

유형 14 현의 길이

[086~089] 다음 원 C와 직선 l이 두 점에서 만날 때 생기는 현의 길이를 구하여라.

086 $C: x^2 + y^2 = 4$,
　　　$l: x + y + 2 = 0$

오른쪽 그림과 같이 원의 중심을 C, 원과 직선의 두 교점을 P, Q라고 하고, 원의 중심 C(0, 0)에서 직선 $l: x+y+2=0$ 에 내린 수선의 발을 H라고 하면

$$\overline{CH} = \frac{|2|}{\sqrt{\square^2 + \square^2}} = \square$$

직각삼각형 CPH에서 $\overline{CP} = \square$이므로

$$\overline{PH} = \sqrt{\square^2 - (\square)^2} = \square$$

$$\therefore \overline{PQ} = \square\,\overline{PH} = \square$$

087 $C: x^2 + y^2 = 18$,
　　　$l: x - y + 4 = 0$

088 $C: (x-1)^2 + (y-2)^2 = 16$,
　　　$l: x - 2y - 2 = 0$

089 $C: x^2 + y^2 - 4x + 2y - 9 = 0$,
　　　$l: 3x + y + 5 = 0$

유형 15　원 위의 점과의 거리

[090~092] 다음 원 C 위의 점에서 점 P에 이르는 거리의 최댓값과 최솟값을 구하여라.

090　$C: (x-2)^2+y^2=5$, P$(0, 4)$

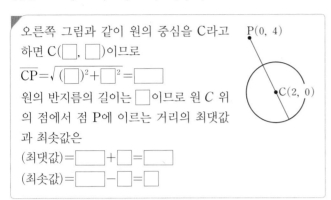

오른쪽 그림과 같이 원의 중심을 C라고
하면 C($\boxed{}$, $\boxed{}$)이므로
$\overline{\text{CP}}=\sqrt{(\boxed{})^2+\boxed{}^2}=\boxed{}$
원의 반지름의 길이는 $\boxed{}$이므로 원 C 위의 점에서 점 P에 이르는 거리의 최댓값과 최솟값은
(최댓값)$=\boxed{}+\boxed{}=\boxed{}$
(최솟값)$=\boxed{}-\boxed{}=\boxed{}$

091　$C: (x+2)^2+(y-1)^2=9$, P$(1, 5)$

092　$C: x^2+y^2+6x+4y-3=0$, P$(-8, 10)$

[093~095] 다음 원 C 위의 점에서 직선 l에 이르는 거리의 최댓값과 최솟값을 구하여라.

093　$C: x^2+(y-2)^2=2$,
　　　　$l: x-y-2=0$

오른쪽 그림과 같이 원의 중심을
C라고 하면 점 C$(0, 2)$에서 직선
$l: x-y-2=0$에 이르는 거리는
$\dfrac{|\boxed{}|}{\sqrt{1^2+(-1)^2}}=\boxed{}$
원의 반지름의 길이는 $\boxed{}$이므로
원 C 위의 점에서 직선 l에 이르는 거리의 최댓값과 최솟값은
(최댓값)$=\boxed{}+\boxed{}=\boxed{}$
(최솟값)$=\boxed{}-\boxed{}=\boxed{}$

094　$C: (x-2)^2+(y+3)^2=10$,
　　　　$l: x-3y+9=0$

095　$C: x^2+y^2+8x-6y+5=0$,
　　　　$l: y=2x-4$

원 $x^2+y^2=r^2$에 접하고 기울기가 m인 접선의 방정식은
$$y=mx\pm r\sqrt{m^2+1}$$

예 원 $x^2+y^2=9$에 접하고 기울기가 2인 접선의 방정식은
$$y=2x\pm 3\sqrt{2^2+1} \qquad \therefore y=2x\pm 3\sqrt{5}$$

연·산·유·형

정답과 해설 **85**쪽

유형 16 기울기가 주어진 원의 접선의 방정식

[096~099] 다음 원 C에 접하고 기울기가 m인 직선의 방정식을 구하여라.

096 $C: x^2+y^2=4, m=1$

[방법1] 공식 이용
$$y=\boxed{}\times x\pm\boxed{}\sqrt{\boxed{}^2+\boxed{}}$$
$$\therefore y=x\pm\boxed{}$$

[방법2] 원의 중심과 직선 사이의 거리 이용
기울기가 1인 접선의 방정식을 $y=x+n$, 즉 $x-y+n=0$
이라고 하면 원 C의 중심 ($\boxed{}$, $\boxed{}$)과 접선 사이의 거리
는 원 C의 반지름의 길이 $\boxed{}$와 같다.
$$\frac{|\boxed{}|}{\sqrt{1^2+(-1)^2}}=\boxed{}$$
$$\therefore n=\pm\boxed{}$$
따라서 구하는 접선의 방정식은
$$y=x\pm\boxed{}$$

[방법3] 판별식 이용
기울기가 1인 직선의 방정식을 $y=x+n$이라고 하고
이 식을 원 C의 방정식에 대입하면
$$x^2+(\boxed{}+\boxed{})^2=4$$
$$\therefore 2x^2+2nx+n^2-\boxed{}=0$$
이 이차방정식의 판별식을 D라고 할 때, 원과 직선이
접하려면 $D=0$이어야 하므로
$$\frac{D}{4}=-n^2+\boxed{}=0$$
$$\therefore n=\pm\boxed{}$$
따라서 구하는 접선의 방정식은
$$y=x\pm\boxed{}$$

097 $C: x^2+y^2=8, m=-1$

098 $C: x^2+y^2=9, m=3$

099 $C: x^2+y^2=16, m=-2$

11-8 원 위의 한 점에서의 접선의 방정식

원 $x^2+y^2=r^2$ 위의 점 (x_1, y_1)에서의 접선의 방정식은

$x_1x+y_1y=r^2$

예 원 $x^2+y^2=13$ 위의 점 $(2, 3)$에서의 접선의 방정식은

$2x+3y=13$

연·산·유·형

정답과 해설 **86**쪽

유형 17 원 위의 한 점에서의 접선의 방정식

[100~103] 다음 원 C 위의 점 P에서의 접선의 방정식을 구하여라.

100 $C: x^2+y^2=10$, P$(1, -3)$

[방법 1] 공식 이용

$\square \times x + (\square) \times y = \square \qquad \therefore x - \square y - \square = 0$

[방법 2] 수직 조건 이용

원 C 위의 점 P$(1, -3)$에서의 접선을 l이라고 하면 직선 CP와 접선 l은 서로 수직이므로

(직선 CP의 기울기)×(직선 l의 기울기)

$=-1$

$\square \times$ (직선 l의 기울기)$=-1$

$\therefore$ (직선 l의 기울기)$=\boxed{}$

따라서 구하는 접선은 기울기가 $\boxed{}$이고 점 P$(1, -3)$을 지나므로 접선의 방정식은

$y+\square=\boxed{}(x-\square) \qquad \therefore x-\square y-\square=0$

C$(0, 0)$

l

P$(1, -3)$

101 $C: x^2+y^2=13$, P$(-2, 3)$

102 $C: x^2+y^2=20$, P$(4, 2)$

103 $C: x^2+y^2=25$, P$(-3, -4)$

원 밖의 한 점 (a, b)에서 원에 그은 접선의 방정식은 다음과 같은 방법으로 구한다.

[방법1] 원 위의 한 점에서의 접선의 방정식 이용

① 접점을 (x_1, y_1)이라고 하고 원 위의 한 점에서의 접선의 방정식을 구한다.

② ①의 직선이 점 (a, b)를 지남을 이용한다.

[방법2] 원의 중심과 직선 사이의 거리 이용

① 접선의 기울기를 m이라고 하고 점 (a, b)를 지나는 접선의 방정식을 세운다.

② (원의 중심과 접선 사이의 거리)=(반지름의 길이)임을 이용한다.

참고 [방법2]의 ②에서 원의 방정식과 접선의 방정식을 연립한 이차방정식의 판별식을 D라고 할 때 $D=0$임을 이용할 수도 있다.

연·산·유·형

정답과 해설 86쪽

유형 18 원 밖의 한 점에서 그은 접선의 방정식

[104~107] 다음 점 P에서 원 C에 그은 접선의 방정식을 구하여라.

104 $\mathrm{P}(2, 0)$, $C: x^2+y^2=2$

[방법1] 원 위의 한 점에서의 접선의 방정식 이용

접점의 좌표를 (x_1, y_1)이라고 하면 접선의 방정식은

$x_1 x + y_1 y = \square$

이 접선이 점 $\mathrm{P}(2, 0)$을 지나므로

$x_1 \times \square + y_1 \times \square = \square$ $\therefore x_1 = \square$

한편 접점 (x_1, y_1)은 원 C 위의 점이므로

$x_1^2 + y_1^2 = \square$ ····· ㉠

$x_1 = \square$을 ㉠에 대입하면

$\square + y_1^2 = \square$ $\therefore y_1 = \square$ 또는 $y_1 = \square$

따라서 구하는 접선의 방정식은

$x - y - \square = 0$ 또는 $x + y - \square = 0$

[방법2] 원의 중심과 직선 사이의 거리 이용

접선의 기울기를 m이라고 하면 점 $\mathrm{P}(2, 0)$을 지나므로

접선의 방정식은

$mx - y - \square = 0$

이때 원과 직선이 접하려면 원의 중심 $(\square, \square)$과 접선

사이의 거리는 원 C의 반지름의 길이 $\square$와 같아야 하므로

$\dfrac{|\square|}{\sqrt{m^2 + (-1)^2}} = \square$

$\therefore m = \square$ 또는 $m = \square$

따라서 구하는 접선의 방정식은

$x - y - \square = 0$ 또는 $x + y - \square = 0$

105 $\mathrm{P}(0, -4)$, $C: x^2+y^2=4$

106 $\mathrm{P}(-1, 3)$, $C: x^2+y^2=5$

107 $\mathrm{P}(1, 7)$, $C: x^2+y^2=25$

연산유형 **최종 점검**하기

1 중심이 점 $(4, -1)$이고 원 $x^2+y^2+4x-2y-3=0$과 반지름의 길이가 같은 원의 방정식은?

① $(x-4)^2+(y-1)^2=6$
② $(x-4)^2+(y+1)^2=6$
③ $(x-4)^2+(y+1)^2=8$
④ $(x+4)^2+(y-1)^2=8$
⑤ $(x+4)^2+(y+1)^2=12$

2 다음 중 원 $(x+2)^2+(y-3)^2=7$과 중심이 같고 점 $(-1, 4)$를 지나는 원 위의 점인 것은?

① $(-2, 0)$ ② $(-1, 2)$ ③ $(0, 1)$
④ $(1, 2)$ ⑤ $(2, -1)$

3 두 점 $(-3, 2)$, $(7, -8)$을 지름의 양 끝점으로 하는 원의 방정식이 $(x-a)^2+(y-b)^2=c$일 때, 상수 a, b, c에 대하여 $a+b+c$의 값은?

① 47   ② 48   ③ 49
④ 50   ⑤ 51

4 원 $x^2+y^2-6x+2y+k=0$이 x축에 접할 때, 상수 k의 값은?

① 6   ② 7   ③ 8
④ 9   ⑤ 10

5 원 $(x+5)^2+(y-2)^2=20$과 중심이 같고 y축에 접하는 원의 넓이는?

① π ② 4π ③ 9π
④ 16π ⑤ 25π

6 중심의 좌표가 $(-2, a)$이고 y축에 접하는 원이 점 $(0, 4)$를 지날 때, a의 값은?

① -4 ② -2 ③ 1
④ 2   ⑤ 4

7 다음 중 점 $(4, -4)$를 중심으로 하고 x축과 y축에 동시에 접하는 원 위의 점인 것은?

① $(-4, 0)$ ② $(-2, 2)$ ③ $(0, 2)$

④ $(2, -2)$ ⑤ $(4, 0)$

8 중심이 직선 $5x-3y-4=0$ 위에 있고 x축과 y축에 동시에 접하는 원의 방정식이 $x^2+y^2+ax+by+c=0$일 때, 상수 a, b, c에 대하여 $a+b+c$의 값은?

(단, 원의 중심은 제1사분면 위에 있다.)

① -8 ② -6 ③ -4

④ -2 ⑤ 0

9 방정식 $x^2+y^2+2kx-4y+5k=0$이 나타내는 도형이 원이 되도록 하는 자연수 k의 최솟값은?

① 1 ② 2 ③ 3

④ 4 ⑤ 5

10 원점 $O(0, 0)$과 두 점 $P(-4, 2)$, $Q(-1, 3)$을 지나는 원의 방정식은?

① $x^2+y^2-4x-2y=0$

② $x^2+y^2-4x+2y=0$

③ $x^2+y^2-2x+4y=0$

④ $x^2+y^2+2x-4y=0$

⑤ $x^2+y^2+4x-2y=0$

11 원 $(x-3)^2+(y+2)^2=9$와 직선 $y=kx-3$이 서로 다른 두 점에서 만나도록 하는 정수 k의 최솟값은?

① -2 ② -1 ③ 0

④ 1 ⑤ 2

12 원 $x^2+y^2+4x-2y+1=0$과 직선 $2x-y+k=0$이 한 점에서 만나도록 하는 모든 실수 k의 값의 합은?

① 4 ② 6 ③ 8

④ 10 ⑤ 12

13 원 $x^2+y^2-8x+6y+8=0$과 직선 $y=-4x+k$가 만나지 않도록 하는 실수 k의 값의 범위가 $k<\alpha$ 또는 $k>\beta$일 때, $\alpha+\beta$의 값은?

① -34 ② -26 ③ 22

④ 26 ⑤ 34

14 원 $(x-4)^2+(y+5)^2=18$과 직선 $y=3x-7$이 만나서 생기는 현의 길이는?

① $2\sqrt{2}$ ② 4 ③ $2\sqrt{6}$

④ $4\sqrt{2}$ ⑤ 6

15 원 $x^2+y^2-8x+2y+7=0$ 위의 점에서 직선 $x-2y+4=0$에 이르는 거리의 최댓값을 M, 최솟값을 m이라고 할 때, Mm의 값은?

① 10 ② 11 ③ 12

④ 13 ⑤ 14

16 원 $x^2+y^2=10$에 접하고 직선 $y=2x-5$와 평행한 직선의 방정식은?

① $y=x\pm\sqrt{5}$ ② $y=x\pm5\sqrt{2}$

③ $y=2x\pm\sqrt{5}$ ④ $y=2x\pm2\sqrt{5}$

⑤ $y=2x\pm5\sqrt{2}$

17 원 $x^2+y^2=29$ 위의 점 $P(-5, 2)$에서의 접선이 점 $(-1, k)$를 지날 때, k의 값은?

① 12 ② $\dfrac{25}{2}$ ③ 13

④ $\dfrac{27}{2}$ ⑤ 14

18 다음 보기 중 점 $P(6, -2)$에서 원 $x^2+y^2=8$에 그은 접선의 방정식인 것만을 있는 대로 고른 것은?

┌ 보기 ┐
ㄱ. $x-y+6=0$ ㄴ. $x+y-4=0$
ㄷ. $x-7y-20=0$ ㄹ. $2x-5y+10=0$
└────────┘

① ㄱ, ㄴ   ② ㄱ, ㄷ   ③ ㄱ, ㄹ

④ ㄴ, ㄷ   ⑤ ㄴ, ㄹ

12

도형의 이동

AM

12 도형의 이동

12-1 점의 평행이동

좌표평면 위의 점 $P(x, y)$를 x축의 방향으로 a만큼, y축의 방향으로 b만큼 평행이동한 점 P'의 좌표는

$$(x+a, y+b)$$

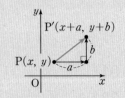

예 점 $(1, 2)$를 x축의 방향으로 1만큼, y축의 방향으로 -1만큼 평행이동한 점의 좌표는

$$(1+1, 2-1) \quad \therefore (2, 1)$$

연·산·유·형

정답과 해설 **88**쪽

유형 01　점의 평행이동

[001~004] 점 $(2, 1)$을 다음과 같이 평행이동한 점의 좌표를 구하여라.

001 x축의 방향으로 1만큼, y축의 방향으로 2만큼 평행이동

002 x축의 방향으로 -2만큼, y축의 방향으로 3만큼 평행이동

003 x축의 방향으로 3만큼, y축의 방향으로 -1만큼 평행이동

004 x축의 방향으로 -4만큼, y축의 방향으로 -2만큼 평행이동

[005~009] 평행이동 $(x, y) \rightarrow (x+3, y-2)$에 의하여 다음 점이 옮겨지는 점의 좌표를 구하여라.

005 $(2, 3)$

006 $(-4, 4)$

007 $(3, -5)$

008 $(-2, -4)$

009 $(4, -6)$

[010~016] 평행이동 $(x, y) \rightarrow (x-4, y+4)$에 의하여 다음 점이 옮겨지는 점의 좌표를 구하여라.

010 $(3, 1)$

011 $(-2, 3)$

012 $(4, -2)$

013 $(-6, -5)$

014 $(1, 4)$

015 $(-3, 6)$

016 $(2, -7)$

유형 **02** **점의 평행이동에서 미지수 구하기**

[017~021] 평행이동 $(x, y) \rightarrow (x+a, y+b)$에 의하여 다음과 같이 점이 옮겨질 때, 상수 a, b의 값을 구하여라.

017 $(-2, -1) \rightarrow (3, 5)$

$(-2, -1) \rightarrow (-2+\square, -1+\square)$
따라서 $-2+\square=3$, $-1+\square=5$이므로
$a=\square$, $b=\square$

018 $(-4, 3) \rightarrow (0, 4)$

019 $(1, -5) \rightarrow (-2, -2)$

020 $(-3, -2) \rightarrow (-1, -8)$

021 $(7, 4) \rightarrow (4, -1)$

방정식 $f(x, y)=0$이 나타내는 도형을 x축의 방향으로 a만큼, y축의 방향으로 b만큼 평행이동한 도형의 방정식은

$$f(x-a, y-b)=0$$

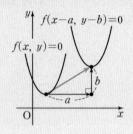

● x, y에 대한 식을 $f(x, y)$로 나타내면 일반적으로 도형의 방정식은 $f(x, y)=0$ 꼴로 나타낼 수 있다.

예 직선 $x+y-2=0$을 x축의 방향으로 2만큼, y축의 방향으로 -1만큼 평행이동한 도형의 방정식은

x 대신 $x-2$를, y 대신 $y+1$을 대입하면

$(x-2)+(y+1)-2=0$ ∴ $x+y-3=0$

연·산·유·형

정답과 해설 **89**쪽

유형 **03** **도형의 평행이동**

[022~027] 다음 도형의 방정식을 구하여라.

022 직선 $2x+y-3=0$을 x축의 방향으로 2만큼, y축의 방향으로 4만큼 평행이동한 도형

> x 대신 $x-\square$를, y 대신 $y-\square$를 대입하면
> $2(x-\square)+(y-\square)-3=0$
> ∴ $2x+y-\square=0$

023 직선 $x+3y+5=0$을 x축의 방향으로 3만큼, y축의 방향으로 -2만큼 평행이동한 도형

024 포물선 $y=2x^2+4$를 x축의 방향으로 -2만큼, y축의 방향으로 8만큼 평행이동한 도형

025 포물선 $y=x^2-4x$를 x축의 방향으로 4만큼, y축의 방향으로 -1만큼 평행이동한 도형

026 원 $(x+1)^2+(y-4)^2=9$를 x축의 방향으로 -1만큼, y축의 방향으로 6만큼 평행이동한 도형

027 원 $(x-3)^2+(y+5)^2=16$을 x축의 방향으로 -4만큼, y축의 방향으로 -5만큼 평행이동한 도형

[028~033] 평행이동 $(x, y) \rightarrow (x+2, y-3)$에 의하여 다음 도형이 옮겨지는 도형의 방정식을 구하여라.

028 $y=4x-1$

029 $x-2y+6=0$

030 $y=-2x^2+x$

031 $y=x^2-2x+4$

032 $(x-2)^2+(y+1)^2=8$

033 $x^2+y^2-2x+4y-1=0$

[034~039] 도형 $f(x, y)=0$을 도형 $f(x+4, y-5)=0$으로 옮기는 평행이동에 의하여 다음 도형이 옮겨지는 도형의 방정식을 구하여라.

034 $y=-x+5$

> x 대신 $x+\square$를, y 대신 $y-\square$를 대입하면
> $y-\square=-(x+\square)+5$
> $\therefore y=-x+\square$

035 $3x+2y-4=0$

036 $y=3x^2+8$

037 $y=2x^2+5x-3$

038 $(x+4)^2+(y-6)^2=12$

039 $x^2+y^2+6x-8y+2=0$

점 (x, y)를 x축, y축, 원점, 직선 $y=x$에 대하여 대칭이동한 점의 좌표는 다음과 같다.

x축에 대한 대칭	y축에 대한 대칭	원점에 대한 대칭	직선 $y=x$에 대한 대칭
$(x, y) \longrightarrow (x, -y)$ ▶ y좌표의 부호만 바뀐다.	$(x, y) \longrightarrow (-x, y)$ ▶ x좌표의 부호만 바뀐다.	$(x, y) \longrightarrow (-x, -y)$ ▶ x좌표와 y좌표의 부호가 모두 바뀐다.	$(x, y) \longrightarrow (y, x)$ ▶ x좌표와 y좌표가 서로 바뀐다.

● 원점에 대하여 대칭이동한 것은 x축에 대하여 대칭이동한 후 다시 y축에 대하여 대칭이동한 것과 같다.

연·산·유·형

정답과 해설 **90**쪽

유형 **04** 점의 대칭이동

[040~043] 다음 점을 x축에 대하여 대칭이동한 점의 좌표를 구하여라.

040 $(1, 2)$

041 $(3, -5)$

042 $(-6, 7)$

043 $(-8, -4)$

[044~047] 다음 점을 y축에 대하여 대칭이동한 점의 좌표를 구하여라.

044 $(3, 2)$

045 $(6, -4)$

046 $(-5, 7)$

047 $(-9, -8)$

[048~051] 다음 점을 원점에 대하여 대칭이동한 점의 좌표를 구하여라.

048 $(2, 4)$

049 $(8, -5)$

050 $(-6, 8)$

051 $(-9, -7)$

[052~055] 다음 점을 직선 $y=x$에 대하여 대칭이동한 점의 좌표를 구하여라.

052 $(5, 1)$

053 $(7, -8)$

054 $(-9, 4)$

055 $(-8, -6)$

[056~059] 다음 점을 x축에 대하여 대칭이동한 후 다시 원점에 대하여 대칭이동한 점의 좌표를 구하여라.

056 $(4, 5)$

057 $(2, -6)$

058 $(-3, 7)$

059 $(-8, -2)$

[060~063] 다음 점을 y축에 대하여 대칭이동한 후 다시 직선 $y=x$에 대하여 대칭이동한 점의 좌표를 구하여라.

060 $(3, 4)$

061 $(6, -8)$

062 $(-2, 9)$

063 $(-5, -7)$

방정식 $f(x, y)=0$이 나타내는 도형을 x축, y축, 원점, 직선 $y=x$에 대하여 대칭이동한 도형의 방정식은 다음과 같다.

x축에 대한 대칭	y축에 대한 대칭	원점에 대한 대칭	직선 $y=x$에 대한 대칭
$f(x, y)=0 \rightarrow f(x, -y)=0$ ▶ y 대신 $-y$를 대입	$f(x, y)=0 \rightarrow f(-x, y)=0$ ▶ x 대신 $-x$를 대입	$f(x, y)=0 \rightarrow f(-x, -y)=0$ ▶ x 대신 $-x$를, y 대신 $-y$를 대입	$f(x, y)=0 \rightarrow f(y, x)=0$ ▶ x 대신 y를, y 대신 x를 대입

연.산.유.형

정답과 해설 **90**쪽

유형 05   **도형의 대칭이동**

[064~067] 다음 도형을 x축에 대하여 대칭이동한 도형의 방정식을 구하여라.

064 $y=2x-3$

065 $x-2y+1=0$

066 $y=x^2+5$

067 $(x-2)^2+(y+4)^2=10$

[068~071] 다음 도형을 y축에 대하여 대칭이동한 도형의 방정식을 구하여라.

068 $y=-x+4$

069 $2x+3y-4=0$

070 $y=-2x^2+3x$

071 $(x+3)^2+(y-1)^2=20$

[072~075] 다음 도형을 원점에 대하여 대칭이동한 도형의 방정식을 구하여라.

072 $y=3x-4$

073 $3x-2y+1=0$

074 $y=3x^2+2x+1$

075 $x^2+y^2-2x+4y-3=0$

[076~079] 다음 도형을 직선 $y=x$에 대하여 대칭이동한 도형의 방정식을 구하여라.

076 $y=-5x+2$

077 $2x+y-2=0$

078 $(x-2)^2+(y+3)^2=15$

079 $x^2+y^2+6x-2y+1=0$

[080~083] 다음 도형을 평행이동 $(x,\ y)\ \rightarrow\ (x+5,\ y-2)$에 의하여 옮긴 후 다시 y축에 대하여 대칭이동한 도형의 방정식을 구하여라.

080 $y=4x-6$

081 $4x+3y-7=0$

082 $y=2x^2-4$

083 $(x+1)^2+(y-5)^2=25$

[084~087] 다음 도형을 평행이동 $(x,\ y)\ \rightarrow\ (x-6,\ y+9)$에 의하여 이동한 후 다시 원점에 대하여 대칭이동한 도형의 방정식을 구하여라.

084 $y=-3x+5$

085 $2x-5y+3=0$

086 $y=-3x^2+2x$

087 $(x-4)^2+(y+8)^2=24$

점 $P(x, y)$를 점 (a, b)에 대하여 대칭이동한 점을 $P'(x', y')$이라고
하면 점 (a, b)는 선분 PP'의 중점이다.

$$\Rightarrow \frac{x+x'}{2}=a, \ \frac{y+y'}{2}=b$$

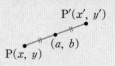

예 두 점 $A(2, 1)$, $B(4, -3)$이 점 P에 대하여 대칭이면 점 P는 두 점 A,
B를 이은 선분 AB의 중점이다.
따라서 점 P는
$P\left(\dfrac{2+4}{2}, \dfrac{1+(-3)}{2}\right)$ $\therefore P(3, -1)$

연·산·유·형

정답과 해설 92쪽

유형 06 점 (a, b)에 대한 대칭이동

[088~092] 점 $P(2, -1)$을 다음 점에 대하여 대칭이동한 점의
좌표를 구하여라.

088 $(1, 2)$

점 $P(2, -1)$을 점 $(1, 2)$에 대하여 대칭이동한 점의 좌표
를 $P'(a, b)$라고 하면 점 $(1, 2)$는 두 점 P, P'을 이은
선분의 중점이므로
$$\frac{2+a}{\Box}=1, \ \frac{-1+b}{2}=\Box$$
$\therefore a=\Box, \ b=\Box$
따라서 구하는 점의 좌표는 $(\Box, \Box)$이다.

089 $(0, 3)$

090 $(4, 0)$

091 $(5, -3)$

092 $(-1, 6)$

12-6 직선 $y=ax+b$에 대한 대칭이동

점 $\mathrm{P}(x,\,y)$를 직선 $y=ax+b$에 대하여 대칭이동한 점을 $\mathrm{P}'(x',\,y')$이라고 하면

(1) 선분 PP'의 중점이 직선 $y=ax+b$ 위에 있다.

➡ 점 $\left(\dfrac{x+x'}{2},\,\dfrac{y+y'}{2}\right)$이 직선 $y=ax+b$ 위의 점이다.

(2) 직선 PP'은 직선 $y=ax+b$에 수직이다.

➡ $\dfrac{y'-y}{x'-x}\times a=-1$

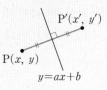

정답과 해설 92쪽

연·산·유·형

유형 07 직선 $y=ax+b$에 대한 대칭이동

[093~097] 점 $\mathrm{P}(-4,\,2)$를 다음 직선에 대하여 대칭이동한 점의 좌표를 구하여라.

093 $y=2x$

점 $\mathrm{P}(-4,\,2)$를 직선 $y=2x$에 대하여 대칭이동한 점의 좌표를 $\mathrm{P}'(a,\,b)$라고 하면

(i) 선분 PP'의 중점이 직선 $y=2x$ 위에 있다.

점 $\left(\dfrac{\square+a}{2},\,\dfrac{2+\square}{2}\right)$가 직선 $y=2x$ 위의 점이므로

$\dfrac{2+\square}{2}=2\times\dfrac{\square+a}{2}$

$\therefore 2a-b=\square$ ······ ㉠

(ii) 직선 PP'은 직선 $y=2x$에 수직이다.

$\dfrac{b-\square}{a+4}\times 2=-1$

$\therefore a+2b=\square$ ······ ㉡

㉠, ㉡을 연립하여 풀면 $a=\square$, $b=\square$

따라서 구하는 점의 좌표는 $(\square,\,\square)$이다.

094 $y=-3x$

095 $y=x+2$

096 $y=-2x-1$

097 $y=4x-16$

오른쪽 그림과 같이 점 B를 직선 l에 대하여 대칭이동한 점을 B′
이라고 하면 $\overline{AP}+\overline{BP}$의 최솟값은 $\overline{AB'}$이다.

➡ $\overline{AP}+\overline{BP}=\overline{AP}+\overline{B'P}\geq\overline{AB'}$

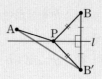

연·산·유·형

정답과 해설 93쪽

유형 08 **대칭이동을 이용한 거리의 최솟값**

[098~102] 다음 좌표평면 위의 세 점 A, B, P에 대하여
$\overline{AP}+\overline{BP}$의 최솟값을 구하여라.

098 A$(0, 2)$, B$(6, 4)$, x축 위의 점 P

점 B를 x축에 대하여 대칭이동한 점을 B′이라고 하면
B′($\boxed{}$, $\boxed{}$)
$\overline{BP}=\overline{B'P}$이므로
$\overline{AP}+\overline{BP}=\overline{AP}+\boxed{}$
오른쪽 그림과 같이 점 P가 선분
AB′ 위의 점일 때, $\overline{AP}+\boxed{}$의
값이 최소이므로
$\overline{AP}+\overline{BP}=\overline{AP}+\boxed{}\geq\overline{AB'}$
따라서 $\overline{AP}+\overline{BP}$의 최솟값은 선분
AB′의 길이와 같으므로
$\overline{AB'}=\boxed{}$

099 A$(-3, 2)$, B$(1, 1)$, x축 위의 점 P

100 A$(-4, -5)$, B$(2, -3)$, x축 위의 점 P

101 A$(1, -1)$, B$(2, 5)$, y축 위의 점 P

102 A$(-7, -3)$, B$(-5, 2)$, y축 위의 점 P

정답과 해설 **93**쪽

연산
유형 최종 점검하기

1 평행이동 $(x, y) \rightarrow (x+2, y-1)$에 의하여 점 $(a, 2)$가 점 $(1, b)$로 옮겨질 때, $a+b$의 값은?

① -2 ② -1 ③ 0

④ 1 ⑤ 2

2 점 $(2, 5)$를 점 $(-1, 3)$으로 옮기는 평행이동에 의하여 점 $(-2, 7)$을 평행이동한 점의 좌표는?

① $(-5, 5)$ ② $(-5, 3)$ ③ $(-3, -2)$

④ $(-3, 3)$ ⑤ $(5, -5)$

3 포물선 $y=2x^2-x+3$을 x축의 방향으로 4만큼, y축의 방향으로 -3만큼 평행이동하면 포물선 $y=2x^2+ax+b$가 될 때, 상수 a, b에 대하여 $a+b$의 값은?

① 16 ② 17 ③ 18

④ 19 ⑤ 20

4 점 $(3, -4)$를 점 $(-2, 5)$로 옮기는 평행이동에 의하여 원 $(x-2)^2+(y+3)^2=25$를 평행이동한 원의 방정식은?

① $(x+5)^2+(y-9)^2=25$
② $(x+3)^2+(y-6)^2=25$
③ $(x+1)^2+(y-11)^2=25$
④ $(x-3)^2+(y+7)^2=25$
⑤ $(x-2)^2+(y+11)^2=25$

5 직선 $4x-y+5=0$을 x축의 방향으로 a만큼, y축의 방향으로 -1만큼 평행이동하면 원점을 지날 때, a의 값은?

① 1 ② 2 ③ 3

④ 4 ⑤ 5

6 점 $(-3, 2)$를 y축에 대하여 대칭이동한 점이 직선 $y=x+k$ 위의 점일 때, 상수 k의 값은?

① -5 ② -4 ③ -3

④ -2 ⑤ -1

7 점 $(4, -5)$를 평행이동 $(x, y) \rightarrow (x-6, y+5)$에 의하여 옮긴 후 다시 원점에 대하여 대칭이동한 점의 좌표는?

① $(2, -1)$ 　② $(2, 0)$ 　③ $(3, 1)$
④ $(3, 3)$ 　⑤ $(5, -2)$

8 포물선 $y=x^2-3x+1$을 원점에 대하여 대칭이동한 포물선이 점 $(-1, k)$를 지난다고 할 때, k의 값은?

① -2 　② -1 　③ 0
④ 1 　⑤ 2

9 원 $x^2+y^2-2x+4y+1=0$을 x축에 대하여 대칭이동한 후 다시 직선 $y=x$에 대하여 대칭이동하면 원 $x^2+y^2+ax+by+1=0$이 된다고 할 때, 상수 a, b에 대하여 $a-b$의 값은?

① -4 　② -2 　③ -1
④ 2 　⑤ 4

10 직선 $3x+2y-4=0$을 x축에 대하여 대칭이동한 후 다시 평행이동 $(x, y) \rightarrow (x+4, y-3)$에 의하여 옮긴 직선의 y절편은?

① -11 　② -10 　③ -9
④ -8 　⑤ -7

11 점 $(a, 2)$를 점 $(2, 3)$에 대하여 대칭이동한 점의 좌표가 $(9, b)$일 때, ab의 값은?

① -20 　② -15 　③ -10
④ -5 　⑤ 1

12 점 $P(-3, 2)$를 직선 $y=x-5$에 대하여 대칭이동한 점의 좌표를 구하여라.

13 두 점 $A(1, -6)$, $B(7, 0)$과 y축 위를 움직이는 점 P에 대하여 $\overline{AP}+\overline{BP}$의 최솟값을 구하여라.

· MEMO ·

· MEMO ·

15개정 교육과정

만렙 AM

정답과 해설

고등 수학(상)

ABOVE IMAGINATION

우리는 남다른 상상과 혁신으로
교육 문화의 새로운 전형을 만들어
모든 이의 행복한 경험과 성장에 기여한다

맞춤형 연산 유형 마스터

만렙 AM

정답과 해설

고등 수학 (상)

01 다항식의 연산

001 답 $x^3-4x^2+3xy-2y^2+y-5$

002 답 $-2y^2+y-5+3xy-4x^2+x^3$

003 답 $-2y^2+(3x+1)y+x^3-4x^2-5$

004 답 $x^3-4x^2-5+(3x+1)y-2y^2$

005 답 $x-2y$

$(3x-5y+1)+(-2x+3y-1)=(3-2)x+(-5+3)y+1-1$
$=x-2y$

006 답 $3x^2+5x-2$

$(x^2-2x+1)+(2x^2+7x-3)=(1+2)x^2+(-2+7)x+1-3$
$=3x^2+5x-2$

007 답 x^3+x^2+9x-4

$(2x^3-x^2+3x+1)+(-x^3+2x^2+6x-5)$
$=(2-1)x^3+(-1+2)x^2+(3+6)x+1-5$
$=x^3+x^2+9x-4$

008 답 $2x^2-xy+y^2$

$(x^2+2xy-y^2)+(x^2+2y^2-3xy)$
$=(1+1)x^2+(2-3)xy+(-1+2)y^2$
$=2x^2-xy+y^2$

009 답 $-x+3y-2$

$(x+2y-3)-(2x-y-1)=x+2y-3-2x+y+1$
$=-x+3y-2$

010 답 $2x^2+x-2$

$(x^2+3x-2)-(-x^2+2x)=x^2+3x-2+x^2-2x$
$=2x^2+x-2$

011 답 x^3+3x^2+3x-6

$(2x^3+x^2+3x-5)-(x^3-2x^2+1)$
$=2x^3+x^2+3x-5-x^3+2x^2-1$
$=x^3+3x^2+3x-6$

012 답 $-x^2+xy+2y^2$

$(x^2-2xy+3y^2)-(2x^2-3xy+y^2)$
$=x^2-2xy+3y^2-2x^2+3xy-y^2$
$=-x^2+xy+2y^2$

013 답 $2x^3+3x^2-3x-1$

$A+B=(x^3+3x^2-2x+4)+(x^3-x-5)$
$=2x^3+3x^2-3x-1$

014 답 $3x^2-x+9$

$A-B=(x^3+3x^2-2x+4)-(x^3-x-5)$
$=x^3+3x^2-2x+4-x^3+x+5$
$=3x^2-x+9$

015 답 $x^3+9x^2-4x+22$

$A+2(A-B)=A+2A-2B$
$=3A-2B$
$=3(x^3+3x^2-2x+4)-2(x^3-x-5)$
$=3x^3+9x^2-6x+12-2x^3+2x+10$
$=x^3+9x^2-4x+22$

016 답 $x^2-xy+2y^2$

$A+B=(2x^2+xy-y^2)+(-x^2-2xy+3y^2)$
$=x^2-xy+2y^2$

017 답 $3x^2+3xy-4y^2$

$A-B=(2x^2+xy-y^2)-(-x^2-2xy+3y^2)$
$=2x^2+xy-y^2+x^2+2xy-3y^2$
$=3x^2+3xy-4y^2$

018 답 $-5x^2-7xy+10y^2$

$(A-B)-2(A-2B)=A-B-2A+4B$
$=-A+3B$
$=-(2x^2+xy-y^2)+3(-x^2-2xy+3y^2)$
$=-2x^2-xy+y^2-3x^2-6xy+9y^2$
$=-5x^2-7xy+10y^2$

019 답 $2x^2-x-10$

$A+B+C$
$=(2x^2+x-5)+(-x^2+3x-8)+(x^2-5x+3)$
$=(2-1+1)x^2+(1+3-5)x-5-8+3$
$=2x^2-x-10$

020 답 $2x^2+3x$

$A-B-C$
$=(2x^2+x-5)-(-x^2+3x-8)-(x^2-5x+3)$
$=2x^2+x-5+x^2-3x+8-x^2+5x-3$
$=(2+1-1)x^2+(1-3+5)x-5+8-3$
$=2x^2+3x$

021 답 $-x^2-8x+3$

$(2A+C)-(3A-B-C)$
$=2A+C-3A+B+C$
$=-A+B+2C$
$=-(2x^2+x-5)+(-x^2+3x-8)+2(x^2-5x+3)$
$=-2x^2-x+5-x^2+3x-8+2x^2-10x+6$
$=(-2-1+2)x^2+(-1+3-10)x+5-8+6$
$=-x^2-8x+3$

022 답 $2a^3-a^2+3a$

023 답 x^2y-2xy^2+xy

024 답 $2x^2+xy-3y^2$

$(x-y)(2x+3y)=2x^2+3xy-2xy-3y^2$
$\qquad\qquad\quad\;=2x^2+xy-3y^2$

025 답 a^3+a+2

$(a+1)(a^2-a+2)=a^3-a^2+2a+a^2-a+2$
$\qquad\qquad\qquad\;\;=a^3+a+2$

026 답 $x^3+x^2-3x^2y-4xy-y$

$(x^2-3xy-y)(x+1)=x^3+x^2-3x^2y-3xy-xy-y$
$\qquad\qquad\qquad\qquad=x^3+x^2-3x^2y-4xy-y$

027 답 $-2,\ -2,\ 1$

028 답 1

$(x-2y-3)(2x+5y-1)$의 전개식에서 xy항만 계산하면
$x\times5y=5xy,\ -2y\times2x=-4xy$
따라서 xy의 계수는 $5-4=1$

029 답 19

$(2x^2-x+6)(x^2-3x+5)$의 전개식에서 x^2항만 계산하면
$2x^2\times5=10x^2,\ -x\times(-3x)=3x^2,\ 6\times x^2=6x^2$
따라서 x^2의 계수는 $10+3+6=19$

030 답 -5

$(x^3-2x^2+x-5)(2x^2-x+1)$의 전개식에서 x^4항만 계산하면
$x^3\times(-x)=-x^4,\ -2x^2\times2x^2=-4x^4$
따라서 x^4의 계수는 $-1-4=-5$

031 답 x^2+6x+9

$(x+3)^2=x^2+2\times x\times3+3^2$
$\qquad\quad\;=x^2+6x+9$

032 답 $4x^2-4x+1$

$(2x-1)^2=(2x)^2-2\times2x\times1+1^2$
$\qquad\qquad=4x^2-4x+1$

033 답 $4x^2-12xy+9y^2$

$(2x-3y)^2=(2x)^2-2\times2x\times3y+(3y)^2$
$\qquad\qquad\;\;=4x^2-12xy+9y^2$

034 답 $25a^2-1$

$(5a-1)(5a+1)=(5a)^2-1^2=25a^2-1$

035 답 $\dfrac{1}{4}x^2-\dfrac{1}{9}y^2$

$\left(\dfrac{1}{2}x+\dfrac{1}{3}y\right)\left(\dfrac{1}{2}x-\dfrac{1}{3}y\right)=\left(\dfrac{1}{2}x\right)^2-\left(\dfrac{1}{3}y\right)^2$
$\qquad\qquad\qquad\qquad\qquad=\dfrac{1}{4}x^2-\dfrac{1}{9}y^2$

036 답 $x^2-2x-15$

$(x+3)(x-5)=x^2+(3-5)x+3\times(-5)$
$\qquad\qquad\;\;=x^2-2x-15$

037 답 $x^2-9x+14$

$(x-2)(x-7)=x^2+(-2-7)x+(-2)\times(-7)$
$\qquad\qquad\;\;=x^2-9x+14$

038 답 $15x^2+13x+2$

$(3x+2)(5x+1)=(3\times5)x^2+(3\times1+2\times5)x+2\times1$
$\qquad\qquad\qquad=15x^2+13x+2$

039 답 $6x^2-11x+4$

$(2x-1)(3x-4)$
$=(2\times3)x^2+\{2\times(-4)+(-1)\times3\}x+(-1)\times(-4)$
$=6x^2-11x+4$

040 답 $a^2+b^2+2ab+2a+2b+1$

$(a+b+1)^2=a^2+b^2+1^2+2\times a\times b+2\times b\times1+2\times1\times a$
$\qquad\qquad\;=a^2+b^2+2ab+2a+2b+1$

041 답 $a^2+b^2+c^2+2ab-2bc-2ca$

$(a+b-c)^2$
$=a^2+b^2+(-c)^2+2\times a\times b+2\times b\times(-c)+2\times(-c)\times a$
$=a^2+b^2+c^2+2ab-2bc-2ca$

042 답 $a^2+b^2+c^2-2ab+2bc-2ca$

$(a-b-c)^2=a^2+(-b)^2+(-c)^2+2\times a\times(-b)$
$\qquad\qquad\qquad\;\;+2\times(-b)\times(-c)+2\times(-c)\times a$
$\qquad\qquad\;=a^2+b^2+c^2-2ab+2bc-2ca$

043 답 $9a^2+b^2+c^2+6ab+2bc+6ca$

$(3a+b+c)^2=(3a)^2+b^2+c^2+2\times3a\times b+2\times b\times c+2\times c\times3a$
$\qquad\qquad\qquad=9a^2+b^2+c^2+6ab+2bc+6ca$

044 답 $a^2+b^2+4c^2-2ab-4bc+4ca$

$(a-b+2c)^2$
$=a^2+(-b)^2+(2c)^2+2\times a\times(-b)+2\times(-b)\times2c+2\times2c\times a$
$=a^2+b^2+4c^2-2ab-4bc+4ca$

045 답 $4a^2+9b^2+c^2-12ab+6bc-4ca$

$(2a-3b-c)^2=(2a)^2+(-3b)^2+(-c)^2+2\times2a\times(-3b)$
$\qquad\qquad\qquad\quad+2\times(-3b)\times(-c)+2\times(-c)\times2a$
$\qquad\qquad\qquad=4a^2+9b^2+c^2-12ab+6bc-4ca$

046 답 x^3+3x^2+3x+1

$(x+1)^3=x^3+3\times x^2\times1+3\times x\times1^2+1^3$
$\qquad\quad\;=x^3+3x^2+3x+1$

047 답 $x^3+9x^2+27x+27$

$(x+3)^3=x^3+3\times x^2\times 3+3\times x\times 3^2+3^3$
$\quad\quad=x^3+9x^2+27x+27$

048 답 $27x^3+54x^2+36x+8$

$(3x+2)^3=(3x)^3+3\times(3x)^2\times 2+3\times 3x\times 2^2+2^3$
$\quad\quad=27x^3+54x^2+36x+8$

049 답 $x^3+6x^2y+12xy^2+8y^3$

$(x+2y)^3=x^3+3\times x^2\times 2y+3\times x\times(2y)^2+(2y)^3$
$\quad\quad=x^3+6x^2y+12xy^2+8y^3$

050 답 $x^3-6x^2+12x-8$

$(x-2)^3=x^3-3\times x^2\times 2+3\times x\times 2^2-2^3$
$\quad\quad=x^3-6x^2+12x-8$

051 답 $27x^3-27x^2+9x-1$

$(3x-1)^3=(3x)^3-3\times(3x)^2\times 1+3\times 3x\times 1^2-1^3$
$\quad\quad=27x^3-27x^2+9x-1$

052 답 $x^3-9x^2y+27xy^2-27y^3$

$(x-3y)^3=x^3-3\times x^2\times 3y+3\times x\times(3y)^2-(3y)^3$
$\quad\quad=x^3-9x^2y+27xy^2-27y^3$

053 답 $8x^3-36x^2y+54xy^2-27y^3$

$(2x-3y)^3=(2x)^3-3\times(2x)^2\times 3y+3\times 2x\times(3y)^2-(3y)^3$
$\quad\quad=8x^3-36x^2y+54xy^2-27y^3$

054 답 a^3+1

$(a+1)(a^2-a+1)=(a+1)(a^2-a\times 1+1^2)$
$\quad\quad=a^3+1^3=a^3+1$

055 답 $27x^3+1$

$(3x+1)(9x^2-3x+1)=(3x+1)\{(3x)^2-3x\times 1+1^2\}$
$\quad\quad=(3x)^3+1^3=27x^3+1$

056 답 x^3+64

$(x+4)(x^2-4x+16)=(x+4)(x^2-x\times 4+4^2)$
$\quad\quad=x^3+4^3=x^3+64$

057 답 x^3+27y^3

$(x+3y)(x^2-3xy+9y^2)=(x+3y)\{x^2-x\times 3y+(3y)^2\}$
$\quad\quad=x^3+(3y)^3=x^3+27y^3$

058 답 x^3-1

$(x-1)(x^2+x+1)=(x-1)(x^2+x\times 1+1^2)$
$\quad\quad=x^3-1^3=x^3-1$

059 답 a^3-8

$(a-2)(a^2+2a+4)=(a-2)(a^2+a\times 2+2^2)$
$\quad\quad=a^3-2^3=a^3-8$

060 답 $27x^3-y^3$

$(3x-y)(9x^2+3xy+y^2)=(3x-y)\{(3x)^2+3x\times y+y^2\}$
$\quad\quad=(3x)^3-y^3=27x^3-y^3$

061 답 $8a^3-27b^3$

$(2a-3b)(4a^2+6ab+9b^2)=(2a-3b)\{(2a)^2+2a\times 3b+(3b)^2\}$
$\quad\quad=(2a)^3-(3b)^3=8a^3-27b^3$

062 답 $x^3+y^3-3xy+1$

$(x+y+1)(x^2+y^2+1-xy-x-y)$
$=(x+y+1)(x^2+y^2+1^2-x\times y-y\times 1-1\times x)$
$=x^3+y^3+1^3-3\times x\times y\times 1$
$=x^3+y^3-3xy+1$

063 답 $a^3+b^3-c^3+3abc$

$(a+b-c)(a^2+b^2+c^2-ab+bc+ca)$
$=(a+b-c)\{a^2+b^2+(-c)^2-a\times b-b\times(-c)-(-c)\times a\}$
$=a^3+b^3+(-c)^3-3\times a\times b\times(-c)$
$=a^3+b^3-c^3+3abc$

064 답 $8a^3-b^3+c^3+6abc$

$(2a-b+c)(4a^2+b^2+c^2+2ab+bc-2ca)$
$=(2a-b+c)$
$\quad\times\{(2a)^2+(-b)^2+c^2-2a\times(-b)-(-b)\times c-c\times 2a\}$
$=(2a)^3+(-b)^3+c^3-3\times 2a\times(-b)\times c$
$=8a^3-b^3+c^3+6abc$

065 답 x^4+x^2+1

$(x^2+x+1)(x^2-x+1)=(x^2+x\times 1+1^2)(x^2-x\times 1+1^2)$
$\quad\quad=x^4+x^2\times 1^2+1^4$
$\quad\quad=x^4+x^2+1$

066 답 x^4+4x^2+16

$(x^2+2x+4)(x^2-2x+4)=(x^2+x\times 2+2^2)(x^2-x\times 2+2^2)$
$\quad\quad=x^4+x^2\times 2^2+2^4$
$\quad\quad=x^4+4x^2+16$

067 답 $16x^4+4x^2y^2+y^4$

$(4x^2+2xy+y^2)(4x^2-2xy+y^2)$
$=\{(2x)^2+2x\times y+y^2\}\{(2x)^2-2x\times y+y^2\}$
$=(2x)^4+(2x)^2\times y^2+y^4$
$=16x^4+4x^2y^2+y^4$

068 답 11

$a^2+b^2=(a+b)^2-2ab$
$\quad\quad=3^2-2\times(-1)=11$

069 답 13

$(a-b)^2=(a+b)^2-4ab$
$\quad\quad=3^2-4\times(-1)=13$

070 답 36

$a^3+b^3=(a+b)^3-3ab(a+b)$
$\qquad =3^3-3\times(-1)\times3=36$

071 답 $10\sqrt{13}$

$(a-b)^2=13$이고 $a>b$이므로 $a-b=\sqrt{13}$
$\therefore a^3-b^3=(a-b)^3+3ab(a-b)$
$\qquad\qquad =(\sqrt{13})^3+3\times(-1)\times\sqrt{13}=10\sqrt{13}$

072 답 10

$a^2+b^2=(a-b)^2+2ab$
$\qquad =(-2)^2+2\times3=10$

073 답 16

$(a+b)^2=(a-b)^2+4ab$
$\qquad =(-2)^2+4\times3=16$

074 답 -26

$a^3-b^3=(a-b)^3+3ab(a-b)$
$\qquad =(-2)^3+3\times3\times(-2)=-26$

075 답 28

$(a+b)^2=16$이고 $a>0$, $b>0$이므로 $a+b=4$
$\therefore a^3+b^3=(a+b)^3-3ab(a+b)$
$\qquad\qquad =4^3-3\times3\times4=28$

076 답 -2

$(x+y)^2=x^2+y^2+2xy$이므로
$2^2=8+2xy$, $2xy=-4$ $\qquad\therefore xy=-2$

077 답 20

$x^3+y^3=(x+y)^3-3xy(x+y)$
$\qquad =2^3-3\times(-2)\times2=20$

078 답 2

$(x-y)^2=x^2+y^2-2xy$이므로
$(-1)^2=5-2xy$, $2xy=4$ $\qquad\therefore xy=2$

079 답 -7

$x^3-y^3=(x-y)^3+3xy(x-y)$
$\qquad =(-1)^3+3\times2\times(-1)=-7$

080 답 8

$a+b=2\sqrt{3}$, $ab=2$이므로
$a^2+b^2=(a+b)^2-2ab$
$\qquad =(2\sqrt{3})^2-2\times2=8$

081 답 $12\sqrt{3}$

$a^3+b^3=(a+b)^3-3ab(a+b)$
$\qquad =(2\sqrt{3})^3-3\times2\times2\sqrt{3}=12\sqrt{3}$

082 답 20

$a-b=2$이므로
$a^3-b^3=(a-b)^3+3ab(a-b)$
$\qquad =2^3+3\times2\times2=20$

083 답 6

$a^2+b^2+c^2=(a+b+c)^2-2(ab+bc+ca)$
$\qquad\qquad =2^2-2\times(-1)=6$

084 답 11

$a^2+b^2+c^2=(a+b+c)^2-2(ab+bc+ca)$이므로
$14=6^2-2(ab+bc+ca)$, $2(ab+bc+ca)=22$
$\therefore ab+bc+ca=11$

085 답 -4

$a^2+b^2+c^2=(a+b+c)^2-2(ab+bc+ca)$이므로
$9=1^2-2(ab+bc+ca)$, $2(ab+bc+ca)=-8$
$\therefore ab+bc+ca=-4$

086 답 1

$\dfrac{1}{a}+\dfrac{1}{b}+\dfrac{1}{c}=\dfrac{ab+bc+ca}{abc}=\dfrac{-4}{-4}=1$

087 답 -1

$x^2+y^2+z^2=(x+y+z)^2-2(xy+yz+zx)$이므로
$6=(-2)^2-2(xy+yz+zx)$, $2(xy+yz+zx)=-2$
$\therefore xy+yz+zx=-1$

088 답 -8

$x^3+y^3+z^3=(x+y+z)(x^2+y^2+z^2-xy-yz-zx)+3xyz$
$\qquad =(x+y+z)\{x^2+y^2+z^2-(xy+yz+zx)\}+3xyz$
$\qquad =(-2)\times\{6-(-1)\}+3\times2=-8$

089 답 7

$x^2+\dfrac{1}{x^2}=\left(x+\dfrac{1}{x}\right)^2-2=3^2-2=7$

090 답 18

$x^3+\dfrac{1}{x^3}=\left(x+\dfrac{1}{x}\right)^3-3\left(x+\dfrac{1}{x}\right)=3^3-3\times3=18$

091 답 6

$x^2+\dfrac{1}{x^2}=\left(x-\dfrac{1}{x}\right)^2+2=2^2+2=6$

092 답 14

$x^3-\dfrac{1}{x^3}=\left(x-\dfrac{1}{x}\right)^3+3\left(x-\dfrac{1}{x}\right)=2^3+3\times2=14$

093 답 2

094 답 2

$x^2+\dfrac{1}{x^2}=\left(x+\dfrac{1}{x}\right)^2-2=2^2-2=2$

095 답 2

$$x^3+\frac{1}{x^3}=\left(x+\frac{1}{x}\right)^3-3\left(x+\frac{1}{x}\right)$$
$$=2^3-3\times2=2$$

096 답 4

$x\neq0$이므로 $x^2-4x-1=0$의 양변을 x로 나누면

$$x-4-\frac{1}{x}=0 \qquad \therefore x-\frac{1}{x}=4$$

097 답 18

$$x^2+\frac{1}{x^2}=\left(x-\frac{1}{x}\right)^2+2=4^2+2=18$$

098 답 76

$$x^3-\frac{1}{x^3}=\left(x-\frac{1}{x}\right)^3+3\left(x-\frac{1}{x}\right)$$
$$=4^3+3\times4=76$$

099 답

$$\require{enclose}
\begin{array}{r}
2x+\boxed{3} \\
x^2-2x+3\enclose{longdiv}{2x^3-x^2+11} \\
\underline{2x^3-4x^2+\boxed{6}x} \\
\boxed{3}x^2-\boxed{6}x+11 \\
\underline{\boxed{3}x^2-\boxed{6}x+\boxed{9}} \\
\boxed{2}
\end{array}$$

몫: $2x+3$, 나머지: 2

100 답 몫: x^2+3x-2, 나머지: 4

$$\require{enclose}
\begin{array}{r}
x^2+3x-2 \\
x-1\enclose{longdiv}{x^3+2x^2-5x+6} \\
\underline{x^3-x^2} \\
3x^2-5x \\
\underline{3x^2-3x} \\
-2x+6 \\
\underline{-2x+2} \\
4
\end{array}$$

따라서 구하는 몫은 x^2+3x-2이고 나머지는 4이다.

101 답 몫: x^2-x+1, 나머지: -4

$$\require{enclose}
\begin{array}{r}
x^2-x+1 \\
2x-1\enclose{longdiv}{2x^3-3x^2+3x-5} \\
\underline{2x^3-x^2} \\
-2x^2+3x \\
\underline{-2x^2+x} \\
2x-5 \\
\underline{2x-1} \\
-4
\end{array}$$

따라서 구하는 몫은 x^2-x+1이고 나머지는 -4이다.

102 답 몫: $x-1$, 나머지: $x+6$

$$\require{enclose}
\begin{array}{r}
x-1 \\
x^2+x-1\enclose{longdiv}{x^3-x+7} \\
\underline{x^3+x^2-x} \\
-x^2+7 \\
\underline{-x^2-x+1} \\
x+6
\end{array}$$

따라서 구하는 몫은 $x-1$이고 나머지는 $x+6$이다.

103 답 몫: $3x-1$, 나머지: $-x-3$

$$\require{enclose}
\begin{array}{r}
3x-1 \\
x^2+1\enclose{longdiv}{3x^3-x^2+2x-4} \\
\underline{3x^3+3x} \\
-x^2-x-4 \\
\underline{-x^2-1} \\
-x-3
\end{array}$$

따라서 구하는 몫은 $3x-1$이고 나머지는 $-x-3$이다.

104 답 몫: $2x^2+x+5$, 나머지: $11x+17$

$$\require{enclose}
\begin{array}{r}
2x^2+x+5 \\
2x^2-x-5\enclose{longdiv}{4x^4-x^2+x-8} \\
\underline{4x^4-2x^3-10x^2} \\
2x^3+9x^2+x \\
\underline{2x^3-x^2-5x} \\
10x^2+6x-8 \\
\underline{10x^2-5x-25} \\
11x+17
\end{array}$$

따라서 구하는 몫은 $2x^2+x+5$이고 나머지는 $11x+17$이다.

105 답 $x^3-3x^2+4x-2=(x-3)(x^2+4)+10$

다항식 x^3-3x^2+4x-2를 $x-3$으로 나누면

$$\require{enclose}
\begin{array}{r}
x^2+4 \\
x-3\enclose{longdiv}{x^3-3x^2+4x-2} \\
\underline{x^3-3x^2} \\
4x-2 \\
\underline{4x-12} \\
10
\end{array}$$

따라서 몫은 x^2+4이고 나머지는 10이므로

$$x^3-3x^2+4x-2=(x-3)(x^2+4)+10$$

106 답 $2x^3-x^2+7x-5=(x^2+1)(2x-1)+5x-4$

다항식 $2x^3-x^2+7x-5$를 x^2+1로 나누면

$$\require{enclose}
\begin{array}{r}
2x-1 \\
x^2+1\enclose{longdiv}{2x^3-x^2+7x-5} \\
\underline{2x^3+2x} \\
-x^2+5x-5 \\
\underline{-x^2-1} \\
5x-4
\end{array}$$

따라서 몫은 $2x-1$이고 나머지는 $5x-4$이므로

$$2x^3-x^2+7x-5=(x^2+1)(2x-1)+5x-4$$

107 답

$$\begin{array}{r|rrrr} 1 & 1 & -3 & 2 & 6 \\ & & \boxed{1} & -2 & \boxed{0} \\ \hline & 1 & \boxed{-2} & 0 & \boxed{6} \end{array}$$

몫: x^2-2x, 나머지: 6

108 답 $\boxed{-2}$

$$\begin{array}{r|rrrr} & 1 & -2 & \boxed{0} & 9 \\ & & \boxed{-2} & 8 & -16 \\ \hline & 1 & \boxed{-4} & \boxed{8} & \boxed{-7} \end{array}$$

몫: x^2-4x+8, 나머지: -7

109 답 몫: $4x^2-4x+1$, 나머지: 4

$$\begin{array}{r|rrrr} -1 & 4 & 0 & -3 & 5 \\ & & -4 & 4 & -1 \\ \hline & 4 & -4 & 1 & 4 \end{array}$$

따라서 구하는 몫은 $4x^2-4x+1$이고 나머지는 4이다.

110 답 몫: x^2+5x+8, 나머지: 12

$$\begin{array}{r|rrrr} 2 & 1 & 3 & -2 & -4 \\ & & 2 & 10 & 16 \\ \hline & 1 & 5 & 8 & 12 \end{array}$$

따라서 구하는 몫은 x^2+5x+8이고 나머지는 12이다.

111 답 몫: x^2-4x-1, 나머지: -5

$$\begin{array}{r|rrrr} -3 & 1 & -1 & -13 & -8 \\ & & -3 & 12 & 3 \\ \hline & 1 & -4 & -1 & -5 \end{array}$$

따라서 구하는 몫은 x^2-4x-1이고 나머지는 -5이다.

112 답 몫: $3x^2+4x+1$, 나머지: 5

$$\begin{array}{r|rrrr} 3 & 3 & -5 & -11 & 2 \\ & & 9 & 12 & 3 \\ \hline & 3 & 4 & 1 & 5 \end{array}$$

따라서 구하는 몫은 $3x^2+4x+1$이고 나머지는 5이다.

113 답 몫: $2x^2-4x+4$, 나머지: -3

$$\begin{array}{r|rrrr} -\frac{1}{2} & 2 & -3 & 2 & -1 \\ & & -1 & 2 & -2 \\ \hline & 2 & -4 & 4 & -3 \end{array}$$

따라서 구하는 몫은 $2x^2-4x+4$이고 나머지는 -3이다.

114 답 $2x^2+2x-2$, 2, x^2+x-1, x^2+x-1, 2

115 답 $\frac{1}{3}$

$$\begin{array}{r|rrrr} \frac{1}{3} & 3 & 17 & 0 & -6 \\ & & \boxed{1} & \boxed{6} & \boxed{2} \\ \hline & 3 & \boxed{18} & \boxed{6} & \boxed{-4} \end{array}$$

$3x^2+18x+6$, 4, x^2+6x+2, 4
몫: x^2+6x+2, 나머지: -4

$3x-1=3\left(x-\dfrac{1}{3}\right)$이므로 오른쪽과
같이 조립제법을 이용하면
$3x^3+17x^2-6$을 $x-\dfrac{1}{3}$로 나누었을
때의 몫은 $3x^2+18x+6$이고 나머지는 -4이다.

$$\begin{array}{r|rrrr} \frac{1}{3} & 3 & 17 & 0 & -6 \\ & & 1 & 6 & 2 \\ \hline & 3 & 18 & 6 & -4 \end{array}$$

$\therefore 3x^3+17x^2-6=\left(x-\dfrac{1}{3}\right)(3x^2+18x+6)-4$
$\qquad\qquad\qquad =(3x-1)(x^2+6x+2)-4$
따라서 구하는 몫은 x^2+6x+2이고 나머지는 -4이다.

116 답 몫: x^2-2x-1, 나머지: 2

$2x-1=2\left(x-\dfrac{1}{2}\right)$이므로 오른쪽과
같이 조립제법을 이용하면
$2x^3-5x^2+3$을 $x-\dfrac{1}{2}$로 나누었을 때
의 몫은 $2x^2-4x-2$이고 나머지는 2이다.

$$\begin{array}{r|rrrr} \frac{1}{2} & 2 & -5 & 0 & 3 \\ & & 1 & -2 & -1 \\ \hline & 2 & -4 & -2 & 2 \end{array}$$

$\therefore 2x^3-5x^2+3=\left(x-\dfrac{1}{2}\right)(2x^2-4x-2)+2$
$\qquad\qquad\qquad =(2x-1)(x^2-2x-1)+2$
따라서 구하는 몫은 x^2-2x-1이고 나머지는 2이다.

117 답 몫: $2x^2-x-1$, 나머지: 1

$3x+2=3\left(x+\dfrac{2}{3}\right)$이므로 오른쪽과
같이 조립제법을 이용하면
$6x^3+x^2-5x-1$을 $x+\dfrac{2}{3}$로 나누었
을 때의 몫은 $6x^2-3x-3$이고 나머지는 1이다.

$$\begin{array}{r|rrrr} -\frac{2}{3} & 6 & 1 & -5 & -1 \\ & & -4 & 2 & 2 \\ \hline & 6 & -3 & -3 & 1 \end{array}$$

$\therefore 6x^3+x^2-5x-1=\left(x+\dfrac{2}{3}\right)(6x^2-3x-3)+1$
$\qquad\qquad\qquad\quad =(3x+2)(2x^2-x-1)+1$
따라서 구하는 몫은 $2x^2-x-1$이고 나머지는 1이다.

연산유형 최종 점검하기 20~21쪽

1 $4x^3-2x^2+9x+5$ 2 ⑤ 3 ① 4 ③ 5 ④
6 $a=8$, $b=-1$ 7 ㄱ, ㄹ 8 $36\sqrt{6}$ 9 ② 10 ④ 11 ③
12 20 13 ② 14 ③ 15 $a=3$, $b=3$, $c=1$, $d=8$
16 $a=2$, $b=-1$, $c=-4$

1 $\quad A+B-(-A+2B)$
$\quad =2A-B$
$\quad =2(x^3-x^2+7x+8)-(-2x^3+5x+11)$
$\quad =2x^3-2x^2+14x+16+2x^3-5x-11$
$\quad =4x^3-2x^2+9x+5$

2 $(3x^2-xy-y^2)-(x+2y)(x-y)$
$=3x^2-xy-y^2-(x^2+xy-2y^2)$
$=3x^2-xy-y^2-x^2-xy+2y^2$
$=2x^2-2xy+y^2$

3 $(x^3-x^2+2x-5)(3x^2+x-2)$의 전개식에서 x^2항만 계산하면
$-x^2\times(-2)=2x^2,\ 2x\times x=2x^2,\ -5\times3x^2=-15x^2$
따라서 x^2의 계수는 $2+2-15=-11$

4 $(x-1)(x+1)(x^2+1)(x^4+1)$
$=(x^2-1)(x^2+1)(x^4+1)$
$=(x^4-1)(x^4+1)$
$=x^8-1$

5 $(3x-2)^3=(3x)^3-3\times(3x)^2\times2+3\times3x\times2^2-2^3$
$=27x^3-54x^2+36x-8$

6 $(2x-y)(4x^2+2xy+y^2)=(2x-y)\{(2x)^2+2x\times y+y^2\}$
$=(2x)^3-y^3$
$=8x^3-y^3$
$\therefore a=8,\ b=-1$

7 ㄱ. $(x+2)^3=x^3+3\times x^2\times2+3\times x\times2^2+2^3$
$=x^3+6x^2+12x+8$
ㄴ. $(3a+1)(9a^2-3a+1)=(3a+1)\{(3a)^2-3a\times1+1^2\}$
$=(3a)^3+1^3$
$=27a^3+1$
ㄷ. $(2a-b+3c)^2=(2a)^2+(-b)^2+(3c)^2+2\times2a\times(-b)$
$+2\times(-b)\times3c+2\times3c\times2a$
$=4a^2+b^2+9c^2-4ab-6bc+12ca$
ㄹ. $(4x^2+6xy+9y^2)(4x^2-6xy+9y^2)$
$=\{(2x)^2+2x\times3y+(3y)^2\}\{(2x)^2-2x\times3y+(3y)^2\}$
$=(2x)^4+(2x)^2\times(3y)^2+(3y)^4$
$=16x^4+36x^2y^2+81y^4$
따라서 보기 중 옳은 것은 ㄱ, ㄹ이다.

8 $(x-y)^2=(x+y)^2-4xy$
$=4^2-4\times(-2)$
$=24$
이때 $x>y$이므로 $x-y=2\sqrt{6}$
$\therefore x^3-y^3=(x-y)^3+3xy(x-y)$
$=(2\sqrt{6})^3+3\times(-2)\times2\sqrt{6}$
$=36\sqrt{6}$

9 $(x-y)^2=x^2+y^2-2xy$이므로
$1^2=13-2xy,\ 2xy=12$ $\therefore xy=6$
$\therefore x^3-y^3=(x-y)^3+3xy(x-y)$
$=1^3+3\times6\times1$
$=19$

10 $a+b=2,\ ab=-1$이므로
$a^3+b^3-ab=(a+b)^3-3ab(a+b)-ab$
$=2^3-3\times(-1)\times2-(-1)$
$=15$

11 $a^2+b^2+c^2=(a+b+c)^2-2(ab+bc+ca)$
$=1^2-2\times(-4)$
$=9$

12 $x^2+y^2+z^2=(x+y+z)^2-2(xy+yz+zx)$이므로
$14=2^2-2(xy+yz+zx)$
$2(xy+yz+zx)=-10$ $\therefore xy+yz+zx=-5$
$\therefore x^3+y^3+z^3$
$=(x+y+z)(x^2+y^2+z^2-xy-yz-zx)+3xyz$
$=2\times\{14-(-5)\}+3\times(-6)$
$=20$

13 $x\neq0$이므로 $x^2-5x+1=0$의 양변을 x로 나누면
$x-5+\dfrac{1}{x}=0$ $\therefore x+\dfrac{1}{x}=5$
$\therefore x^3+x^2+\dfrac{1}{x^2}+\dfrac{1}{x^3}=\left(x^2+\dfrac{1}{x^2}\right)+\left(x^3+\dfrac{1}{x^3}\right)$
$=\left(x+\dfrac{1}{x}\right)^2-2+\left(x+\dfrac{1}{x}\right)^3-3\left(x+\dfrac{1}{x}\right)$
$=5^2-2+5^3-3\times5$
$=133$

14
$$\begin{array}{r}
2x-1 \\
x^2-x-6\,\overline{)\,2x^3-3x^2-10x+7} \\
\underline{2x^3-2x^2-12x} \\
-x^2+2x+7 \\
\underline{-x^2+x+6} \\
x+1
\end{array}$$
따라서 다항식 $2x^3-3x^2-10x+7$을 x^2-x-6으로 나누었을 때의 몫은 $2x-1$이고 나머지는 $x+1$이다.

15
$$\begin{array}{r|rrrr}
3 & 1 & -2 & 5 & -7 \\
 & & 3 & 3 & 24 \\
\hline
 & 1 & 1 & 8 & \boxed{17}
\end{array}$$
$\therefore a=3,\ b=3,\ c=1,\ d=8$

16 $2x+1=2\left(x+\dfrac{1}{2}\right)$이므로 오른쪽과 같이 조립제법을 이용하면
$4x^3+x-3$을 $x+\dfrac{1}{2}$로 나누었을 때의 몫은 $4x^2-2x+2$이고 나머지는 -4이다.

$$\begin{array}{r|rrrr}
-\dfrac{1}{2} & 4 & 0 & 1 & -3 \\
 & & -2 & 1 & -1 \\
\hline
 & 4 & -2 & 2 & \boxed{-4}
\end{array}$$

$\therefore 4x^3+x-3=\left(x+\dfrac{1}{2}\right)(4x^2-2x+2)-4$
$=(2x+1)(2x^2-x+1)-4$
따라서 다항식 $4x^3+x-3$을 $2x+1$로 나누었을 때의 몫은 $2x^2-x+1$이고 나머지는 -4이므로
$a=2,\ b=-1,\ c=-4$

02 나머지정리와 인수분해

001 답 ×

002 답 ×

003 답 ○

004 답 ×

주어진 등식의 좌변을 전개하면 $x^2-1=x^2$ ∴ $-1=0$
따라서 항등식이 아니다.

005 답 ○

주어진 등식의 우변을 전개하여 정리하면 $x^2+3=x^2+3$
따라서 항등식이다.

006 답 ○

007 답 $a=2$, $b=3$

008 답 $a=-1$, $b=5$

$a+1=0$, $b-5=0$이므로 $a=-1$, $b=5$

009 답 $a=2$, $b=-3$, $c=-4$

010 답 $a=1$, $b=-2$, $c=3$

$a-1=0$, $b+2=0$, $-c+3=0$이므로
$a=1$, $b=-2$, $c=3$

011 답 $a+b$, $a+b$, 4, -1, 2, $3b$, 2, -1, 3, -1

012 답 $a=8$, $b=-6$

[계수비교법]
주어진 등식의 좌변을 전개하여 정리하면
$(a+b)x-a+3=2x-5$
양변의 동류항의 계수를 비교하면
$a+b=2$, $-a+3=-5$
∴ $a=8$, $b=-6$

[수치대입법]
주어진 등식의 양변에 $x=1$을 대입하면
$b+3=-3$ ∴ $b=-6$
주어진 등식의 양변에 $x=0$을 대입하면
$-a+3=-5$ ∴ $a=8$

013 답 $a=-2$, $b=-3$

[계수비교법]
주어진 등식의 좌변을 전개하여 정리하면
$x^2-2x-3=x^2+ax+b$
양변의 동류항의 계수를 비교하면
$a=-2$, $b=-3$

[수치대입법]
주어진 등식의 양변에 $x=-1$을 대입하면
$0=1-a+b$ …… ㉠
주어진 등식의 양변에 $x=3$을 대입하면
$0=9+3a+b$ …… ㉡
㉠, ㉡을 연립하여 풀면
$a=-2$, $b=-3$

014 답 $a=1$, $b=2$

[계수비교법]
주어진 등식의 좌변을 전개하여 정리하면
$ax^2+(-a+b)x+2b=x^2+x+4$
양변의 동류항의 계수를 비교하면
$a=1$, $-a+b=1$, $2b=4$
∴ $a=1$, $b=2$

[수치대입법]
주어진 등식의 양변에 $x=0$을 대입하면
$2b=4$ ∴ $b=2$
주어진 등식의 양변에 $x=-2$를 대입하면
$6a=6$ ∴ $a=1$

015 답 $a=8$, $b=7$

[계수비교법]
주어진 등식의 우변을 전개하여 정리하면
$x^2+4x-5=x^2+(a-4)x-2a+b+4$
양변의 동류항의 계수를 비교하면
$4=a-4$, $-5=-2a+b+4$
∴ $a=8$, $b=7$

[수치대입법]
주어진 등식의 양변에 $x=2$를 대입하면
$b=7$
주어진 등식의 양변에 $x=0$을 대입하면
$-5=4-2a+b$ ∴ $a=8$

016 답 $a=2$, $b=5$, $c=2$

[계수비교법]
주어진 등식의 우변을 전개하여 정리하면
$2x^2-3x+4=ax^2+(a-b)x+2c$
양변의 동류항의 계수를 비교하면
$2=a$, $-3=a-b$, $4=2c$
∴ $a=2$, $b=5$, $c=2$

[수치대입법]
주어진 등식의 양변에 $x=0$을 대입하면
$4=2c$ ∴ $c=2$
주어진 등식의 양변에 $x=-1$을 대입하면
$9=b+2c$ ∴ $b=5$
주어진 등식의 양변에 $x=1$을 대입하면
$3=2a-b+2c$ ∴ $a=2$

017 답 $a=1$, $b=3$, $c=2$

[계수비교법]

주어진 등식의 좌변을 전개하여 정리하면

$ax^2+(-a+b)x-b+c=x^2+2x-1$

양변의 동류항의 계수를 비교하면

$a=1$, $-a+b=2$, $-b+c=-1$

$\therefore a=1$, $b=3$, $c=2$

[수치대입법]

주어진 등식의 양변에 $x=1$을 대입하면 $c=2$

주어진 등식의 양변에 $x=0$을 대입하면

$-b+c=-1$ $\quad\therefore b=3$

주어진 등식의 양변에 $x=2$를 대입하면

$2a+b+c=7$ $\quad\therefore a=1$

018 답 $a=1$, $b=1$, $c=-3$

[계수비교법]

주어진 등식의 우변을 전개하여 정리하면

$x^2+ax-5=bx^2+(2b-1)x+c-2$

양변의 동류항의 계수를 비교하면

$1=b$, $a=2b-1$, $-5=c-2$

$\therefore a=1$, $b=1$, $c=-3$

[수치대입법]

주어진 등식의 양변에 $x=0$을 대입하면

$-5=-2+c$ $\quad\therefore c=-3$

주어진 등식의 양변에 $x=-2$를 대입하면

$-2a-1=c$ $\quad\therefore a=1$

주어진 등식의 양변에 $x=1$을 대입하면

$a-4=3b+c-3$ $\quad\therefore b=1$

019 답 $a=3$, $b=-8$, $c=9$

[계수비교법]

주어진 등식의 좌변을 전개하여 정리하면

$ax^2+(2a+b)x+a+b+c=3x^2-2x+4$

양변의 동류항의 계수를 비교하면

$a=3$, $2a+b=-2$, $a+b+c=4$

$\therefore a=3$, $b=-8$, $c=9$

[수치대입법]

주어진 등식의 양변에 $x=-1$을 대입하면 $c=9$

주어진 등식의 양변에 $x=0$을 대입하면

$a+b+c=4$, $a+b=-5$ $\quad\cdots\cdots$ ㉠

주어진 등식의 양변에 $x=1$을 대입하면

$4a+2b+c=5$, $2a+b=-2$ $\quad\cdots\cdots$ ㉡

㉠, ㉡을 연립하여 풀면 $a=3$, $b=-8$

020 답 $a=9$, $b=5$, $c=-4$

[계수비교법]

주어진 등식의 우변을 전개하여 정리하면

$x^2+ax+8=(b+c)x^2+(b-c)x-2c$

양변의 동류항의 계수를 비교하면

$1=b+c$, $a=b-c$, $8=-2c$

$\therefore a=9$, $b=5$, $c=-4$

[수치대입법]

주어진 등식의 양변에 $x=0$을 대입하면

$8=-2c$ $\quad\therefore c=-4$

주어진 등식의 양변에 $x=-1$을 대입하면

$-a+9=0$ $\quad\therefore a=9$

주어진 등식의 양변에 $x=2$를 대입하면

$2a+12=6b$ $\quad\therefore b=5$

021 답 $a=-1$, $b=4$, $c=3$

[계수비교법]

주어진 등식의 좌변을 전개하여 정리하면

$ax^2+(2a+b+c)x-b+2c=-x^2+5x+2$

양변의 동류항의 계수를 비교하면

$a=-1$

$2a+b+c=5$ $\quad\cdots\cdots$ ㉠

$-b+2c=2$ $\quad\cdots\cdots$ ㉡

$a=-1$을 ㉠에 대입하여 정리하면

$b+c=7$ $\quad\cdots\cdots$ ㉢

㉡, ㉢을 연립하여 풀면 $b=4$, $c=3$

[수치대입법]

주어진 등식의 양변에 $x=-2$를 대입하면

$-3b=-12$ $\quad\therefore b=4$

주어진 등식의 양변에 $x=0$을 대입하면

$-b+2c=2$ $\quad\therefore c=3$

주어진 등식의 양변에 $x=1$을 대입하면

$3a+3c=6$ $\quad\therefore a=-1$

022 답 $a=6$, $b=-8$, $c=3$

[계수비교법]

주어진 등식의 우변을 전개하여 정리하면

$x^2-3x+8=(a+b+c)x^2+(-a+c)x-b$

양변의 동류항의 계수를 비교하면

$1=a+b+c$ $\quad\cdots\cdots$ ㉠

$-3=-a+c$ $\quad\cdots\cdots$ ㉡

$8=-b$

따라서 $b=-8$을 ㉠에 대입하여 정리하면

$a+c=9$ $\quad\cdots\cdots$ ㉢

㉡, ㉢을 연립하여 풀면 $a=6$, $c=3$

[수치대입법]

주어진 등식의 양변에 $x=0$을 대입하면

$8=-b$ $\quad\therefore b=-8$

주어진 등식의 양변에 $x=1$을 대입하면

$6=2c$ $\quad\therefore c=3$

주어진 등식의 양변에 $x=-1$을 대입하면

$12=2a$ $\quad\therefore a=6$

023 답 $a=-7$, $b=3$, $c=-2$

[계수비교법]

주어진 등식의 우변을 전개하여 정리하면

$x^3+ax-6=x^3+(b-3)x^2-(3b+c)x+3c$

양변의 동류항의 계수를 비교하면

$0=b-3$, $a=-(3b+c)$, $-6=3c$

$\therefore a=-7$, $b=3$, $c=-2$

[수치대입법]

주어진 등식의 양변에 $x=3$을 대입하면

$3a+21=0$ $\quad \therefore a=-7$

주어진 등식의 양변에 $x=0$을 대입하면

$-6=3c$ $\quad \therefore c=-2$

주어진 등식의 양변에 $x=2$를 대입하면

$2a+2=-4-2b+c$ $\quad \therefore b=3$

024 답 -5

$f(1)=1+2-5-3=-5$

025 답 3

$f(-1)=-1+2+5-3=3$

026 답 3

$f(2)=8+8-10-3=3$

027 답 3

$f(-3)=-27+18+15-3=3$

028 답 $-\dfrac{39}{8}$

$f\left(\dfrac{1}{2}\right)=\dfrac{1}{8}+\dfrac{1}{2}-\dfrac{5}{2}-3=-\dfrac{39}{8}$

029 답 $-\dfrac{1}{8}$

$f\left(-\dfrac{1}{2}\right)=-\dfrac{1}{8}+\dfrac{1}{2}+\dfrac{5}{2}-3=-\dfrac{1}{8}$

030 답 $-\dfrac{1}{4}$

$f\left(\dfrac{1}{2}\right)=\dfrac{1}{4}-\dfrac{3}{2}+1=-\dfrac{1}{4}$

031 답 $\dfrac{52}{27}$

$f\left(-\dfrac{1}{3}\right)=-\dfrac{2}{27}+1+1=\dfrac{52}{27}$

032 답 $-\dfrac{5}{4}$

$f\left(-\dfrac{3}{2}\right)=-\dfrac{27}{4}+\dfrac{9}{2}+1=-\dfrac{5}{4}$

033 답 $-\dfrac{13}{32}$

$f\left(\dfrac{3}{4}\right)=\dfrac{27}{32}-\dfrac{9}{4}+1=-\dfrac{13}{32}$

034 답 2

$f(-1)=-2+3+1=2$

035 답 11

$f(2)=16-6+1=11$

036 답 5

$f(1)=1$이므로 $1-a+5=1$ $\quad \therefore a=5$

037 답 5

$f(-1)=9$이므로 $-1+a+5=9$ $\quad \therefore a=5$

038 답 3

$f(2)=7$이므로 $8-2a+5=7$ $\quad \therefore a=3$

039 답 6

$f(-3)=-4$이므로

$-27+3a+5=-4$ $\quad \therefore a=6$

040 답 $\dfrac{1}{4}$

$f\left(\dfrac{1}{2}\right)=5$이므로 $\dfrac{1}{8}-\dfrac{1}{2}a+5=5$ $\quad \therefore a=\dfrac{1}{4}$

041 답 $\dfrac{28}{9}$

$f\left(-\dfrac{1}{3}\right)=6$이므로

$-\dfrac{1}{27}+\dfrac{1}{3}a+5=6$ $\quad \therefore a=\dfrac{28}{9}$

042 답 2

$f(-1)=2$이므로

$-2+a+3-1=2$ $\quad \therefore a=2$

043 답 1

$f(2)=13$이므로

$16+4a-6-1=13$ $\quad \therefore a=1$

044 답 2

$f(-2)=-3$이므로

$-16+4a+6-1=-3$ $\quad \therefore a=2$

045 답 -5

$f(3)=-1$이므로

$54+9a-9-1=-1$ $\quad \therefore a=-5$

046 답 1

$f\left(-\dfrac{3}{2}\right)=-1$이므로

$-\dfrac{27}{4}+\dfrac{9}{4}a+\dfrac{9}{2}-1=-1$ $\quad \therefore a=1$

047 답 4

$f(1)=2$이므로 $2+a-3-1=2$ $\quad \therefore a=4$

048 답 5, −1, 5, 5, −1, −1, −2, 3, −2x+3

049 답 −12x−15

다항식 $f(x)$를 $x+1$, $x+2$로 나누었을 때의 나머지가 각각 −3, 9이므로 나머지정리에 의하여

$f(-1)=-3$, $f(-2)=9$

또 다항식 $f(x)$를 $(x+1)(x+2)$로 나누었을 때의 몫을 $Q(x)$, 나머지를 $ax+b(a, b$는 상수)라고 하면

$f(x)=(x+1)(x+2)Q(x)+ax+b$

$f(-1)=-3$에서 $-a+b=-3$ ...... ㉠

$f(-2)=9$에서 $-2a+b=9$ ...... ㉡

㉠, ㉡을 연립하여 풀면 $a=-12$, $b=-15$

따라서 구하는 나머지는 $-12x-15$

050 답 $x+5$

다항식 $f(x)$를 $x-1$, $x+3$으로 나누었을 때의 나머지가 각각 6, 2이므로 나머지정리에 의하여

$f(1)=6$, $f(-3)=2$

또 다항식 $f(x)$를 $(x-1)(x+3)$으로 나누었을 때의 몫을 $Q(x)$, 나머지를 $ax+b(a, b$는 상수)라고 하면

$f(x)=(x-1)(x+3)Q(x)+ax+b$

$f(1)=6$에서 $a+b=6$ ...... ㉠

$f(-3)=2$에서 $-3a+b=2$ ...... ㉡

㉠, ㉡을 연립하여 풀면 $a=1$, $b=5$

따라서 구하는 나머지는 $x+5$

051 답 $7x-13$

다항식 $f(x)$를 $x-2$, $x-3$으로 나누었을 때의 나머지가 각각 1, 8이므로 나머지정리에 의하여

$f(2)=1$, $f(3)=8$

또 다항식 $f(x)$를 $(x-2)(x-3)$으로 나누었을 때의 몫을 $Q(x)$, 나머지를 $ax+b(a, b$는 상수)라고 하면

$f(x)=(x-2)(x-3)Q(x)+ax+b$

$f(2)=1$에서 $2a+b=1$ ...... ㉠

$f(3)=8$에서 $3a+b=8$ ...... ㉡

㉠, ㉡을 연립하여 풀면 $a=7$, $b=-13$

따라서 구하는 나머지는 $7x-13$

052 답 $-2x+1$

다항식 $f(x)$를 $x-1$, $x+2$로 나누었을 때의 나머지가 각각 −1, 5이므로 나머지정리에 의하여

$f(1)=-1$, $f(-2)=5$

또 다항식 $f(x)$를 x^2+x-2, 즉 $(x-1)(x+2)$로 나누었을 때의 몫을 $Q(x)$, 나머지를 $ax+b(a, b$는 상수)라고 하면

$f(x)=(x-1)(x+2)Q(x)+ax+b$

$f(1)=-1$에서 $a+b=-1$ ...... ㉠

$f(-2)=5$에서 $-2a+b=5$ ...... ㉡

㉠, ㉡을 연립하여 풀면 $a=-2$, $b=1$

따라서 구하는 나머지는 $-2x+1$

053 답 ×

$f(1)=4$이므로 $x-1$은 인수가 아니다.

054 답 ○

$f(-1)=0$이므로 $x+1$은 인수이다.

055 답 ○

$f(2)=0$이므로 $x-2$는 인수이다.

056 답 ×

$f(-2)=-20$이므로 $x+2$는 인수가 아니다.

057 답 ○

$f(3)=0$이므로 $x-3$은 인수이다.

058 답 ×

$f(-3)=-60$이므로 $x+3$은 인수가 아니다.

059 답 −3

$f(1)=0$이므로 $1-1+a+3=0$ ∴ $a=-3$

060 답 1

$f(-1)=0$이므로 $-1-1-a+3=0$ ∴ $a=1$

061 답 $-\dfrac{7}{2}$

$f(2)=0$이므로 $8-4+2a+3=0$ ∴ $a=-\dfrac{7}{2}$

062 답 $-\dfrac{9}{2}$

$f(-2)=0$이므로 $-8-4-2a+3=0$ ∴ $a=-\dfrac{9}{2}$

063 답 −7

$f(3)=0$이므로 $27-9+3a+3=0$ ∴ $a=-7$

064 답 $ab(b-3a)$

065 답 $x(1-3x+2y)$

066 답 $(x-y)(a-b)$

$a(x-y)+b(y-x)=a(x-y)-b(x-y)$
$\qquad\qquad\qquad\quad =(x-y)(a-b)$

067 답 $(1-a)(1-b)$

$1-a-b+ab=(1-a)-b(1-a)$
$\qquad\qquad\quad =(1-a)(1-b)$

068 답 $(x+3)^2$

$x^2+6x+9=x^2+2\times x\times3+3^2=(x+3)^2$

069 답 $(2a+3b)^2$

$4a^2+12ab+9b^2=(2a)^2+2\times2a\times3b+(3b)^2$
$\qquad\qquad\qquad\quad =(2a+3b)^2$

070 답 $(2a-1)^2$

$4a^2-4a+1=(2a)^2-2\times2a\times1+1^2=(2a-1)^2$

071 답 $(x-4y)^2$

$x^2-8xy+16y^2=x^2-2\times x\times4y+(4y)^2$
$\qquad\qquad\qquad=(x-4y)^2$

072 답 $(x+4)(x-4)$

$x^2-16=x^2-4^2=(x+4)(x-4)$

073 답 $(2x+1)(2x-1)$

$4x^2-1=(2x)^2-1^2=(2x+1)(2x-1)$

074 답 $\left(x+\dfrac{1}{3}y\right)\left(x-\dfrac{1}{3}y\right)$

$x^2-\dfrac{1}{9}y^2=x^2-\left(\dfrac{1}{3}y\right)^2=\left(x+\dfrac{1}{3}y\right)\left(x-\dfrac{1}{3}y\right)$

075 답 $(2a+5b)(2a-5b)$

$4a^2-25b^2=(2a)^2-(5b)^2=(2a+5b)(2a-5b)$

076 답 $(x+3)(x-1)$

$x^2+2x-3=x^2+\{3+(-1)\}x+3\times(-1)$
$\qquad\qquad\quad=(x+3)(x-1)$

077 답 $(x-3)(x-5)$

$x^2-8x+15=x^2+\{(-3)+(-5)\}x+(-3)\times(-5)$
$\qquad\qquad\quad=(x-3)(x-5)$

078 답 $(2x-1)(x+3)$

$2x^2+5x-3=(2\times1)x^2+\{2\times3+(-1)\times1\}x+(-1)\times3$
$\qquad\qquad\quad=(2x-1)(x+3)$

079 답 $(2x-3)(3x-1)$

$6x^2-11x+3$
$=(2\times3)x^2+\{2\times(-1)+(-3)\times3\}x+(-3)\times(-1)$
$=(2x-3)(3x-1)$

080 답 $(a+b+1)^2$

$a^2+b^2+1+2ab+2b+2a$
$=a^2+b^2+1^2+2\times a\times b+2\times b\times1+2\times1\times a$
$=(a+b+1)^2$

081 답 $(a+3b+c)^2$

$a^2+9b^2+c^2+6ab+6bc+2ca$
$=a^2+(3b)^2+c^2+2\times a\times3b+2\times3b\times c+2\times c\times a$
$=(a+3b+c)^2$

082 답 $(2a+b+3c)^2$

$4a^2+b^2+9c^2+4ab+6bc+12ca$
$=(2a)^2+b^2+(3c)^2+2\times2a\times b+2\times b\times3c+2\times3c\times2a$
$=(2a+b+3c)^2$

083 답 $(a-b+c)^2$

$a^2+b^2+c^2-2ab-2bc+2ca$
$=a^2+(-b)^2+c^2+2\times a\times(-b)+2\times(-b)\times c+2\times c\times a$
$=(a-b+c)^2$

084 답 $(a-b-c)^2$

$a^2+b^2+c^2-2ab+2bc-2ca$
$=a^2+(-b)^2+(-c)^2+2\times a\times(-b)+2\times(-b)\times(-c)$
$\qquad\qquad\qquad\qquad\qquad\qquad+2\times(-c)\times a$
$=(a-b-c)^2$

085 답 $(a-b+2c)^2$

$a^2+b^2+4c^2-2ab-4bc+4ca$
$=a^2+(-b)^2+(2c)^2+2\times a\times(-b)+2\times(-b)\times2c+2\times2c\times a$
$=(a-b+2c)^2$

086 답 $(x+1)^3$

$x^3+3x^2+3x+1=x^3+3\times x^2\times1+3\times x\times1^2+1^3=(x+1)^3$

087 답 $(3a+1)^3$

$27a^3+27a^2+9a+1=(3a)^3+3\times(3a)^2\times1+3\times3a\times1^2+1^3$
$\qquad\qquad\qquad\qquad=(3a+1)^3$

088 답 $(x+2y)^3$

$x^3+6x^2y+12xy^2+8y^3=x^3+3\times x^2\times2y+3\times x\times(2y)^2+(2y)^3$
$\qquad\qquad\qquad\qquad\quad=(x+2y)^3$

089 답 $(2a+3b)^3$

$8a^3+36a^2b+54ab^2+27b^3$
$=(2a)^3+3\times(2a)^2\times3b+3\times2a\times(3b)^2+(3b)^3$
$=(2a+3b)^3$

090 답 $(x-3)^3$

$x^3-9x^2+27x-27=x^3-3\times x^2\times3+3\times x\times3^2-3^3=(x-3)^3$

091 답 $(2x-1)^3$

$8x^3-12x^2+6x-1=(2x)^3-3\times(2x)^2\times1+3\times2x\times1^2-1^3$
$\qquad\qquad\qquad\qquad=(2x-1)^3$

092 답 $(a-2b)^3$

$a^3-6a^2b+12ab^2-8b^3=a^3-3\times a^2\times2b+3\times a\times(2b)^2-(2b)^3$
$\qquad\qquad\qquad\qquad\quad=(a-2b)^3$

093 답 $(3x-2y)^3$

$27x^3-54x^2y+36xy^2-8y^3$
$=(3x)^3-3\times(3x)^2\times2y+3\times3x\times(2y)^2-(2y)^3$
$=(3x-2y)^3$

094 답 $(x+1)(x^2-x+1)$

$x^3+1=x^3+1^3=(x+1)(x^2-x\times1+1^2)$
$\qquad\qquad\quad=(x+1)(x^2-x+1)$

095 답 $(3x+2)(9x^2-6x+4)$

$27x^3+8=(3x)^3+2^3$
$\quad\quad\quad\quad=(3x+2)\{(3x)^2-3x\times2+2^2\}$
$\quad\quad\quad\quad=(3x+2)(9x^2-6x+4)$

096 답 $(a+4b)(a^2-4ab+16b^2)$

$a^3+64b^3=a^3+(4b)^3$
$\quad\quad\quad\quad=(a+4b)\{a^2-a\times4b+(4b)^2\}$
$\quad\quad\quad\quad=(a+4b)(a^2-4ab+16b^2)$

097 답 $(2x+y)(4x^2-2xy+y^2)$

$8x^3+y^3=(2x)^3+y^3$
$\quad\quad\quad\quad=(2x+y)\{(2x)^2-2x\times y+y^2\}$
$\quad\quad\quad\quad=(2x+y)(4x^2-2xy+y^2)$

098 답 $(a-2)(a^2+2a+4)$

$a^3-8=a^3-2^3$
$\quad\quad\quad=(a-2)(a^2+a\times2+2^2)$
$\quad\quad\quad=(a-2)(a^2+2a+4)$

099 답 $(2x-1)(4x^2+2x+1)$

$8x^3-1=(2x)^3-1^3$
$\quad\quad\quad=(2x-1)\{(2x)^2+2x\times1+1^2\}$
$\quad\quad\quad=(2x-1)(4x^2+2x+1)$

100 답 $(3a-b)(9a^2+3ab+b^2)$

$27a^3-b^3=(3a)^3-b^3$
$\quad\quad\quad\quad=(3a-b)\{(3a)^2+3a\times b+b^2\}$
$\quad\quad\quad\quad=(3a-b)(9a^2+3ab+b^2)$

101 답 $(2x-3y)(4x^2+6xy+9y^2)$

$8x^3-27y^3=(2x)^3-(3y)^3$
$\quad\quad\quad\quad=(2x-3y)\{(2x)^2+2x\times3y+(3y)^2\}$
$\quad\quad\quad\quad=(2x-3y)(4x^2+6xy+9y^2)$

102 답 $a+b$, 3, $a+b+3$

103 답 $(x+y+1)(x+y+4)$

$x+y=X$로 놓으면
$(x+y)(x+y+5)+4=X(X+5)+4$
$\quad\quad\quad\quad\quad=X^2+5X+4$
$\quad\quad\quad\quad\quad=(X+1)(X+4)$
$\quad\quad\quad\quad\quad=(x+y+1)(x+y+4)$

104 답 $(x-1)^2(x+1)(x-3)$

$x^2-2x=X$로 놓으면
$(x^2-2x)^2-2(x^2-2x)-3=X^2-2X-3$
$\quad\quad\quad\quad\quad=(X+1)(X-3)$
$\quad\quad\quad\quad\quad=(x^2-2x+1)(x^2-2x-3)$
$\quad\quad\quad\quad\quad=(x-1)^2(x+1)(x-3)$

105 답 $(x+1)(x+3)(x+5)(x-1)$

$x^2+4x=X$로 놓으면
$(x^2+4x)(x^2+4x-2)-15=X(X-2)-15$
$\quad\quad\quad\quad\quad=X^2-2X-15$
$\quad\quad\quad\quad\quad=(X+3)(X-5)$
$\quad\quad\quad\quad\quad=(x^2+4x+3)(x^2+4x-5)$
$\quad\quad\quad\quad\quad=(x+1)(x+3)(x+5)(x-1)$

106 답 $(x+2)^2(x-1)^2$

$x^2+x=X$로 놓으면
$(x^2+x-1)(x^2+x-3)+1=(X-1)(X-3)+1$
$\quad\quad\quad\quad\quad=X^2-4X+4=(X-2)^2$
$\quad\quad\quad\quad\quad=(x^2+x-2)^2$
$\quad\quad\quad\quad\quad=\{(x+2)(x-1)\}^2$
$\quad\quad\quad\quad\quad=(x+2)^2(x-1)^2$

107 답 x^2+3x, x^2+3x, x^2+3x, 6, 6, 6, 4

108 답 $(x^2+5x+2)(x^2+5x+8)$

$(x+1)(x+2)(x+3)(x+4)-8$
$=\{(x+1)(x+4)\}\{(x+2)(x+3)\}-8$
$=(x^2+5x+4)(x^2+5x+6)-8$
$x^2+5x=X$로 놓으면
$(X+4)(X+6)-8=X^2+10X+16$
$\quad\quad\quad\quad\quad=(X+2)(X+8)$
$\quad\quad\quad\quad\quad=(x^2+5x+2)(x^2+5x+8)$

109 답 $(x+1)^2(x^2+2x-12)$

$(x-1)(x-2)(x+3)(x+4)-36$
$=\{(x-1)(x+3)\}\{(x-2)(x+4)\}-36$
$=(x^2+2x-3)(x^2+2x-8)-36$
$x^2+2x=X$로 놓으면
$(X-3)(X-8)-36=X^2-11X-12$
$\quad\quad\quad\quad\quad=(X+1)(X-12)$
$\quad\quad\quad\quad\quad=(x^2+2x+1)(x^2+2x-12)$
$\quad\quad\quad\quad\quad=(x+1)^2(x^2+2x-12)$

110 답 $(x^2+5)(x+2)(x-2)$

$x^2=X$로 놓으면
$x^4+x^2-20=X^2+X-20$
$\quad\quad\quad\quad=(X+5)(X-4)$
$\quad\quad\quad\quad=(x^2+5)(x^2-4)$
$\quad\quad\quad\quad=(x^2+5)(x+2)(x-2)$

111 답 $(x+1)(x-1)(x+5)(x-5)$

$x^2=X$로 놓으면
$x^4-26x^2+25=X^2-26X+25$
$\quad\quad\quad\quad=(X-1)(X-25)$
$\quad\quad\quad\quad=(x^2-1)(x^2-25)$
$\quad\quad\quad\quad=(x+1)(x-1)(x+5)(x-5)$

112 답 $(x+y)(x-y)(x+3y)(x-3y)$

$x^2=X$, $y^2=Y$로 놓으면

$x^4-10x^2y^2+9y^4=X^2-10XY+9Y^2$
$=(X-Y)(X-9Y)$
$=(x^2-y^2)(x^2-9y^2)$
$=(x+y)(x-y)(x+3y)(x-3y)$

113 답 a^2, a^2, a^2-a+1

114 답 $(x^2+x+3)(x^2-x+3)$

$x^4+5x^2+9=(x^4+6x^2+9)-x^2=(x^2+3)^2-x^2$
$=(x^2+x+3)(x^2-x+3)$

115 답 $(x^2+2x-4)(x^2-2x-4)$

$x^4-12x^2+16=(x^4-8x^2+16)-4x^2$
$=(x^2-4)^2-(2x)^2$
$=(x^2+2x-4)(x^2-2x-4)$

116 답 $(4x^2+2xy+y^2)(4x^2-2xy+y^2)$

$16x^4+4x^2y^2+y^4=(16x^4+8x^2y^2+y^4)-4x^2y^2$
$=(4x^2+y^2)^2-(2xy)^2$
$=(4x^2+2xy+y^2)(4x^2-2xy+y^2)$

117 답 x^2+x-2, $x-1$, $x+y-1$

118 답 $(x+y)(x-2y+z)$

차수가 가장 낮은 z에 대하여 내림차순으로 정리하여 인수분해하면

$x^2-2y^2-xy+yz+zx=(x+y)z+x^2-xy-2y^2$
$=(x+y)z+(x+y)(x-2y)$
$=(x+y)(x-2y+z)$

119 답 $(x+y)(x-y)(x+z)$

차수가 가장 낮은 z에 대하여 내림차순으로 정리하여 인수분해하면

$x^3-xy^2-y^2z+x^2z=(x^2-y^2)z+x^3-xy^2$
$=(x^2-y^2)z+x(x^2-y^2)$
$=(x^2-y^2)(x+z)$
$=(x+y)(x-y)(x+z)$

120 답 $(x-y+1)(x^2-x-y+1)$

차수가 가장 낮은 y에 대하여 내림차순으로 정리하여 인수분해하면

$x^3-x^2y+y^2-2y+1=y^2-(x^2+2)y+x^3+1$
$=y^2-(x^2+2)y+(x+1)(x^2-x+1)$
$=\{y-(x+1)\}\{y-(x^2-x+1)\}$
$=(x-y+1)(x^2-x-y+1)$

121 답 $(x+3y-1)(x+y-2)$

x, y의 차수가 같으므로 x에 대하여 내림차순으로 정리하여 인수분해하면

$x^2+4xy+3y^2-3x-7y+2=x^2+(4y-3)x+3y^2-7y+2$
$=x^2+(4y-3)x+(3y-1)(y-2)$
$=(x+3y-1)(x+y-2)$

122 답 $(x+y-1)(x-y+3)$

x, y의 차수가 같으므로 x에 대하여 내림차순으로 정리하여 인수분해하면

$x^2-y^2+2x+4y-3=x^2+2x-y^2+4y-3$
$=x^2+2x-(y-1)(y-3)$
$=\{x+(y-1)\}\{x-(y-3)\}$
$=(x+y-1)(x-y+3)$

123 답 $(b-c)(a-b)(a-c)$

a, b, c의 차수가 같으므로 a에 대하여 내림차순으로 정리하여 인수분해하면

$a^2(b-c)+b^2(c-a)+c^2(a-b)$
$=a^2(b-c)+b^2c-b^2a+c^2a-c^2b$
$=(b-c)a^2-(b^2-c^2)a+b^2c-c^2b$
$=(b-c)a^2-(b+c)(b-c)a+bc(b-c)$
$=(b-c)\{a^2-(b+c)a+bc\}$
$=(b-c)(a-b)(a-c)$

124 답 0, x^2+3x+2, $x+2$

125 답 $(x-1)(x-2)(x+3)$

$f(x)=x^3-7x+6$이라고 할 때, $f(1)=0$이므로 조립제법을 이용하여 인수분해하면

$$\begin{array}{r|rrrr} 1 & 1 & 0 & -7 & 6 \\ & & 1 & 1 & -6 \\ \hline & 1 & 1 & -6 & 0 \end{array}$$

x^3-7x+6
$=(x-1)(x^2+x-6)$
$=(x-1)(x-2)(x+3)$

126 답 $(x+1)(x^2+x-7)$

$f(x)=x^3+2x^2-6x-7$이라고 할 때, $f(-1)=0$이므로 조립제법을 이용하여 인수분해하면

$$\begin{array}{r|rrrr} -1 & 1 & 2 & -6 & -7 \\ & & -1 & -1 & 7 \\ \hline & 1 & 1 & -7 & 0 \end{array}$$

$x^3+2x^2-6x-7=(x+1)(x^2+x-7)$

127 답 $(x-2)(x+3)(x+5)$

$f(x)=x^3+6x^2-x-30$이라고 할 때, $f(2)=0$이므로 조립제법을 이용하여 인수분해하면

$$\begin{array}{r|rrrr} 2 & 1 & 6 & -1 & -30 \\ & & 2 & 16 & 30 \\ \hline & 1 & 8 & 15 & 0 \end{array}$$

x^3+6x^2-x-30
$=(x-2)(x^2+8x+15)$
$=(x-2)(x+3)(x+5)$

128 답 $(x-1)(x+2)(2x-1)$

$f(x)=2x^3+x^2-5x+2$라고 할 때, $f(1)=0$이므로 조립제법을 이용하여 인수분해하면

$$\begin{array}{r|rrrr} 1 & 2 & 1 & -5 & 2 \\ & & 2 & 3 & -2 \\ \hline & 2 & 3 & -2 & 0 \end{array}$$

$2x^3+x^2-5x+2$
$=(x-1)(2x^2+3x-2)$
$=(x-1)(x+2)(2x-1)$

129 답 $(x-1)(x+1)(x^2+2x-5)$

$f(x)=x^4+2x^3-6x^2-2x+5$라고 할 때, $f(1)=0$이므로 조립제법을 이용하여 인수분해하면

$$\begin{array}{r|rrrrr} 1 & 1 & 2 & -6 & -2 & 5 \\ & & 1 & 3 & -3 & -5 \\ \hline & 1 & 3 & -3 & -5 & \boxed{0} \end{array}$$

$x^4+2x^3-6x^2-2x+5=(x-1)(x^3+3x^2-3x-5)$

$g(x)=x^3+3x^2-3x-5$라고 할 때, $g(-1)=0$이므로 조립제법을 이용하여 인수분해하면

$$\begin{array}{r|rrrr} -1 & 1 & 3 & -3 & -5 \\ & & -1 & -2 & 5 \\ \hline & 1 & 2 & -5 & \boxed{0} \end{array}$$

$x^3+3x^2-3x-5=(x+1)(x^2+2x-5)$

$\therefore\ x^4+2x^3-6x^2-2x+5=(x-1)(x^3+3x^2-3x-5)$
$\qquad\qquad\qquad\qquad\qquad\ =(x-1)(x+1)(x^2+2x-5)$

130 답 $(x+1)(x+2)(x+3)(x-3)$

$f(x)=x^4+3x^3-7x^2-27x-18$이라고 할 때, $f(-1)=0$이므로 조립제법을 이용하여 인수분해하면

$$\begin{array}{r|rrrrr} -1 & 1 & 3 & -7 & -27 & -18 \\ & & -1 & -2 & 9 & 18 \\ \hline & 1 & 2 & -9 & -18 & \boxed{0} \end{array}$$

$x^4+3x^3-7x^2-27x-18=(x+1)(x^3+2x^2-9x-18)$

$g(x)=x^3+2x^2-9x-18$이라고 할 때, $g(-2)=0$이므로 조립제법을 이용하여 인수분해하면

$$\begin{array}{r|rrrr} -2 & 1 & 2 & -9 & -18 \\ & & -2 & 0 & 18 \\ \hline & 1 & 0 & -9 & \boxed{0} \end{array}$$

$x^3+2x^2-9x-18=(x+2)(x^2-9)$
$\qquad\qquad\qquad\ =(x+2)(x+3)(x-3)$

$\therefore\ x^4+3x^3-7x^2-27x-18=(x+1)(x^3+2x^2-9x-18)$
$\qquad\qquad\qquad\qquad\qquad\qquad =(x+1)(x+2)(x+3)(x-3)$

131 답 -8080

$2019^2-2021^2=(2019+2021)(2019-2021)$
$\qquad\qquad\qquad\ =4040\times(-2)=-8080$

132 답 10

$\dfrac{1002^2-998^2}{102^2-98^2}=\dfrac{(1002+998)(1002-998)}{(102+98)(102-98)}$
$\qquad\qquad\qquad\ =\dfrac{2000\times4}{200\times4}=10$

133 답 2017

$2018=x$로 놓으면

$\dfrac{2018^3-1}{2018^2+2018+1}=\dfrac{x^3-1}{x^2+x+1}=\dfrac{(x-1)(x^2+x+1)}{x^2+x+1}$
$\qquad\qquad\qquad\qquad\ =x-1=2018-1=2017$

134 답 1235

$1234=x$로 놓으면

$\dfrac{1234^3+1}{1234\times1233+1}=\dfrac{x^3+1}{x(x-1)+1}=\dfrac{(x+1)(x^2-x+1)}{x^2-x+1}$
$\qquad\qquad\qquad\qquad\ =x+1=1234+1=1235$

135 답 1020

$1023=x$로 놓으면

$\dfrac{1023^3-27}{1023\times1026+9}=\dfrac{x^3-3^3}{x(x+3)+9}=\dfrac{(x-3)(x^2+3x+9)}{x^2+3x+9}$
$\qquad\qquad\qquad\qquad\ =x-3=1023-3=1020$

136 답 100

$128=x$, $28=y$로 놓으면

$\dfrac{128^3-28^3}{128^2+128\times28+28^2}=\dfrac{x^3-y^3}{x^2+xy+y^2}$
$\qquad\qquad\qquad\qquad\qquad =\dfrac{(x-y)(x^2+xy+y^2)}{x^2+xy+y^2}$
$\qquad\qquad\qquad\qquad\qquad =x-y=128-28=100$

137 답 1000000

$98=x$로 놓으면

$98^3+6\times98^2+12\times98+8=x^3+6x^2+12x+8$
$\qquad\qquad\qquad\qquad\qquad\quad =(x+2)^3=(98+2)^3$
$\qquad\qquad\qquad\qquad\qquad\quad =100^3=1000000$

138 답 1000000

$102=x$로 놓으면

$102^3-6\times102^2+12\times102-8=x^3-6x^2+12x-8$
$\qquad\qquad\qquad\qquad\qquad\qquad =(x-2)^3=(102-2)^3$
$\qquad\qquad\qquad\qquad\qquad\qquad =100^3=1000000$

연산유형 최종 점검하기 39~41쪽

1 ㄷ, ㄹ **2** ② **3** ⑤ **4** ② **5** ① **6** $a=-2$, $b=3$ **7** ③
8 ② **9** ⑤ **10** ① **11** ④ **12** ② **13** $x(2x-3y)^3$ **14** ④
15 $a=-1$, $b=2$, $c=5$ **16** ⑤
17 $(x^2+2xy+2y^2)(x^2-2xy+2y^2)$ **18** ①
19 $(x-2)(x+2)(x-3)$ **20** ②

2 $a-2=0$, $a+2b=0$이므로 $a=2$, $b=-1$
$\therefore\ a+b=1$

3 주어진 등식의 양변에 $x=0$을 대입하면
$-6=-2c \qquad \therefore\ c=3$
주어진 등식의 양변에 $x=1$을 대입하면
$a-5=0 \qquad \therefore\ a=5$
주어진 등식의 양변에 $x=-2$를 대입하면
$-2a-2=6b \qquad \therefore\ b=-2$
$\therefore\ a+b+c=6$

4 $f\left(\dfrac{1}{3}\right)=\dfrac{1}{9}-\dfrac{1}{9}+\dfrac{2}{3}-1=-\dfrac{1}{3}$

5 $f(x)=2x^3-x^2+ax+1$이라고 하면 나머지정리에 의하여
$f(1)=-2$, $2-1+a+1=-2$ $\therefore a=-4$

6 $f(x)=x^3+ax^2+bx-1$이라고 하면 나머지정리에 의하여
$f(-1)=-7$, $f(2)=5$
$f(-1)=-7$에서 $-1+a-b-1=-7$
$a-b=-5$ $\cdots\cdots$ ㉠
$f(2)=5$에서 $8+4a+2b-1=5$
$2a+b=-1$ $\cdots\cdots$ ㉡
㉠, ㉡을 연립하여 풀면 $a=-2$, $b=3$

7 다항식 $f(x)$를 $x-1$, $x+3$으로 나누었을 때의 나머지가 각
각 3, -1이므로 나머지정리에 의하여
$f(1)=3$, $f(-3)=-1$
또 다항식 $f(x)$를 x^2+2x-3, 즉 $(x-1)(x+3)$으로 나누었을
때의 몫을 $Q(x)$, 나머지를 $ax+b$ $(a, b$는 상수)라고 하면
$f(x)=(x-1)(x+3)Q(x)+ax+b$
$f(1)=3$에서 $a+b=3$ $\cdots\cdots$ ㉠
$f(-3)=-1$에서 $-3a+b=-1$ $\cdots\cdots$ ㉡
㉠, ㉡을 연립하여 풀면 $a=1$, $b=2$
따라서 구하는 나머지는 $x+2$

8 ㄱ. $f(1)=1+2-1-2=0$
ㄴ. $f(2)=8+8-2-2=12$
ㄷ. $f(-2)=-8+8+2-2=0$
ㄹ. $f(3)=27+18-3-2=40$
따라서 다항식 $f(x)$의 인수인 것은 ㄱ, ㄷ이다.

9 $f(x)=x^4+3x^3-ax-2$라고 하면 인수정리에 의하여
$f(-2)=0$, $16-24+2a-2=0$ $\therefore a=5$

10 $f(x)=x^3-2x^2+ax+b$라고 하면 인수정리에 의하여
$f(-1)=0$, $f(2)=0$
$f(-1)=0$에서 $-1-2-a+b=0$
$a-b=-3$ $\cdots\cdots$ ㉠
$f(2)=0$에서 $8-8+2a+b=0$
$2a+b=0$ $\cdots\cdots$ ㉡
㉠, ㉡을 연립하여 풀면 $a=-1$, $b=2$
$\therefore ab=-2$

11 ④ $a^3+8b^3=a^3+(2b)^3$
$\qquad\qquad\quad=(a+2b)(a^2-2ab+4b^2)$

12 $x^2+4y^2+9z^2-4xy-12yz+6zx$
$\quad=x^2+(-2y)^2+(3z)^2+2\times x\times(-2y)$
$\qquad\qquad\qquad\qquad+2\times(-2y)\times3z+2\times3z\times x$
$\quad=(x-2y+3z)^2$
따라서 $a=1$, $b=-2$, $c=3$이므로
$abc=-6$

13 $8x^4-36x^3y+54x^2y^2-27xy^3$
$\quad=x(8x^3-36x^2y+54xy^2-27y^3)$
$\quad=x\{(2x)^3-3\times(2x)^2\times3y+3\times2x\times(3y)^2-(3y)^3\}$
$\quad=x(2x-3y)^3$

14 $125x^3-27=(5x)^3-3^3=(5x-3)(25x^2+15x+9)$
따라서 $a=-3$, $b=25$, $c=15$, $d=9$이므로
$a+b-c+d=16$

15 $x^2+2x=X$로 놓으면
$(x^2+2x-1)(x^2+2x+3)-12=(X-1)(X+3)-12$
$\qquad\qquad\qquad\qquad\qquad\qquad=X^2+2X-15$
$\qquad\qquad\qquad\qquad\qquad\qquad=(X-3)(X+5)$
$\qquad\qquad\qquad\qquad\qquad\qquad=(x^2+2x-3)(x^2+2x+5)$
$\qquad\qquad\qquad\qquad\qquad\qquad=(x+3)(x-1)(x^2+2x+5)$
$\therefore a=-1$, $b=2$, $c=5$

16 $x^2=X$로 놓으면
$3x^4-11x^2-4=3X^2-11X-4$
$\qquad\qquad\qquad=(X-4)(3X+1)$
$\qquad\qquad\qquad=(x^2-4)(3x^2+1)$
$\qquad\qquad\qquad=(x+2)(x-2)(3x^2+1)$

17 $x^4+4y^4=(x^4+4x^2y^2+4y^4)-4x^2y^2$
$\qquad\qquad\quad=(x^2+2y^2)^2-(2xy)^2$
$\qquad\qquad\quad=(x^2+2xy+2y^2)(x^2-2xy+2y^2)$

18 a, b, c의 차수가 같으므로 a에 대하여 내림차순으로 정리하
여 인수분해하면
$a^2(b+c)+b^2(c+a)+c^2(a+b)+2abc$
$=a^2(b+c)+b^2c+b^2a+c^2a+c^2b+2abc$
$=(b+c)a^2+(b^2+2bc+c^2)a+b^2c+bc^2$
$=(b+c)a^2+(b+c)^2a+bc(b+c)$
$=(b+c)\{a^2+(b+c)a+bc\}$
$=(b+c)(a+b)(a+c)$
$=(a+b)(b+c)(c+a)$

19 $f(x)=x^3-3x^2-4x+12$라고 할 때, $f(2)=0$이므로 조립제
법을 이용하여 인수분해하면

$$
\begin{array}{r|rrrr}
2 & 1 & -3 & -4 & 12 \\
  &   & 2 & -2 & -12 \\
\hline
  & 1 & -1 & -6 & \;\;0 \\
\end{array}
$$

$x^3-3x^2-4x+12=(x-2)(x^2-x-6)$
$\qquad\qquad\qquad\qquad=(x-2)(x+2)(x-3)$

20 $997=x$로 놓으면
$\dfrac{997^3-27}{998\times999+7}=\dfrac{x^3-3^3}{(x+1)(x+2)+7}$
$\qquad\qquad\qquad\;=\dfrac{(x-3)(x^2+3x+9)}{x^2+3x+9}$
$\qquad\qquad\qquad\;=x-3=997-3=994$

03 복소수

44~53쪽

001 답 실수부분: 2, 허수부분: -1

002 답 실수부분: -3, 허수부분: $\sqrt{2}$

003 답 실수부분: $\dfrac{1}{3}$, 허수부분: $-\dfrac{4}{3}$

004 답 실수부분: 0, 허수부분: 7

005 답 실수부분: -6, 허수부분: 0

006 답 실수부분: $1+\sqrt{5}$, 허수부분: 0

007 답 ㄴ, ㄹ, ㅅ, ㅈ

008 답 ㄱ, ㄷ, ㅁ, ㅂ, ㅇ

009 답 ㄷ, ㅂ, ㅇ

010 답 $a=-1$, $b=2$

011 답 $a=0$, $b=-4$

012 답 $a=2$, $b=-3$
$2=a$, $3=-b$이므로 $a=2$, $b=-3$

013 답 $a=-3$, $b=5$
$-a=3$, $-5=-b$이므로 $a=-3$, $b=5$

014 답 $a=-1$, $b=2$
$a+1=0$, $2-b=0$이므로 $a=-1$, $b=2$

015 답 $a=3$, $b=2$
$2a=6$, $1-b=-1$이므로 $a=3$, $b=2$

016 답 $a=-3$, $b=2$
$a+b=-1$, $-9=3a$이므로 $a=-3$, $b=2$

017 답 $a=1$, $b=-2$
$3a-b=5$, $a+b=-1$이므로 두 식을 연립하여 풀면
$a=1$, $b=-2$

018 답 $a=6$, $b=-3$
$a-b+1=10$, $a+2b=0$이므로 두 식을 연립하여 풀면
$a=6$, $b=-3$

019 답 $-2-3i$

020 답 $7+4i$

021 답 $\sqrt{3}-i$

022 답 $\sqrt{2}i+5$

023 답 -15

024 답 $-8i$

025 답 $a=3$, $b=-5$
$\overline{3+5i}=3-5i$이므로 $a=3$, $b=-5$

026 답 $a=-1$, $b=2$
$\overline{-1-2i}=-1+2i$이므로 $a=-1$, $b=2$

027 답 $a=-\sqrt{5}$, $b=-1$
$\overline{i-\sqrt{5}}=-\sqrt{5}-i$이므로 $a=-\sqrt{5}$, $b=-1$

028 답 $a=7$, $b=\sqrt{3}$
$\overline{7-\sqrt{3}i}=7+\sqrt{3}i$이므로 $a=7$, $b=\sqrt{3}$

029 답 $a=\sqrt{2}$, $b=0$
$\overline{\sqrt{2}}=\sqrt{2}$이므로 $a=\sqrt{2}$, $b=0$

030 답 $a=0$, $b=11$
$\overline{-11i}=11i$이므로 $a=0$, $b=11$

031 답 $4+11i$
$(3+5i)+(1+6i)=(3+1)+(5+6)i$
$\qquad\qquad\qquad =4+11i$

032 답 $3-i$
$(-2+3i)+(5-4i)=(-2+5)+(3-4)i$
$\qquad\qquad\qquad =3-i$

033 답 $2-i$
$(5-2i)+(-3+i)=(5-3)+(-2+1)i$
$\qquad\qquad\qquad =2-i$

034 답 $-8-2i$
$(-3-4i)+(2i-5)=(-3-5)+(-4+2)i$
$\qquad\qquad\qquad =-8-2i$

035 답 $7+3i$
$11i+(7-8i)=7+(11-8)i=7+3i$

036 답 $3-5i$
$(5-4i)-(2+i)=5-4i-2-i$
$\qquad\qquad\qquad =3-5i$

037 답 $4+11i$
$(7+6i)-(3-5i)=7+6i-3+5i$
$\qquad\qquad\qquad =4+11i$

038 답 $6-10i$
$(4-3i)-(-2+7i)=4-3i+2-7i$
$\qquad\qquad\qquad =6-10i$

039 답 $-1+7i$

$(-2+3i)-(-1-4i)=-2+3i+1+4i$
$$=-1+7i$$

040 답 $9-6i$

$-4i-(-9+2i)=-4i+9-2i=9-6i$

041 답 $2+10i$

$2i(5-i)=10i-2i^2=2+10i$

042 답 $16+11i$

$(3-2i)(2+5i)=6+15i-4i-10i^2$
$$=6+11i+10=16+11i$$

043 답 $-5+14i$

$(4-i)(-2+3i)=-8+12i+2i-3i^2$
$$=-8+14i+3=-5+14i$$

044 답 $13-34i$

$(7-2i)(3-4i)=21-28i-6i+8i^2$
$$=21-34i-8=13-34i$$

045 답 $35+12i$

$(6+i)^2=36+12i+i^2$
$$=36+12i-1=35+12i$$

046 답 $-5-12i$

$(2-3i)^2=4-12i+9i^2$
$$=4-12i-9=-5-12i$$

047 답 10

$(3-i)(3+i)=9-i^2=9+1=10$

048 답 -5

$(2-i)(-2-i)=-4+i^2=-4-1=-5$

049 답 $\dfrac{2}{5}+\dfrac{1}{5}i$

$\dfrac{1}{2-i}=\dfrac{2+i}{(2-i)(2+i)}=\dfrac{2+i}{4-i^2}$
$$=\dfrac{2+i}{4+1}=\dfrac{2}{5}+\dfrac{1}{5}i$$

050 답 $3-i$

$\dfrac{10}{3+i}=\dfrac{10(3-i)}{(3+i)(3-i)}=\dfrac{10(3-i)}{9-i^2}$
$$=\dfrac{10(3-i)}{9+1}=3-i$$

051 답 $-\dfrac{1}{2}+\dfrac{1}{2}i$

$\dfrac{i}{1-i}=\dfrac{i(1+i)}{(1-i)(1+i)}=\dfrac{i+i^2}{1-i^2}$
$$=\dfrac{i-1}{1+1}=-\dfrac{1}{2}+\dfrac{1}{2}i$$

052 답 $-3+2i$

$\dfrac{13i}{2-3i}=\dfrac{13i(2+3i)}{(2-3i)(2+3i)}$
$$=\dfrac{26i+39i^2}{4-9i^2}$$
$$=\dfrac{26i-39}{4+9}$$
$$=-3+2i$$

053 답 $\dfrac{1}{10}+\dfrac{7}{10}i$

$\dfrac{1+2i}{3-i}=\dfrac{(1+2i)(3+i)}{(3-i)(3+i)}$
$$=\dfrac{3+i+6i+2i^2}{9-i^2}$$
$$=\dfrac{3+7i-2}{9+1}$$
$$=\dfrac{1}{10}+\dfrac{7}{10}i$$

054 답 $2+3i$

$\dfrac{8-i}{1-2i}=\dfrac{(8-i)(1+2i)}{(1-2i)(1+2i)}$
$$=\dfrac{8+16i-i-2i^2}{1-4i^2}$$
$$=\dfrac{8+15i+2}{1+4}=2+3i$$

055 답 $-1+i$

$\dfrac{3i-5}{4+i}=\dfrac{(3i-5)(4-i)}{(4+i)(4-i)}$
$$=\dfrac{12i-3i^2-20+5i}{16-i^2}$$
$$=\dfrac{3-20+17i}{16+1}=-1+i$$

056 답 $-\dfrac{1}{3}-\dfrac{2\sqrt{2}}{3}i$

$\dfrac{1-\sqrt{2}i}{1+\sqrt{2}i}=\dfrac{(1-\sqrt{2}i)^2}{(1+\sqrt{2}i)(1-\sqrt{2}i)}$
$$=\dfrac{1-2\sqrt{2}i+2i^2}{1-2i^2}$$
$$=\dfrac{1-2\sqrt{2}i-2}{1+2}$$
$$=-\dfrac{1}{3}-\dfrac{2\sqrt{2}}{3}i$$

057 답 $7+5i$

$(5-8i)-(-2-3i)+10i=5-8i+2+3i+10i$
$$=7+5i$$

058 답 $1+2i$

$\dfrac{3}{1-i}-\dfrac{1}{1+i}=\dfrac{3(1+i)-(1-i)}{(1-i)(1+i)}$
$$=\dfrac{3+3i-1+i}{1-i^2}$$
$$=\dfrac{2+4i}{1+1}=1+2i$$

059 답 $\dfrac{7}{2}+\dfrac{1}{2}i$

$$(2-i)(2+i)+\dfrac{5i}{1-3i}=4-i^2+\dfrac{5i(1+3i)}{(1-3i)(1+3i)}$$
$$=4+1+\dfrac{5i+15i^2}{1-9i^2}$$
$$=5+\dfrac{5i-15}{1+9}$$
$$=5-\dfrac{3}{2}+\dfrac{1}{2}i$$
$$=\dfrac{7}{2}+\dfrac{1}{2}i$$

060 답 $-4+5i$

$$(1+2i)^2-\dfrac{3-i}{2+i}=1+4i+4i^2-\dfrac{(3-i)(2-i)}{(2+i)(2-i)}$$
$$=1+4i-4-\dfrac{6-3i-2i+i^2}{4-i^2}$$
$$=-3+4i-\dfrac{6-5i-1}{4+1}$$
$$=-3+4i-(1-i)$$
$$=-3+4i-1+i$$
$$=-4+5i$$

061 답 $2+3i$

$$a-b=(3+i)-(1-2i)$$
$$=3+i-1+2i=2+3i$$

062 답 $5-5i$

$$ab=(3+i)(1-2i)=3-6i+i-2i^2$$
$$=3-5i+2=5-5i$$

063 답 $\dfrac{1}{5}+\dfrac{7}{5}i$

$$\dfrac{a}{b}=\dfrac{3+i}{1-2i}=\dfrac{(3+i)(1+2i)}{(1-2i)(1+2i)}$$
$$=\dfrac{3+6i+i+2i^2}{1-4i^2}$$
$$=\dfrac{3+7i-2}{1+4}$$
$$=\dfrac{1}{5}+\dfrac{7}{5}i$$

064 답 $\dfrac{1}{10}-\dfrac{1}{2}i$

$$\dfrac{1}{a}-\dfrac{1}{b}=\dfrac{1}{3+i}-\dfrac{1}{1-2i}$$
$$=\dfrac{3-i}{(3+i)(3-i)}-\dfrac{1+2i}{(1-2i)(1+2i)}$$
$$=\dfrac{3-i}{9-i^2}-\dfrac{1+2i}{1-4i^2}$$
$$=\dfrac{3-i}{9+1}-\dfrac{1+2i}{1+4}$$
$$=\dfrac{3}{10}-\dfrac{1}{10}i-\dfrac{1}{5}-\dfrac{2}{5}i$$
$$=\dfrac{1}{10}-\dfrac{1}{2}i$$

065 답 2

$$a+b=(1+i)+(1-i)=2$$

066 답 2

$$ab=(1+i)(1-i)=1-i^2=2$$

067 답 0

$$a^2+b^2=(a+b)^2-2ab=2^2-2\times2=0$$

068 답 1

$$\dfrac{1}{a}+\dfrac{1}{b}=\dfrac{a+b}{ab}=\dfrac{2}{2}=1$$

069 답 0

$$\dfrac{b}{a}+\dfrac{a}{b}=\dfrac{a^2+b^2}{ab}=\dfrac{0}{2}=0$$

070 답 -4

$$a^3+b^3=(a+b)^3-3ab(a+b)$$
$$=2^3-3\times2\times2=-4$$

071 답 $2-i$

072 답 4

$$z+\bar{z}=(2+i)+(2-i)=4$$

073 답 $3-4i$

$$\bar{z}^2=(2-i)^2=4-4i+i^2=3-4i$$

074 답 $\dfrac{3}{5}+\dfrac{4}{5}i$

$$\dfrac{z}{\bar{z}}=\dfrac{2+i}{2-i}=\dfrac{(2+i)^2}{(2-i)(2+i)}$$
$$=\dfrac{4+4i+i^2}{4-i^2}=\dfrac{3}{5}+\dfrac{4}{5}i$$

075 답 $3+4i$

076 답 $8i$

$$\bar{z}-z=(3+4i)-(3-4i)$$
$$=3+4i-3+4i=8i$$

077 답 25

$$z\bar{z}=(3-4i)(3+4i)=9-16i^2=25$$

078 답 $-\dfrac{7}{25}+\dfrac{24}{25}i$

$$\dfrac{\bar{z}}{z}=\dfrac{3+4i}{3-4i}=\dfrac{(3+4i)^2}{(3-4i)(3+4i)}$$
$$=\dfrac{9+24i+16i^2}{9-16i^2}$$
$$=-\dfrac{7}{25}+\dfrac{24}{25}i$$

079 답 $a-bi,\ a-bi,\ 2a+b,\ 2a+b,\ -1,\ 1,\ -1+i$

080 답 $2+5i$

$z=a+bi$ (a, b는 실수)라고 하면 $\bar{z}=a-bi$이므로 주어진 등식에 대입하면

$2i(a+bi)+(1+i)(a-bi)=-3+i$

$(a-b)+(3a-b)i=-3+i$

복소수가 서로 같을 조건에 의하여

$a-b=-3$, $3a-b=1$

두 식을 연립하여 풀면 $a=2$, $b=5$

$\therefore z=2+5i$

081 답 $1-i$

$z=a+bi$ (a, b는 실수)라고 하면 $\bar{z}=a-bi$이므로 주어진 등식에 대입하면

$(3-i)(a+bi)-i(a-bi)=3-5i$

$3a+(-2a+3b)i=3-5i$

복소수가 서로 같을 조건에 의하여

$3a=3$, $-2a+3b=-5$

$\therefore a=1$, $b=-1$

$\therefore z=1-i$

082 답 $-2-3i$

$z=a+bi$ (a, b는 실수)라고 하면 $\bar{z}=a-bi$이므로 주어진 등식에 대입하면

$(1+2i)(a+bi)+(4-i)(a-bi)=-1+7i$

$(5a-3b)+(a-3b)i=-1+7i$

복소수가 서로 같을 조건에 의하여

$5a-3b=-1$, $a-3b=7$

두 식을 연립하여 풀면 $a=-2$, $b=-3$

$\therefore z=-2-3i$

083 답 -1

$i^{10}=i^{4\times2+2}=-1$

084 답 i

$i^{17}=i^{4\times4+1}=i$

085 답 i

$(-i)^7=-i^7=-i^{4+3}=-(-i)=i$

086 답 2

$i^{100}-i^{102}=i^{4\times25}-i^{4\times25+2}=1-(-1)=2$

087 답 0

$1+i+i^2+i^3=1+i-1-i=0$

088 답 0

$\dfrac{1}{i^{201}}+\dfrac{1}{i^{203}}=\dfrac{1}{i^{4\times50+1}}+\dfrac{1}{i^{4\times50+3}}$

$=\dfrac{1}{i}-\dfrac{1}{i}=0$

089 답 -1

$\dfrac{1+i}{1-i}=\dfrac{(1+i)^2}{(1-i)(1+i)}=\dfrac{1+2i+i^2}{1-i^2}=\dfrac{2i}{2}=i$

$\therefore \left(\dfrac{1+i}{1-i}\right)^2=i^2=-1$

090 답 1

$\left(\dfrac{1+i}{1-i}\right)^{100}=\left\{\left(\dfrac{1+i}{1-i}\right)^2\right\}^{50}=(-1)^{50}=1$

091 답 -1

$\dfrac{1-i}{1+i}=\dfrac{(1-i)^2}{(1+i)(1-i)}=\dfrac{1-2i+i^2}{1-i^2}=\dfrac{-2i}{2}=-i$

$\therefore \left(\dfrac{1-i}{1+i}\right)^2=(-i)^2=-1$

092 답 1

$\left(\dfrac{1-i}{1+i}\right)^{52}=\left\{\left(\dfrac{1-i}{1+i}\right)^2\right\}^{26}=(-1)^{26}=1$

093 답 $\sqrt{7}i$

094 답 $4i$

095 답 $-2\sqrt{3}i$

096 답 $-7i$

097 답 $\dfrac{3}{2}i$

098 답 $\pm\sqrt{5}i$

099 답 $\pm6i$

100 답 $\pm\dfrac{\sqrt{3}}{3}i$

101 답 $\pm\dfrac{1}{3}i$

102 답 $\pm\dfrac{\sqrt{3}}{5}i$

103 답 -4

$\sqrt{-2}\sqrt{-8}=\sqrt{2}i\times2\sqrt{2}i=-4$

104 답 $6i$

$\sqrt{-4}\sqrt{9}=2i\times3=6i$

105 답 $3\sqrt{2}i$

$\sqrt{3}\sqrt{-6}=\sqrt{3}\times\sqrt{6}i=3\sqrt{2}i$

106 답 $-3i$

$\dfrac{\sqrt{18}}{\sqrt{-2}}=\dfrac{3\sqrt{2}}{\sqrt{2}i}=\dfrac{3}{i}=\dfrac{3i}{i^2}=-3i$

107 답 $\dfrac{1}{2}i$

$\dfrac{\sqrt{-3}}{\sqrt{12}}=\dfrac{\sqrt{3}i}{2\sqrt{3}}=\dfrac{1}{2}i$

108 답 $2\sqrt{2}$

$\dfrac{\sqrt{-40}}{\sqrt{-5}}=\dfrac{2\sqrt{10}i}{\sqrt{5}i}=2\sqrt{2}$

109 답 $-3\sqrt{7}+6\sqrt{7}i$

$\sqrt{-3}\sqrt{21}+\sqrt{3}\sqrt{-21}+\sqrt{-3}\sqrt{-21}$
$=\sqrt{3}i\times\sqrt{21}+\sqrt{3}\times\sqrt{21}i+\sqrt{3}i\times\sqrt{21}i$
$=3\sqrt{7}i+3\sqrt{7}i-3\sqrt{7}$
$=-3\sqrt{7}+6\sqrt{7}i$

110 답 7

$\sqrt{-4}\sqrt{-16}-\sqrt{-9}\sqrt{-25}=2i\times4i-3i\times5i$
$\qquad\qquad\qquad\qquad\qquad=-8+15=7$

111 답 $2\sqrt{2}i$

$\sqrt{-3}\sqrt{6}+\dfrac{\sqrt{10}}{\sqrt{-5}}=\sqrt{3}i\times\sqrt{6}+\dfrac{\sqrt{10}}{\sqrt{5}i}$
$\qquad\qquad\qquad=3\sqrt{2}i+\dfrac{\sqrt{2}}{i}=3\sqrt{2}i+\dfrac{\sqrt{2}i}{i^2}$
$\qquad\qquad\qquad=3\sqrt{2}i-\sqrt{2}i=2\sqrt{2}i$

112 답 $\sqrt{3}$

$\dfrac{\sqrt{-6}}{\sqrt{2}}+\dfrac{\sqrt{6}}{\sqrt{-2}}+\dfrac{\sqrt{-6}}{\sqrt{-2}}=\dfrac{\sqrt{6}i}{\sqrt{2}}+\dfrac{\sqrt{6}}{\sqrt{2}i}+\dfrac{\sqrt{6}i}{\sqrt{2}i}$
$\qquad\qquad\qquad\qquad=\sqrt{3}i+\dfrac{\sqrt{3}}{i}+\sqrt{3}$
$\qquad\qquad\qquad\qquad=\sqrt{3}i+\dfrac{\sqrt{3}i}{i^2}+\sqrt{3}$
$\qquad\qquad\qquad\qquad=\sqrt{3}i-\sqrt{3}i+\sqrt{3}=\sqrt{3}$

연산유형 최종 점검하기

1 ③ **2** ㄱ, ㄴ, ㅂ **3** ① **4** ⑤ **5** $6+3i$ **6** ④ **7** ③
8 $13+26i$ **9** $-5+8i$ **10** ② **11** ① **12** ⑤ **13** ③

---

1 $a=\dfrac{3}{2}$, $b=-\dfrac{1}{2}$이므로 $a+b=1$

3 $x(2+i)-2y(1+i)=\overline{4-7i}$ 에서
$2(x-y)+(x-2y)i=4+7i$
복소수가 서로 같을 조건에 의하여
$x-y=2$, $x-2y=7$
두 식을 연립하여 풀면 $x=-3$, $y=-5$
$\therefore x+y=-8$

4 ① $(2-i)+(1+3i)=3+2i$
② $(5-3i)-(3-2i)=2-i$
③ $(1+2i)(4-i)=4+7i-2i^2=6+7i$
④ $(2+3i)^2=4+12i+9i^2=-5+12i$
⑤ $\dfrac{1}{3+i}+\dfrac{1}{3-i}=\dfrac{3-i+3+i}{(3+i)(3-i)}=\dfrac{6}{9-i^2}=\dfrac{3}{5}$

5 $(3-i)(1+2i)-\dfrac{5i}{2-i}=3+5i-2i^2-\dfrac{5i(2+i)}{(2-i)(2+i)}$
$\qquad\qquad\qquad\qquad\qquad=5+5i-\dfrac{10i+5i^2}{4-i^2}$
$\qquad\qquad\qquad\qquad\qquad=5+5i-(2i-1)$
$\qquad\qquad\qquad\qquad\qquad=6+3i$

6 $a+b=4$, $ab=5$이므로
$\dfrac{b}{a}+\dfrac{a}{b}=\dfrac{a^2+b^2}{ab}=\dfrac{(a+b)^2-2ab}{ab}$
$\qquad\quad=\dfrac{4^2-2\times5}{5}=\dfrac{6}{5}$

7 $\bar{z}=1-3i$이므로
$1+z+\bar{z}=1+(1+3i)+(1-3i)=3$

8 $\alpha+\beta=3+2i$
$\bar{\alpha}=5+i$, $\bar{\beta}=-2-3i$이므로 $\bar{\alpha}-\bar{\beta}=7+4i$
$\therefore (\alpha+\beta)(\bar{\alpha}-\bar{\beta})=(3+2i)(7+4i)$
$\qquad\qquad\qquad\qquad=21+26i+8i^2=13+26i$

9 $z=a+bi$(a, b는 실수)라고 하면 $\bar{z}=a-bi$이므로 주어진 등식에 대입하면
$(1+i)(a+bi)+2i(a-bi)=3-7i$
$(a+b)+(3a+b)i=3-7i$
복소수가 서로 같을 조건에 의하여
$a+b=3$, $3a+b=-7$
두 식을 연립하여 풀면 $a=-5$, $b=8$
$\therefore z=-5+8i$

10 $\dfrac{1}{i}+\dfrac{1}{i^2}+\dfrac{1}{i^3}+\dfrac{1}{i^4}=\dfrac{1}{i}+\dfrac{1}{-1}+\dfrac{1}{-i}+\dfrac{1}{1}=0$

11 $\dfrac{1+i}{1-i}=i$, $\dfrac{1-i}{1+i}=-i$이므로
$\left(\dfrac{1+i}{1-i}\right)^{206}+\left(\dfrac{1-i}{1+i}\right)^{206}=i^{206}+(-i)^{206}$
$\qquad\qquad\qquad\qquad\qquad=i^2+i^2=-2$

12 ⑤ $\dfrac{\sqrt{3}}{\sqrt{-15}}=\dfrac{\sqrt{3}}{\sqrt{15}i}=\dfrac{i}{\sqrt{5}i^2}=-\sqrt{\dfrac{1}{5}}i=-\sqrt{-\dfrac{1}{5}}$

13 $\sqrt{-2}\sqrt{-12}+\dfrac{\sqrt{18}}{\sqrt{-3}}=\sqrt{2}i\times\sqrt{12}i+\dfrac{\sqrt{18}}{\sqrt{3}i}$
$\qquad\qquad\qquad\qquad\qquad=-2\sqrt{6}+\dfrac{\sqrt{6}i}{i^2}$
$\qquad\qquad\qquad\qquad\qquad=-2\sqrt{6}-\sqrt{6}i$
따라서 $a=-2\sqrt{6}$, $b=-\sqrt{6}$이므로
$a-b=-\sqrt{6}$

04 이차방정식

001 답 $x=-2$ (중근)

$x^2+4x+4=0$의 좌변을 인수분해하면

$(x+2)^2=0$ ∴ $x=-2$ (중근)

002 답 $x=1$ 또는 $x=2$

$x^2-3x+2=0$의 좌변을 인수분해하면

$(x-1)(x-2)=0$ ∴ $x=1$ 또는 $x=2$

003 답 $x=-\dfrac{1}{2}$ 또는 $x=3$

$2x^2-5x-3=0$의 좌변을 인수분해하면

$(2x+1)(x-3)=0$ ∴ $x=-\dfrac{1}{2}$ 또는 $x=3$

004 답 $x=-1$ 또는 $x=\dfrac{2}{3}$

$3x^2+x-2=0$의 좌변을 인수분해하면

$(x+1)(3x-2)=0$ ∴ $x=-1$ 또는 $x=\dfrac{2}{3}$

005 답 $x=\dfrac{1\pm\sqrt{13}}{2}$

$x^2-x-3=0$에서 근의 공식에 의하여

$x=\dfrac{-(-1)\pm\sqrt{(-1)^2-4\times1\times(-3)}}{2\times1}$

$\quad=\dfrac{1\pm\sqrt{13}}{2}$

006 답 $x=\dfrac{3\pm\sqrt{15}i}{2}$

$x^2-3x+6=0$에서 근의 공식에 의하여

$x=\dfrac{-(-3)\pm\sqrt{(-3)^2-4\times1\times6}}{2\times1}$

$\quad=\dfrac{3\pm\sqrt{-15}}{2}=\dfrac{3\pm\sqrt{15}i}{2}$

007 답 $x=\dfrac{-5\pm\sqrt{31}i}{4}$

$2x^2+5x+7=0$에서 근의 공식에 의하여

$x=\dfrac{-5\pm\sqrt{5^2-4\times2\times7}}{2\times2}$

$\quad=\dfrac{-5\pm\sqrt{-31}}{4}=\dfrac{-5\pm\sqrt{31}i}{4}$

008 답 $x=\dfrac{-1\pm\sqrt{37}}{6}$

$3x^2+x-3=0$에서 근의 공식에 의하여

$x=\dfrac{-1\pm\sqrt{1^2-4\times3\times(-3)}}{2\times3}$

$\quad=\dfrac{-1\pm\sqrt{37}}{6}$

009 답 $x=-1\pm2i$

$x^2+2x+5=0$에서 근의 공식에 의하여

$x=\dfrac{-1\pm\sqrt{1^2-1\times5}}{1}$

$\quad=-1\pm\sqrt{-4}=-1\pm2i$

010 답 $x=2\pm\sqrt{3}i$

$x^2-4x+7=0$에서 근의 공식에 의하여

$x=\dfrac{-(-2)\pm\sqrt{(-2)^2-1\times7}}{1}$

$\quad=2\pm\sqrt{-3}=2\pm\sqrt{3}i$

011 답 $x=-5\pm3\sqrt{3}$

$x^2+10x-2=0$에서 근의 공식에 의하여

$x=\dfrac{-5\pm\sqrt{5^2-1\times(-2)}}{1}$

$\quad=-5\pm\sqrt{27}=-5\pm3\sqrt{3}$

012 답 $x=\dfrac{3\pm i}{2}$

$2x^2-6x+5=0$에서 근의 공식에 의하여

$x=\dfrac{-(-3)\pm\sqrt{(-3)^2-2\times5}}{2}$

$\quad=\dfrac{3\pm\sqrt{-1}}{2}=\dfrac{3\pm i}{2}$

013 답 $x=\dfrac{1\pm\sqrt{13}}{3}$

$3x^2-2x-4=0$에서 근의 공식에 의하여

$x=\dfrac{-(-1)\pm\sqrt{(-1)^2-3\times(-4)}}{3}$

$\quad=\dfrac{1\pm\sqrt{13}}{3}$

014 답 $x=\pm\sqrt{5}$, 실근

$x^2-5=0$에서 $x^2=5$ ∴ $x=\pm\sqrt{5}$

따라서 주어진 이차방정식의 근은 실근이다.

015 답 $x=\dfrac{-1\pm\sqrt{11}i}{2}$, 허근

$x^2+x+3=0$에서 근의 공식에 의하여

$x=\dfrac{-1\pm\sqrt{1^2-4\times1\times3}}{2\times1}$

$\quad=\dfrac{-1\pm\sqrt{-11}}{2}=\dfrac{-1\pm\sqrt{11}i}{2}$

따라서 주어진 이차방정식의 근은 허근이다.

016 답 $x=-1\pm\sqrt{3}$, 실근

$x^2+2x-2=0$에서 근의 공식에 의하여

$x=\dfrac{-1\pm\sqrt{1^2-1\times(-2)}}{1}$

$\quad=-1\pm\sqrt{3}$

따라서 주어진 이차방정식의 근은 실근이다.

017 답 $x=\dfrac{3\pm\sqrt{5}i}{2}$, 허근

$2x^2-6x+7=0$에서 근의 공식에 의하여

$x=\dfrac{-(-3)\pm\sqrt{(-3)^2-2\times7}}{2}$

$=\dfrac{3\pm\sqrt{-5}}{2}=\dfrac{3\pm\sqrt{5}i}{2}$

따라서 주어진 이차방정식의 근은 허근이다.

018 답 $x=\dfrac{1\pm\sqrt{13}}{6}$, 실근

$3x^2-x-1=0$에서 근의 공식에 의하여

$x=\dfrac{-(-1)\pm\sqrt{(-1)^2-4\times3\times(-1)}}{2\times3}=\dfrac{1\pm\sqrt{13}}{6}$

따라서 주어진 이차방정식의 근은 실근이다.

019 답 $x+4$, -4, -4, $x-3$, 3, 3, $x=3$

020 답 $x=-2$ 또는 $x=2$

$x^2+|x|-6=0$에서

(i) $x<0$일 때

$x^2-x-6=0$, $(x+2)(x-3)=0$

$\therefore\ x=-2$ 또는 $x=3$

그런데 $x<0$이므로 $x=-2$

(ii) $x\geq0$일 때

$x^2+x-6=0$, $(x+3)(x-2)=0$

$\therefore\ x=-3$ 또는 $x=2$

그런데 $x\geq0$이므로 $x=2$

(i), (ii)에 의하여 주어진 방정식의 해는

$x=-2$ 또는 $x=2$

021 답 $x=-2$ 또는 $x=2$

$3x^2-4|x|-4=0$에서

(i) $x<0$일 때

$3x^2+4x-4=0$, $(x+2)(3x-2)=0$

$\therefore\ x=-2$ 또는 $x=\dfrac{2}{3}$

그런데 $x<0$이므로 $x=-2$

(ii) $x\geq0$일 때

$3x^2-4x-4=0$, $(3x+2)(x-2)=0$

$\therefore\ x=-\dfrac{2}{3}$ 또는 $x=2$

그런데 $x\geq0$이므로 $x=2$

(i), (ii)에 의하여 주어진 방정식의 해는

$x=-2$ 또는 $x=2$

022 답 $x=-4$ 또는 $x=5$

$x^2-3|x+1|-7=0$에서

(i) $x<-1$일 때

$x^2+3(x+1)-7=0$, $x^2+3x-4=0$

$(x+4)(x-1)=0$ $\therefore\ x=-4$ 또는 $x=1$

그런데 $x<-1$이므로 $x=-4$

(ii) $x\geq-1$일 때

$x^2-3(x+1)-7=0$, $x^2-3x-10=0$

$(x+2)(x-5)=0$ $\therefore\ x=-2$ 또는 $x=5$

그런데 $x\geq-1$이므로 $x=5$

(i), (ii)에 의하여 주어진 방정식의 해는

$x=-4$ 또는 $x=5$

023 답 $x=-\dfrac{1}{2}$ 또는 $x=1$

$2x^2+|x-1|=2$에서

(i) $x<1$일 때

$2x^2-(x-1)=2$, $2x^2-x-1=0$

$(2x+1)(x-1)=0$ $\therefore\ x=-\dfrac{1}{2}$ 또는 $x=1$

그런데 $x<1$이므로 $x=-\dfrac{1}{2}$

(ii) $x\geq1$일 때

$2x^2+(x-1)=2$, $2x^2+x-3=0$

$(2x+3)(x-1)=0$ $\therefore\ x=-\dfrac{3}{2}$ 또는 $x=1$

그런데 $x\geq1$이므로 $x=1$

(i), (ii)에 의하여 주어진 방정식의 해는

$x=-\dfrac{1}{2}$ 또는 $x=1$

024 답 $x=-2$ 또는 $x=\dfrac{1+\sqrt{13}}{3}$

$3x^2-2|x-1|=6$에서

(i) $x<1$일 때

$3x^2+2(x-1)=6$, $3x^2+2x-8=0$

$(x+2)(3x-4)=0$

$\therefore\ x=-2$ 또는 $x=\dfrac{4}{3}$

그런데 $x<1$이므로 $x=-2$

(ii) $x\geq1$일 때

$3x^2-2(x-1)=6$, $3x^2-2x-4=0$

$\therefore\ x=\dfrac{-(-1)\pm\sqrt{(-1)^2-3\times(-4)}}{3}$

$=\dfrac{1\pm\sqrt{13}}{3}$

그런데 $x\geq1$이므로 $x=\dfrac{1+\sqrt{13}}{3}$

(i), (ii)에 의하여 주어진 방정식의 해는

$x=-2$ 또는 $x=\dfrac{1+\sqrt{13}}{3}$

025 답 $x=1-\sqrt{3}$ 또는 $x=-1+\sqrt{5}$

$x^2+|2x-1|-3=0$에서

(i) $x<\dfrac{1}{2}$일 때

$x^2-(2x-1)-3=0$, $x^2-2x-2=0$

$\therefore\ x=-(-1)\pm\sqrt{(-1)^2-1\times(-2)}$

$=1\pm\sqrt{3}$

그런데 $x<\dfrac{1}{2}$이므로 $x=1-\sqrt{3}$

(ii) $x \geq \frac{1}{2}$일 때

$x^2 + (2x-1) - 3 = 0$, $x^2 + 2x - 4 = 0$

$\therefore x = -1 \pm \sqrt{1^2 - 1 \times (-4)}$

$\qquad = -1 \pm \sqrt{5}$

그런데 $x \geq \frac{1}{2}$이므로 $x = -1 + \sqrt{5}$

(i), (ii)에 의하여 주어진 방정식의 해는

$x = 1 - \sqrt{3}$ 또는 $x = -1 + \sqrt{5}$

026 답 서로 다른 두 허근

$x^2 - 3x + 5 = 0$의 판별식을 D라고 하면

$D = (-3)^2 - 4 \times 1 \times 5 = -11 < 0$

따라서 주어진 이차방정식은 서로 다른 두 허근을 갖는다.

027 답 서로 다른 두 허근

$x^2 + 2x + 4 = 0$의 판별식을 D라고 하면

$\frac{D}{4} = 1^2 - 1 \times 4 = -3 < 0$

따라서 주어진 이차방정식은 서로 다른 두 허근을 갖는다.

028 답 서로 다른 두 실근

$x^2 + 8x - 2 = 0$의 판별식을 D라고 하면

$\frac{D}{4} = 4^2 - 1 \times (-2) = 18 > 0$

따라서 주어진 이차방정식은 서로 다른 두 실근을 갖는다.

029 답 서로 다른 두 실근

$2x^2 - 6x - 9 = 0$의 판별식을 D라고 하면

$\frac{D}{4} = (-3)^2 - 2 \times (-9) = 27 > 0$

따라서 주어진 이차방정식은 서로 다른 두 실근을 갖는다.

030 답 서로 다른 두 실근

$3x^2 + x - 2 = 0$의 판별식을 D라고 하면

$D = 1^2 - 4 \times 3 \times (-2) = 25 > 0$

따라서 주어진 이차방정식은 서로 다른 두 실근을 갖는다.

031 답 서로 다른 두 허근

$3x^2 - 4x + 5 = 0$의 판별식을 D라고 하면

$\frac{D}{4} = (-2)^2 - 3 \times 5 = -11 < 0$

따라서 주어진 이차방정식은 서로 다른 두 허근을 갖는다.

032 답 중근

$4x^2 + 4x + 1 = 0$의 판별식을 D라고 하면

$\frac{D}{4} = 2^2 - 4 \times 1 = 0$

따라서 주어진 이차방정식은 중근을 갖는다.

033 답 중근

$9x^2 - 12x + 4 = 0$의 판별식을 D라고 하면

$\frac{D}{4} = (-6)^2 - 9 \times 4 = 0$

따라서 주어진 이차방정식은 중근을 갖는다.

034 답 >, >, $\frac{25}{4}$

035 답 $k < \frac{9}{4}$

$x^2 - 3x + k = 0$의 판별식을 D라고 하면

$D = (-3)^2 - 4 \times 1 \times k = 9 - 4k > 0$ $\qquad \therefore k < \frac{9}{4}$

036 답 $k > -8$

$x^2 + 6x - k + 1 = 0$의 판별식을 D라고 하면

$\frac{D}{4} = 3^2 - 1 \times (-k+1) = k + 8 > 0$ $\qquad \therefore k > -8$

037 답 $k > 3$

$x^2 - 2kx + k^2 - k + 3 = 0$의 판별식을 D라고 하면

$\frac{D}{4} = (-k)^2 - 1 \times (k^2 - k + 3) = k - 3 > 0$ $\qquad \therefore k > 3$

038 답 $k > -\frac{1}{4}$

$x^2 + (2k+1)x + k^2 = 0$의 판별식을 D라고 하면

$D = (2k+1)^2 - 4 \times 1 \times k^2 = 4k + 1 > 0$ $\qquad \therefore k > -\frac{1}{4}$

039 답 =, =, -4

040 답 $\frac{9}{8}$

$x^2 + 3x + 2k = 0$의 판별식을 D라고 하면

$D = 3^2 - 4 \times 1 \times 2k = 9 - 8k = 0$ $\qquad \therefore k = \frac{9}{8}$

041 답 $\frac{13}{4}$

$x^2 - x + k - 3 = 0$의 판별식을 D라고 하면

$D = (-1)^2 - 4 \times 1 \times (k-3) = 13 - 4k = 0$

$\therefore k = \frac{13}{4}$

042 답 2

$x^2 + 2kx + k^2 + k - 2 = 0$의 판별식을 D라고 하면

$\frac{D}{4} = k^2 - 1 \times (k^2 + k - 2) = -k + 2 = 0$ $\qquad \therefore k = 2$

043 답 -2

$x^2 + kx - k - 1 = 0$의 판별식을 D라고 하면

$D = k^2 - 4 \times 1 \times (-k-1) = k^2 + 4k + 4 = 0$

$(k+2)^2 = 0$ $\qquad \therefore k = -2$

044 답 $<$, $<$, $\dfrac{1}{8}$

045 답 $k<-\dfrac{25}{4}$

$x^2+5x-k=0$의 판별식을 D라고 하면

$D=5^2-4\times1\times(-k)=4k+25<0$

$\therefore k<-\dfrac{25}{4}$

046 답 $k<-1$

$x^2+4x-3k+1=0$의 판별식을 D라고 하면

$\dfrac{D}{4}=2^2-1\times(-3k+1)=3k+3<0$

$\therefore k<-1$

047 답 $k>\dfrac{5}{2}$

$x^2-6kx+9k^2+2k-5=0$의 판별식을 D라고 하면

$\dfrac{D}{4}=(-3k)^2-1\times(9k^2+2k-5)=-2k+5<0$

$\therefore k>\dfrac{5}{2}$

048 답 $k>3$

$x^2+2(k-1)x+k^2-5=0$의 판별식을 D라고 하면

$\dfrac{D}{4}=(k-1)^2-1\times(k^2-5)=-2k+6<0$

$\therefore k>3$

049 답 a, 4

050 답 $-\dfrac{25}{4}$

이차방정식 $x^2+5x-a=0$의 판별식을 D라고 하면

$D=5^2-4\times1\times(-a)=0$ $\quad\therefore a=-\dfrac{25}{4}$

051 답 $\dfrac{1}{4}$

이차방정식 $ax^2+2x+4=0$의 판별식을 D라고 하면

$\dfrac{D}{4}=1^2-a\times4=0$ $\quad\therefore a=\dfrac{1}{4}$

052 답 -2 또는 2

이차방정식 $ax^2-4x+a=0$의 판별식을 D라고 하면

$\dfrac{D}{4}=(-2)^2-a\times a=0$

$a^2-4=0$, $(a+2)(a-2)=0$ $\quad\therefore a=-2$ 또는 $a=2$

053 답 $\dfrac{8}{5}$

이차방정식 $ax^2+3ax+a+2=0$의 판별식을 D라고 하면

$D=(3a)^2-4\times a\times(a+2)=0$

$5a^2-8a=0$, $a(5a-8)=0$ $\quad\therefore a=0$ 또는 $a=\dfrac{8}{5}$

그런데 $ax^2+3ax+a+2$가 이차식이므로 $a\neq0$

$\therefore a=\dfrac{8}{5}$

054 답 두 근의 합: 5, 두 근의 곱: 7

055 답 두 근의 합: -4, 두 근의 곱: -2

056 답 두 근의 합: 2, 두 근의 곱: -9

057 답 두 근의 합: 0, 두 근의 곱: 11

058 답 두 근의 합: $\dfrac{1}{2}$, 두 근의 곱: 1

두 근의 합은 $-\dfrac{-1}{2}=\dfrac{1}{2}$

두 근의 곱은 $\dfrac{2}{2}=1$

059 답 두 근의 합: -2, 두 근의 곱: $-\dfrac{3}{2}$

두 근의 합은 $-\dfrac{4}{2}=-2$

두 근의 곱은 $\dfrac{-3}{2}=-\dfrac{3}{2}$

060 답 두 근의 합: 3, 두 근의 곱: $-\dfrac{1}{2}$

두 근의 합은 $-\dfrac{-6}{2}=3$

두 근의 곱은 $\dfrac{-1}{2}=-\dfrac{1}{2}$

061 답 두 근의 합: $-\dfrac{1}{3}$, 두 근의 곱: -1

두 근의 합은 $-\dfrac{1}{3}$

두 근의 곱은 $\dfrac{-3}{3}=-1$

062 답 두 근의 합: $\dfrac{1}{3}$, 두 근의 곱: 0

두 근의 합은 $-\dfrac{-1}{3}=\dfrac{1}{3}$

두 근의 곱은 $\dfrac{0}{3}=0$

063 답 3

064 답 7

065 답 $\dfrac{3}{7}$

$\dfrac{1}{\alpha}+\dfrac{1}{\beta}=\dfrac{\alpha+\beta}{\alpha\beta}=\dfrac{3}{7}$

066 답 -5

$\alpha^2+\beta^2=(\alpha+\beta)^2-2\alpha\beta$

$\qquad=3^2-2\times7=-5$

067 답 $-\dfrac{5}{7}$

$\dfrac{\beta}{\alpha}+\dfrac{\alpha}{\beta}=\dfrac{\alpha^2+\beta^2}{\alpha\beta}=\dfrac{-5}{7}=-\dfrac{5}{7}$

068 답 -36

$\alpha^3+\beta^3=(\alpha+\beta)^3-3\alpha\beta(\alpha+\beta)$
$\qquad=3^3-3\times7\times3=-36$

069 답 $-\dfrac{36}{7}$

$\dfrac{\beta^2}{\alpha}+\dfrac{\alpha^2}{\beta}=\dfrac{\alpha^3+\beta^3}{\alpha\beta}=\dfrac{-36}{7}=-\dfrac{36}{7}$

070 답 -2

071 답 -4

072 답 $\dfrac{1}{2}$

$\dfrac{1}{\alpha}+\dfrac{1}{\beta}=\dfrac{\alpha+\beta}{\alpha\beta}=\dfrac{-2}{-4}=\dfrac{1}{2}$

073 답 12

$\alpha^2+\beta^2=(\alpha+\beta)^2-2\alpha\beta$
$\qquad=(-2)^2-2\times(-4)=12$

074 답 -3

$\dfrac{\beta}{\alpha}+\dfrac{\alpha}{\beta}=\dfrac{\alpha^2+\beta^2}{\alpha\beta}=\dfrac{12}{-4}=-3$

075 답 -32

$\alpha^3+\beta^3=(\alpha+\beta)^3-3\alpha\beta(\alpha+\beta)$
$\qquad=(-2)^3-3\times(-4)\times(-2)=-32$

076 답 8

$\dfrac{\beta^2}{\alpha}+\dfrac{\alpha^2}{\beta}=\dfrac{\alpha^3+\beta^3}{\alpha\beta}=\dfrac{-32}{-4}=8$

077 답 $3k$, 5, 1, 6

078 답 -40

두 근의 비가 $2:5$이므로 두 근을 $2k$, $5k\,(k\neq0)$로 놓으면 근과 계수의 관계에 의하여
$2k+5k=14$ ······ ㉠
$2k\times5k=-m$ ······ ㉡
㉠에서 $7k=14$ $\quad\therefore k=2$
이를 ㉡에 대입하면
$40=-m$ $\quad\therefore m=-40$

079 답 -9 또는 9

두 근의 비가 $2:7$이므로 두 근을 $2k$, $7k\,(k\neq0)$로 놓으면 근과 계수의 관계에 의하여
$2k+7k=m$ ······ ㉠
$2k\times7k=14$ ······ ㉡
㉡에서 $14k^2=14$, $k^2=1$ $\quad\therefore k=\pm1$
이를 각각 ㉠에 대입하면 $m=-9$ 또는 $m=9$

080 답 -6

두 근의 비가 $3:4$이므로 두 근을 $3k$, $4k\,(k\neq0)$로 놓으면 근과 계수의 관계에 의하여
$3k+4k=\dfrac{7}{2}$ ······ ㉠
$3k\times4k=-\dfrac{m}{2}$ ······ ㉡
㉠에서 $7k=\dfrac{7}{2}$ $\quad\therefore k=\dfrac{1}{2}$
이를 ㉡에 대입하면 $\dfrac{3}{2}\times2=-\dfrac{m}{2}$ $\quad\therefore m=-6$

081 답 2α, 2α, 2α, 3, -18

082 답 20

한 근이 다른 근의 5배이므로 두 근을 α, $5\alpha\,(\alpha\neq0)$로 놓으면 근과 계수의 관계에 의하여
$\alpha+5\alpha=12$ ······ ㉠
$\alpha\times5\alpha=m$ ······ ㉡
㉠에서 $6\alpha=12$ $\quad\therefore \alpha=2$
이를 ㉡에 대입하면 $m=20$

083 답 -3 또는 2

한 근이 다른 근의 4배이므로 두 근을 α, $4\alpha\,(\alpha\neq0)$로 놓으면 근과 계수의 관계에 의하여
$\alpha+4\alpha=2m+1$ ······ ㉠
$\alpha\times4\alpha=4$ ······ ㉡
㉡에서 $4\alpha^2=4$, $\alpha^2=1$ $\quad\therefore \alpha=\pm1$
이를 각각 ㉠에 대입하여 풀면 $m=-3$ 또는 $m=2$

084 답 -1

한 근이 다른 근의 3배이므로 두 근을 α, $3\alpha\,(\alpha\neq0)$로 놓으면 근과 계수의 관계에 의하여
$\alpha+3\alpha=\dfrac{4}{3}$ ······ ㉠
$\alpha\times3\alpha=-\dfrac{m}{3}$ ······ ㉡
㉠에서 $4\alpha=\dfrac{4}{3}$ $\quad\therefore \alpha=\dfrac{1}{3}$
이를 ㉡에 대입하면 $\dfrac{1}{3}=-\dfrac{m}{3}$ $\quad\therefore m=-1$

085 답 4, $m-2$, -3, -1

086 답 $\dfrac{1}{4}$

두 근의 차가 2이므로 두 근을 α, $\alpha+2$로 놓으면 근과 계수의 관계에 의하여
$\alpha+(\alpha+2)=3$ ······ ㉠
$\alpha(\alpha+2)=5m$ ······ ㉡
㉠에서 $2\alpha=1$ $\quad\therefore \alpha=\dfrac{1}{2}$
이를 ㉡에 대입하면 $\dfrac{1}{2}\times\dfrac{5}{2}=5m$ $\quad\therefore m=\dfrac{1}{4}$

087 답 −3 또는 3

두 근의 차가 5이므로 두 근을 α, $\alpha+5$로 놓으면 근과 계수의 관계에 의하여

$\alpha+(\alpha+5)=m$ …… ㉠

$\alpha(\alpha+5)=-4$ …… ㉡

㉡에서 $\alpha^2+5\alpha+4=0$

$(\alpha+4)(\alpha+1)=0$

$\therefore \alpha=-4$ 또는 $\alpha=-1$

(ⅰ) $\alpha=-4$를 ㉠에 대입하면 $m=-3$

(ⅱ) $\alpha=-1$을 ㉠에 대입하면 $m=3$

(ⅰ), (ⅱ)에 의하여 $m=-3$ 또는 $m=3$

088 답 −10 또는 4

두 근의 차가 3이므로 두 근을 α, $\alpha+3$으로 놓으면 근과 계수의 관계에 의하여

$\alpha+(\alpha+3)=-m-3$ …… ㉠

$\alpha(\alpha+3)=10$ …… ㉡

㉡에서 $\alpha^2+3\alpha-10=0$, $(\alpha+5)(\alpha-2)=0$

$\therefore \alpha=-5$ 또는 $\alpha=2$

(ⅰ) $\alpha=-5$를 ㉠에 대입하면

$-5+(-2)=-m-3$ $\therefore m=4$

(ⅱ) $\alpha=2$를 ㉠에 대입하면

$2+5=-m-3$ $\therefore m=-10$

(ⅰ), (ⅱ)에 의하여 $m=-10$ 또는 $m=4$

089 답 1, 6, 6, $\alpha-2$, 5, 5

090 답 −6

두 근이 연속인 정수이므로 두 근을 α, $\alpha+1$로 놓으면 근과 계수의 관계에 의하여

$\alpha+(\alpha+1)=5$ …… ㉠

$\alpha(\alpha+1)=-m$ …… ㉡

㉠에서 $2\alpha=4$ $\therefore \alpha=2$

이를 ㉡에 대입하면

$2\times3=-m$ $\therefore m=-6$

091 답 1

두 근이 연속인 정수이므로 두 근을 α, $\alpha+1$로 놓으면 근과 계수의 관계에 의하여

$\alpha+(\alpha+1)=-3$ …… ㉠

$\alpha(\alpha+1)=-2m+4$ …… ㉡

㉠에서 $2\alpha=-4$ $\therefore \alpha=-2$

이를 ㉡에 대입하면

$-2\times(-1)=-2m+4$

$2m=2$ $\therefore m=1$

092 답 −2 또는 4

두 근이 연속인 정수이므로 두 근을 α, $\alpha+1$로 놓으면 근과 계수의 관계에 의하여

$\alpha+(\alpha+1)=m+1$ …… ㉠

$\alpha(\alpha+1)=m+2$ …… ㉡

㉠에서 $2\alpha+1=m+1$ $\therefore \alpha=\dfrac{m}{2}$

이를 ㉡에 대입하면

$\dfrac{m}{2}\times\dfrac{m+2}{2}=m+2$, $m^2-2m-8=0$

$(m+2)(m-4)=0$ $\therefore m=-2$ 또는 $m=4$

093 답 $x^2-6x+8=0$

두 근의 합은 $2+4=6$

두 근의 곱은 $2\times4=8$

따라서 구하는 이차방정식은

$x^2-6x+8=0$

094 답 $x^2+2x-15=0$

두 근의 합은 $-5+3=-2$

두 근의 곱은 $-5\times3=-15$

따라서 구하는 이차방정식은

$x^2+2x-15=0$

095 답 $x^2-2x+\dfrac{3}{4}=0$

두 근의 합은 $\dfrac{1}{2}+\dfrac{3}{2}=2$

두 근의 곱은 $\dfrac{1}{2}\times\dfrac{3}{2}=\dfrac{3}{4}$

따라서 구하는 이차방정식은

$x^2-2x+\dfrac{3}{4}=0$

096 답 $x^2-2=0$

두 근의 합은 $-\sqrt{2}+\sqrt{2}=0$

두 근의 곱은 $-\sqrt{2}\times\sqrt{2}=-2$

따라서 구하는 이차방정식은

$x^2-2=0$

097 답 $x^2+2x-2=0$

두 근의 합은 $(-1+\sqrt{3})+(-1-\sqrt{3})=-2$

두 근의 곱은 $(-1+\sqrt{3})(-1-\sqrt{3})=-2$

따라서 구하는 이차방정식은

$x^2+2x-2=0$

098 답 $x^2-2\sqrt{3}x+1=0$

두 근의 합은 $(\sqrt{3}-\sqrt{2})+(\sqrt{3}+\sqrt{2})=2\sqrt{3}$

두 근의 곱은 $(\sqrt{3}-\sqrt{2})(\sqrt{3}+\sqrt{2})=1$

따라서 구하는 이차방정식은

$x^2-2\sqrt{3}x+1=0$

099 답 $x^2+25=0$

두 근의 합은 $-5i+5i=0$
두 근의 곱은 $-5i\times5i=25$
따라서 구하는 이차방정식은
$x^2+25=0$

100 답 $x^2-2x+2=0$

두 근의 합은 $(1+i)+(1-i)=2$
두 근의 곱은 $(1+i)(1-i)=2$
따라서 구하는 이차방정식은
$x^2-2x+2=0$

101 답 $x^2-6x+10=0$

두 근의 합은 $(3-i)+(3+i)=6$
두 근의 곱은 $(3-i)(3+i)=10$
따라서 구하는 이차방정식은
$x^2-6x+10=0$

102 답 $x^2-2x+5=0$

두 근의 합은 $(1+2i)+(1-2i)=2$
두 근의 곱은 $(1+2i)(1-2i)=5$
따라서 구하는 이차방정식은
$x^2-2x+5=0$

103 답 $2x^2-7x+3=0$

두 근의 합은 $\dfrac{1}{2}+3=\dfrac{7}{2}$

두 근의 곱은 $\dfrac{1}{2}\times3=\dfrac{3}{2}$

따라서 구하는 이차방정식은
$2\left(x^2-\dfrac{7}{2}x+\dfrac{3}{2}\right)=0$ $\quad\therefore 2x^2-7x+3=0$

104 답 $2x^2-1=0$

두 근의 합은 $-\dfrac{\sqrt2}{2}+\dfrac{\sqrt2}{2}=0$

두 근의 곱은 $-\dfrac{\sqrt2}{2}\times\dfrac{\sqrt2}{2}=-\dfrac{1}{2}$

따라서 구하는 이차방정식은
$2\left(x^2-\dfrac{1}{2}\right)=0$ $\quad\therefore 2x^2-1=0$

105 답 $2x^2-2x+1=0$

두 근의 합은
$\dfrac{1}{1+i}+\dfrac{1}{1-i}=\dfrac{1-i+1+i}{(1+i)(1-i)}=\dfrac{2}{1-i^2}=1$
두 근의 곱은
$\dfrac{1}{1+i}\times\dfrac{1}{1-i}=\dfrac{1}{1-i^2}=\dfrac{1}{2}$
따라서 구하는 이차방정식은
$2\left(x^2-x+\dfrac{1}{2}\right)=0$ $\quad\therefore 2x^2-2x+1=0$

106 답 $x^2-2x+3=0$

$\alpha+\beta=-2$, $\alpha\beta=3$이므로
$-\alpha+(-\beta)=-(\alpha+\beta)=-(-2)=2$
$-\alpha\times(-\beta)=\alpha\beta=3$
따라서 구하는 이차방정식은
$x^2-2x+3=0$

107 답 $x^2+2=0$

$(\alpha+1)+(\beta+1)=\alpha+\beta+2=-2+2=0$
$(\alpha+1)(\beta+1)=\alpha\beta+\alpha+\beta+1=3+(-2)+1=2$
따라서 구하는 이차방정식은
$x^2+2=0$

108 답 $x^2-x-6=0$

$(\alpha+\beta)+\alpha\beta=-2+3=1$, $(\alpha+\beta)\times\alpha\beta=-2\times3=-6$
따라서 구하는 이차방정식은
$x^2-x-6=0$

109 답 $x^2+\dfrac{2}{3}x+\dfrac{1}{3}=0$

$\dfrac{1}{\alpha}+\dfrac{1}{\beta}=\dfrac{\alpha+\beta}{\alpha\beta}=-\dfrac{2}{3}$, $\dfrac{1}{\alpha}\times\dfrac{1}{\beta}=\dfrac{1}{\alpha\beta}=\dfrac{1}{3}$

따라서 구하는 이차방정식은
$x^2+\dfrac{2}{3}x+\dfrac{1}{3}=0$

110 답 b, a, -2, $x^2-2x-12=0$

111 답 $x^2-8x+10=0$

(i) 창민이는 a는 잘못 보았지만 x^2의 계수와 b는 바르게 보고 풀었으므로 두 근의 곱은
$b=2\times5=10$

(ii) 민지는 b는 잘못 보았지만 x^2의 계수와 a는 바르게 보고 풀었으므로 두 근의 합은
$-a=(4-i)+(4+i)$ $\quad\therefore a=-8$

(i), (ii)에 의하여 처음 이차방정식은
$x^2-8x+10=0$

112 답 -1, 3

(i) 윤아는 a는 잘못 보았지만 x^2의 계수와 b는 바르게 보고 풀었으므로 두 근의 곱은
$b=(2-\sqrt7)(2+\sqrt7)=-3$

(ii) 지연이는 b는 잘못 보았지만 x^2의 계수와 a는 바르게 보고 풀었으므로 두 근의 합은
$-a=(1+2i)+(1-2i)$ $\quad\therefore a=-2$

(i), (ii)에 의하여 처음 이차방정식은
$x^2-2x-3=0$
이 이차방정식을 풀면
$(x+1)(x-3)=0$ $\quad\therefore x=-1$ 또는 $x=3$

113 답 $(x+\sqrt{3})(x-\sqrt{3})$

$x^2-3=0$의 근이 $x=\pm\sqrt{3}$이므로
$x^2-3=(x+\sqrt{3})(x-\sqrt{3})$

114 답 $(x+2i)(x-2i)$

$x^2+4=0$의 근이 $x=\pm2i$이므로
$x^2+4=(x+2i)(x-2i)$

115 답 $(x+\sqrt{5}i)(x-\sqrt{5}i)$

$x^2+5=0$의 근이 $x=\pm\sqrt{5}i$이므로
$x^2+5=(x+\sqrt{5}i)(x-\sqrt{5}i)$

116 답 $\left(x+\dfrac{1-\sqrt{5}}{2}\right)\left(x+\dfrac{1+\sqrt{5}}{2}\right)$

$x^2+x-1=0$의 근이 $x=\dfrac{-1\pm\sqrt{5}}{2}$이므로
$$x^2+x-1=\left(x-\frac{-1+\sqrt{5}}{2}\right)\left(x-\frac{-1-\sqrt{5}}{2}\right)$$
$$=\left(x+\frac{1-\sqrt{5}}{2}\right)\left(x+\frac{1+\sqrt{5}}{2}\right)$$

117 답 $\left(x-\dfrac{3+\sqrt{7}i}{2}\right)\left(x-\dfrac{3-\sqrt{7}i}{2}\right)$

$x^2-3x+4=0$의 근이 $x=\dfrac{3\pm\sqrt{7}i}{2}$이므로
$$x^2-3x+4=\left(x-\frac{3+\sqrt{7}i}{2}\right)\left(x-\frac{3-\sqrt{7}i}{2}\right)$$

118 답 $(x+1-\sqrt{3}i)(x+1+\sqrt{3}i)$

$x^2+2x+4=0$의 근이 $x=-1\pm\sqrt{3}i$이므로
$$x^2+2x+4=\{x-(-1+\sqrt{3}i)\}\{x-(-1-\sqrt{3}i)\}$$
$$=(x+1-\sqrt{3}i)(x+1+\sqrt{3}i)$$

119 답 $(x+2-\sqrt{6})(x+2+\sqrt{6})$

$x^2+4x-2=0$의 근이 $x=-2\pm\sqrt{6}$이므로
$$x^2+4x-2=\{x-(-2+\sqrt{6})\}\{x-(-2-\sqrt{6})\}$$
$$=(x+2-\sqrt{6})(x+2+\sqrt{6})$$

120 답 $(x-3-2\sqrt{3})(x-3+2\sqrt{3})$

$x^2-6x-3=0$의 근이 $x=3\pm2\sqrt{3}$이므로
$$x^2-6x-3=\{x-(3+2\sqrt{3})\}\{x-(3-2\sqrt{3})\}$$
$$=(x-3-2\sqrt{3})(x-3+2\sqrt{3})$$

121 답 $2\left(x+\dfrac{1-\sqrt{15}}{2}\right)\left(x+\dfrac{1+\sqrt{15}}{2}\right)$

$2x^2+2x-7=0$의 근이 $x=\dfrac{-1\pm\sqrt{15}}{2}$이므로
$$2x^2+2x-7=2\left(x-\frac{-1+\sqrt{15}}{2}\right)\left(x-\frac{-1-\sqrt{15}}{2}\right)$$
$$=2\left(x+\frac{1-\sqrt{15}}{2}\right)\left(x+\frac{1+\sqrt{15}}{2}\right)$$

122 답 $3\left(x-\dfrac{2+\sqrt{11}i}{3}\right)\left(x-\dfrac{2-\sqrt{11}i}{3}\right)$

$3x^2-4x+5=0$의 근이 $x=\dfrac{2\pm\sqrt{11}i}{3}$이므로
$$3x^2-4x+5=3\left(x-\frac{2+\sqrt{11}i}{3}\right)\left(x-\frac{2-\sqrt{11}i}{3}\right)$$

123 답 나머지 한 근: $1-\sqrt{3}$, $a=-2$, $b=-2$

주어진 이차방정식의 계수가 모두 유리수이므로 한 근이 $1+\sqrt{3}$이
면 나머지 한 근은 $1-\sqrt{3}$이다.
따라서 근과 계수의 관계에 의하여
$a=-\{(1+\sqrt{3})+(1-\sqrt{3})\}=-2$
$b=(1+\sqrt{3})(1-\sqrt{3})=-2$

124 답 나머지 한 근: $3+\sqrt{2}$, $a=-6$, $b=7$

주어진 이차방정식의 계수가 모두 유리수이므로 한 근이 $3-\sqrt{2}$이
면 나머지 한 근은 $3+\sqrt{2}$이다.
따라서 근과 계수의 관계에 의하여
$a=-\{(3-\sqrt{2})+(3+\sqrt{2})\}=-6$
$b=(3-\sqrt{2})(3+\sqrt{2})=7$

125 답 나머지 한 근: $-2-\sqrt{5}$, $a=4$, $b=-1$

주어진 이차방정식의 계수가 모두 유리수이므로 한 근이 $-2+\sqrt{5}$
이면 나머지 한 근은 $-2-\sqrt{5}$이다.
따라서 근과 계수의 관계에 의하여
$a=-\{(-2+\sqrt{5})+(-2-\sqrt{5})\}=4$
$b=(-2+\sqrt{5})(-2-\sqrt{5})=-1$

126 답 나머지 한 근: $3+2\sqrt{2}$, $a=-6$, $b=1$

주어진 이차방정식의 계수가 모두 유리수이므로 한 근이 $3-2\sqrt{2}$
이면 나머지 한 근은 $3+2\sqrt{2}$이다.
따라서 근과 계수의 관계에 의하여
$a=-\{(3-2\sqrt{2})+(3+2\sqrt{2})\}=-6$
$b=(3-2\sqrt{2})(3+2\sqrt{2})=1$

127 답 나머지 한 근: $-2-i$, $a=4$, $b=5$

주어진 이차방정식의 계수가 모두 실수이므로 한 근이 $-2+i$이
면 나머지 한 근은 $-2-i$이다.
따라서 근과 계수의 관계에 의하여
$a=-\{(-2+i)+(-2-i)\}=4$
$b=(-2+i)(-2-i)=5$

128 답 나머지 한 근: $1-3i$, $a=-2$, $b=10$

주어진 이차방정식의 계수가 모두 실수이므로 한 근이 $1+3i$이면
나머지 한 근은 $1-3i$이다.
따라서 근과 계수의 관계에 의하여
$a=-\{(1+3i)+(1-3i)\}=-2$
$b=(1+3i)(1-3i)=10$

129 🔺 나머지 한 근: $3+\sqrt{6}i$, $a=-6$, $b=15$

주어진 이차방정식의 계수가 모두 실수이므로 한 근이 $3-\sqrt{6}i$이면 나머지 한 근은 $3+\sqrt{6}i$이다.
따라서 근과 계수의 관계에 의하여
$a=-\{(3-\sqrt{6}i)+(3+\sqrt{6}i)\}=-6$
$b=(3-\sqrt{6}i)(3+\sqrt{6}i)=15$

130 🔺 나머지 한 근: $1-2\sqrt{2}i$, $a=-2$, $b=9$

주어진 이차방정식의 계수가 모두 실수이므로 한 근이 $1+2\sqrt{2}i$이면 나머지 한 근은 $1-2\sqrt{2}i$이다.
따라서 근과 계수의 관계에 의하여
$a=-\{(1+2\sqrt{2}i)+(1-2\sqrt{2}i)\}=-2$
$b=(1+2\sqrt{2}i)(1-2\sqrt{2}i)=9$

연산 유형 **최종 점검**하기

72~73쪽

1 2 **2** ④ **3** ⑤ **4** ④ **5** ② **6** $\dfrac{3}{8}$ **7** -3 **8** ① **9** ②
10 ② **11** ② **12** ㄱ, ㄴ **13** ③

1 $x^2-(a+2)x+2a=0$에 $x=4$를 대입하면
$16-4a-8+2a=0$ $\quad\therefore a=4$
$a=4$를 주어진 방정식에 대입하면
$x^2-6x+8=0$, $(x-2)(x-4)=0$
$\therefore x=2$ 또는 $x=4$
따라서 다른 한 근은 2이다.

2 $x^2+|x-2|-4=0$에서
(ⅰ) $x<2$일 때
$x^2-(x-2)-4=0$, $x^2-x-2=0$
$(x+1)(x-2)=0$ $\quad\therefore x=-1$ 또는 $x=2$
그런데 $x<2$이므로 $x=-1$
(ⅱ) $x\geq2$일 때
$x^2+(x-2)-4=0$, $x^2+x-6=0$
$(x+3)(x-2)=0$ $\quad\therefore x=-3$ 또는 $x=2$
그런데 $x\geq2$이므로 $x=2$
(ⅰ), (ⅱ)에 의하여 주어진 방정식의 해는
$x=-1$ 또는 $x=2$
따라서 모든 근의 합은
$-1+2=1$

3 각 이차방정식의 판별식을 D라고 하면
ㄱ. $\dfrac{D}{4}=(-1)^2-1\times5=-4<0$
ㄴ. $\dfrac{D}{4}=2^2-2\times(-11)=26>0$
ㄷ. $D=(\sqrt{13})^2-4\times3\times(-2)=37>0$
ㄹ. $\dfrac{D}{4}=(-6)^2-4\times9=0$
따라서 실근을 갖는 이차방정식은 ㄴ, ㄷ, ㄹ이다.

4 $x^2+4kx+4k^2+k-2=0$의 판별식을 D라고 하면
$\dfrac{D}{4}=(2k)^2-1\times(4k^2+k-2)=-k+2=0$
$\therefore k=2$

5 $x^2-2kx+k^2+k+3=0$의 판별식을 D라고 하면
$\dfrac{D}{4}=(-k)^2-1\times(k^2+k+3)=-k-3<0$
$\therefore k>-3$
따라서 정수 k의 최솟값은 -2이다.

6 이차방정식 $ax^2+3x+6=0$의 판별식을 D라고 하면
$D=3^2-4\times a\times6=9-24a=0$
$\therefore a=\dfrac{3}{8}$

7 근과 계수의 관계에 의하여 $\alpha+\beta=-3$, $\alpha\beta=4$이므로
$\alpha^2-\alpha\beta+\beta^2=(\alpha+\beta)^2-3\alpha\beta$
$\qquad\qquad\qquad\quad=(-3)^2-3\times4$
$\qquad\qquad\qquad\quad=-3$

8 한 근이 다른 근의 3배이므로 두 근을 α, 3α $(\alpha\neq0)$로 놓으면
근과 계수의 관계에 의하여
$\alpha+3\alpha=-4k$ $\qquad\cdots\cdots$ ㉠
$\alpha\times3\alpha=2k^2+4$ $\qquad\cdots\cdots$ ㉡
㉠에서 $\alpha=-k$를 ㉡에 대입하여 정리하면
$k^2=4$ $\quad\therefore k=\pm2$
따라서 모든 실수 k의 값의 곱은
$-2\times2=-4$

9 두 근의 차가 4이므로 두 근을 α, $\alpha+4$로 놓으면 근과 계수의 관계에 의하여
$\alpha+(\alpha+4)=m$ $\qquad\cdots\cdots$ ㉠
$\alpha(\alpha+4)=m+4$ $\qquad\cdots\cdots$ ㉡
㉠에서 $\alpha=\dfrac{m-4}{2}$를 ㉡에 대입하여 정리하면
$m^2-4m-32=0$, $(m+4)(m-8)=0$
$\therefore m=-4$ 또는 $m=8$
그런데 m은 양수이므로 $m=8$

10 근과 계수의 관계에 의하여 $\alpha+\beta=3$, $\alpha\beta=3$이므로

$$\frac{1}{\alpha-1}+\frac{1}{\beta-1}=\frac{\alpha-1+\beta-1}{(\alpha-1)(\beta-1)}$$
$$=\frac{(\alpha+\beta)-2}{\alpha\beta-(\alpha+\beta)+1}$$
$$=\frac{3-2}{3-3+1}=1$$

$$\frac{1}{\alpha-1}\times\frac{1}{\beta-1}=\frac{1}{\alpha\beta-(\alpha+\beta)+1}$$
$$=\frac{1}{3-3+1}=1$$

따라서 $\dfrac{1}{\alpha-1}$, $\dfrac{1}{\beta-1}$을 두 근으로 하고 x^2의 계수가 1인 이차방정식은

$$x^2-x+1=0$$

11 (i) 지수는 a는 잘못 보았지만 x^2의 계수와 b는 바르게 보고 풀었으므로 두 근의 곱은

$$b=(3+i)(3-i)=10$$

(ii) 민지는 b는 잘못 보았지만 x^2의 계수와 a는 바르게 보고 풀었으므로 두 근의 합은

$$-a=(4+\sqrt{3})+(4-\sqrt{3})$$
$$\therefore a=-8$$

(i), (ii)에 의하여 $a=-8$, $b=10$이므로

$$a+b=2$$

12 ㄱ. $x^2+2=0$의 근은 $x=\pm\sqrt{2}i$이므로

$$x^2+2=(x+\sqrt{2}i)(x-\sqrt{2}i)$$

ㄴ. $x^2-4x+1=0$의 근은 $x=2\pm\sqrt{3}$이므로

$$x^2-4x+1=\{x-(2+\sqrt{3})\}\{x-(2-\sqrt{3})\}$$
$$=(x-2-\sqrt{3})(x-2+\sqrt{3})$$

ㄷ. $x^2+5x+9=0$의 근은 $x=\dfrac{-5\pm\sqrt{11}i}{2}$이므로

$$x^2+5x+9=\left(x-\frac{-5+\sqrt{11}i}{2}\right)\left(x-\frac{-5-\sqrt{11}i}{2}\right)$$
$$=\left(x+\frac{5-\sqrt{11}i}{2}\right)\left(x+\frac{5+\sqrt{11}i}{2}\right)$$

ㄹ. $2x^2+2x-3=0$의 근은 $x=\dfrac{-1\pm\sqrt{7}}{2}$이므로

$$2x^2+2x-3=2\left(x-\frac{-1+\sqrt{7}}{2}\right)\left(x-\frac{-1-\sqrt{7}}{2}\right)$$
$$=2\left(x+\frac{1-\sqrt{7}}{2}\right)\left(x+\frac{1+\sqrt{7}}{2}\right)$$

따라서 보기 중 옳은 것은 ㄱ, ㄴ이다.

13 주어진 이차방정식의 계수가 모두 실수이므로 한 근이 $-2-4i$이면 다른 한 근은 $-2+4i$이다.

따라서 근과 계수의 관계에 의하여

$$a=-\{(-2-4i)+(-2+4i)\}=4$$
$$b=(-2-4i)(-2+4i)=20$$
$$\therefore \frac{b}{a}=5$$

05 이차방정식과 이차함수

001 답

002 답

003 답

004 답

005 답 풀이 참조

$y=x^2-6x-1=(x-3)^2-10$이므로 그래프는 오른쪽 그림과 같다.

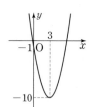

006 답 풀이 참조

$y=2x^2+4x+3=2(x+1)^2+1$이므로 그래프는 오른쪽 그림과 같다.

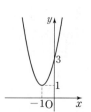

007 답 풀이 참조

$y=-x^2-4x+2=-(x+2)^2+6$이므로 그래프는 오른쪽 그림과 같다.

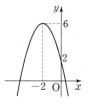

008 답 1, 4

009 답 0, 3

010 답 1

011 답 -2, 2

012 답 $(0, 0)$, $(2, 0)$

$x^2-2x=0$에서 $x(x-2)=0$ ∴ $x=0$ 또는 $x=2$
따라서 구하는 교점의 좌표는 $(0, 0)$, $(2, 0)$

013 답 $(1, 0)$, $(6, 0)$

$x^2-7x+6=0$에서 $(x-1)(x-6)=0$ ∴ $x=1$ 또는 $x=6$
따라서 구하는 교점의 좌표는 $(1, 0)$, $(6, 0)$

014 답 $(-2, 0)$

$x^2+4x+4=0$에서 $(x+2)^2=0$ ∴ $x=-2$ (중근)
따라서 구하는 교점의 좌표는 $(-2, 0)$

015 답 $(-2, 0)$, $\left(\dfrac{3}{2}, 0\right)$

$2x^2+x-6=0$에서
$(x+2)(2x-3)=0$ ∴ $x=-2$ 또는 $x=\dfrac{3}{2}$
따라서 구하는 교점의 좌표는 $(-2, 0)$, $\left(\dfrac{3}{2}, 0\right)$

016 답 $(-1, 0)$, $(5, 0)$

$-x^2+4x+5=0$에서 $x^2-4x-5=0$
$(x+1)(x-5)=0$ ∴ $x=-1$ 또는 $x=5$
따라서 구하는 교점의 좌표는 $(-1, 0)$, $(5, 0)$

017 답 $(5, 0)$

$-x^2+10x-25=0$에서 $x^2-10x+25=0$
$(x-5)^2=0$ ∴ $x=5$ (중근)
따라서 구하는 교점의 좌표는 $(5, 0)$

018 답 서로 다른 두 점에서 만난다.

$x^2+x-7=0$의 판별식을 D라고 하면
$D=1^2-4\times1\times(-7)=29>0$
따라서 함수 $y=x^2+x-7$의 그래프는 x축과 서로 다른 두 점에서 만난다.

019 답 한 점에서 만난다(접한다).

$x^2-6x+9=0$의 판별식을 D라고 하면
$\dfrac{D}{4}=(-3)^2-1\times9=0$
따라서 함수 $y=x^2-6x+9$의 그래프는 x축과 한 점에서 만난다
(접한다).

020 답 만나지 않는다.

$-x^2+2x-3=0$의 판별식을 D라고 하면
$\dfrac{D}{4}=1^2-(-1)\times(-3)=-2<0$
따라서 함수 $y=-x^2+2x-3$의 그래프는 x축과 만나지 않는다.

021 답 만나지 않는다.

$2x^2+5x+4=0$의 판별식을 D라고 하면
$D=5^2-4\times2\times4=-7<0$
따라서 함수 $y=2x^2+5x+4$의 그래프는 x축과 만나지 않는다.

022 답 한 점에서 만난다(접한다).

$4x^2-4x+1=0$의 판별식을 D라고 하면
$\dfrac{D}{4}=(-2)^2-4\times1=0$
따라서 함수 $y=4x^2-4x+1$의 그래프는 x축과 한 점에서 만난다
(접한다).

023 답 서로 다른 두 점에서 만난다.

$-3x^2-2x+1=0$의 판별식을 D라고 하면
$\dfrac{D}{4}=(-1)^2-(-3)\times1=4>0$
따라서 함수 $y=-3x^2-2x+1$의 그래프는 x축과 서로 다른 두 점에서 만난다.

024 답 $x^2+2x+k=0$, $>$, 1

025 답 $k>-\dfrac{9}{4}$

$x^2-3x-k=0$의 판별식을 D라고 하면
$D=(-3)^2-4\times1\times(-k)=9+4k>0$
∴ $k>-\dfrac{9}{4}$

026 답 $k<\dfrac{1}{2}$

$x^2+2(k-1)x+k^2=0$의 판별식을 D라고 하면
$\dfrac{D}{4}=(k-1)^2-1\times k^2=-2k+1>0$
∴ $k<\dfrac{1}{2}$

027 답 중근, $=$, -1

028 답 -2

$-x^2-4x+2k=0$의 판별식을 D라고 하면
$\dfrac{D}{4}=(-2)^2-(-1)\times2k=4+2k=0$
∴ $k=-2$

029 답 -4 또는 4

$x^2+kx+4=0$의 판별식을 D라고 하면
$D=k^2-4\times1\times4=k^2-16=0$
$(k+4)(k-4)=0$ ∴ $k=-4$ 또는 $k=4$

030 답 $<$, $\dfrac{25}{4}$

031 답 $k>\dfrac{9}{4}$

$x^2+x+k-2=0$의 판별식을 D라고 하면
$D=1^2-4\times1\times(k-2)=9-4k<0$
$\therefore k>\dfrac{9}{4}$

032 답 $k<2$

$x^2-2kx+k^2-3k+6=0$의 판별식을 D라고 하면
$\dfrac{D}{4}=(-k)^2-1\times(k^2-3k+6)=3k-6<0$
$\therefore k<2$

033 답 -4, 2

$x^2+4x+1=2x+9$에서 $x^2+2x-8=0$
$(x+4)(x-2)=0$ $\therefore x=-4$ 또는 $x=2$
따라서 구하는 x좌표는 -4, 2이다.

034 답 2, 4

$x^2-7x+4=-x-4$에서 $x^2-6x+8=0$
$(x-2)(x-4)=0$ $\therefore x=2$ 또는 $x=4$
따라서 구하는 x좌표는 2, 4이다.

035 답 4

$-x^2+3x-10=-5x+6$에서 $x^2-8x+16=0$
$(x-4)^2=0$ $\therefore x=4$ (중근)
따라서 구하는 x좌표는 4이다.

036 답 $\dfrac{5}{2}$, 3

$2x^2-4x+13=7x-2$에서 $2x^2-11x+15=0$
$(2x-5)(x-3)=0$ $\therefore x=\dfrac{5}{2}$ 또는 $x=3$

따라서 구하는 x좌표는 $\dfrac{5}{2}$, 3이다.

037 답 한 점에서 만난다(접한다).

$x^2-5x+4=x-5$에서 $x^2-6x+9=0$
이 이차방정식의 판별식을 D라고 하면
$\dfrac{D}{4}=(-3)^2-1\times9=0$
따라서 주어진 이차함수의 그래프와 직선은 한 점에서 만난다(접한다).

038 답 서로 다른 두 점에서 만난다.

$x^2+3x-2=4x-1$에서 $x^2-x-1=0$
이 이차방정식의 판별식을 D라고 하면
$D=(-1)^2-4\times1\times(-1)=5>0$
따라서 주어진 이차함수의 그래프와 직선은 서로 다른 두 점에서 만난다.

039 답 서로 다른 두 점에서 만난다.

$-x^2-4x+3=2x+1$에서 $x^2+6x-2=0$
이 이차방정식의 판별식을 D라고 하면
$\dfrac{D}{4}=3^2-1\times(-2)=11>0$
따라서 주어진 이차함수의 그래프와 직선은 서로 다른 두 점에서 만난다.

040 답 만나지 않는다.

$2x^2+x-1=-3x-4$에서
$2x^2+4x+3=0$
이 이차방정식의 판별식을 D라고 하면
$\dfrac{D}{4}=2^2-2\times3=-2<0$
따라서 주어진 이차함수의 그래프와 직선은 만나지 않는다.

041 답 $k<2$

$x^2-3x+k=x-2$에서 $x^2-4x+k+2=0$
이 이차방정식의 판별식을 D라고 하면
$\dfrac{D}{4}=(-2)^2-1\times(k+2)=-k+2$
이때 이차함수의 그래프와 직선이 서로 다른 두 점에서 만나려면 $D>0$이어야 하므로
$-k+2>0$ $\therefore k<2$

042 답 $k=2$

이차함수의 그래프와 직선이 접하려면 $D=0$이어야 하므로
$-k+2=0$ $\therefore k=2$

043 답 $k>2$

이차함수의 그래프와 직선이 만나지 않으려면 $D<0$이어야 하므로
$-k+2<0$ $\therefore k>2$

044 답 $k<4$

$-x^2+4x-2k=-2x+1$에서
$x^2-6x+2k+1=0$
이 이차방정식의 판별식을 D라고 하면
$\dfrac{D}{4}=(-3)^2-1\times(2k+1)=-2k+8$
이때 이차함수의 그래프와 직선이 서로 다른 두 점에서 만나려면 $D>0$이어야 하므로
$-2k+8>0$ $\therefore k<4$

045 답 $k=4$

이차함수의 그래프와 직선이 접하려면 $D=0$이어야 하므로
$-2k+8=0$ $\therefore k=4$

046 답 $k>4$

이차함수의 그래프와 직선이 만나지 않으려면 $D<0$이어야 하므로
$-2k+8<0$ $\therefore k>4$

047 답 $k < -\dfrac{3}{4}$

$x^2+3x+1=2x-k$에서 $x^2+x+k+1=0$
이 이차방정식의 판별식을 D라고 하면
$D=1^2-4\times1\times(k+1)=-4k-3$
이때 이차함수의 그래프와 직선이 서로 다른 두 점에서 만나려면
$D>0$이어야 하므로
$-4k-3>0$ $\quad\therefore k<-\dfrac{3}{4}$

048 답 $k = -\dfrac{3}{4}$

이차함수의 그래프와 직선이 접하려면 $D=0$이어야 하므로
$-4k-3=0$ $\quad\therefore k=-\dfrac{3}{4}$

049 답 $k > -\dfrac{3}{4}$

이차함수의 그래프와 직선이 만나지 않으려면 $D<0$이어야 하므로
$-4k-3<0$ $\quad\therefore k>-\dfrac{3}{4}$

050 답 $k > -\dfrac{7}{2}$

$2x^2+x-3=-x+k$에서 $2x^2+2x-k-3=0$
이 이차방정식의 판별식을 D라고 하면
$\dfrac{D}{4}=1^2-2\times(-k-3)=2k+7$
이때 이차함수의 그래프와 직선이 서로 다른 두 점에서 만나려면
$D>0$이어야 하므로
$2k+7>0$ $\quad\therefore k>-\dfrac{7}{2}$

051 답 $k = -\dfrac{7}{2}$

이차함수의 그래프와 직선이 접하려면 $D=0$이어야 하므로
$2k+7=0$ $\quad\therefore k=-\dfrac{7}{2}$

052 답 $k < -\dfrac{7}{2}$

이차함수의 그래프와 직선이 만나지 않으려면 $D<0$이어야 하므로
$2k+7<0$ $\quad\therefore k<-\dfrac{7}{2}$

053 답 최댓값: 없다., 최솟값: 7

최댓값은 없고, $x=-4$일 때 최솟값은 7이다.

054 답 최댓값: -3, 최솟값: 없다.

$x=2$일 때 최댓값은 -3이고, 최솟값은 없다.

055 답 최댓값: 없다., 최솟값: -2

최댓값은 없고, $x=0$일 때 최솟값은 -2이다.

056 답 최댓값: 없다., 최솟값: -11

$y=x^2+8x+5=(x+4)^2-11$
따라서 최댓값은 없고, $x=-4$일 때 최솟값은 -11이다.

057 답 최댓값: 4, 최솟값: 없다.

$y=-x^2+2x+3=-(x-1)^2+4$
따라서 $x=1$일 때 최댓값은 4이고, 최솟값은 없다.

058 답 최댓값: 27, 최솟값: 없다.

$y=-2x^2-12x+9=-2(x+3)^2+27$
따라서 $x=-3$일 때 최댓값은 27이고, 최솟값은 없다.

059 답 $p=4$, $q=8$

$x=-2$에서 최솟값 4를 가지므로
$y=(x+2)^2+4=x^2+4x+8$
$\therefore p=4$, $q=8$

060 답 $p=2$, $q=-6$

$x=1$에서 최댓값 -5를 가지므로
$y=-(x-1)^2-5=-x^2+2x-6$
$\therefore p=2$, $q=-6$

061 답 $p=-1$, $q=-3$

$x=3$에서 최솟값 -6을 가지므로
$y=(x-3)^2-6=x^2-6x+3$
따라서 $6p=-6$, $-q=3$이므로 $p=-1$, $q=-3$

062 답 $p=-3$, $q=-17$

$x=-3$에서 최솟값 -1을 가지므로
$y=2(x+3)^2-1=2x^2+12x+17$
따라서 $-4p=12$, $-q=17$이므로 $p=-3$, $q=-17$

063 답 $p=2$, $q=3$

$x=-1$에서 최댓값 13을 가지므로
$y=-4(x+1)^2+13=-4x^2-8x+9$
따라서 $4p=8$, $3q=9$이므로 $p=2$, $q=3$

064 답 6

$y=x^2-2x+k=(x-1)^2+k-1$
따라서 $x=1$일 때, 최솟값은 $k-1$이므로
$k-1=5$ $\quad\therefore k=6$

065 답 -1

$y=x^2+4x-k=(x+2)^2-k-4$
따라서 $x=-2$일 때, 최솟값은 $-k-4$이므로
$-k-4=-3$ $\quad\therefore k=-1$

066 답 2

$y=-x^2-2x+k+1=-(x+1)^2+k+2$
따라서 $x=-1$일 때, 최댓값은 $k+2$이므로
$k+2=4$ $\quad\therefore k=2$

067 답 7

$y=3x^2-12x+2k=3(x-2)^2+2k-12$

따라서 $x=2$일 때, 최솟값은 $2k-12$이므로

$2k-12=2$ ∴ $k=7$

068 답 −2

$y=-2x^2+8x-k=-2(x-2)^2-k+8$

따라서 $x=2$일 때, 최댓값은 $-k+8$이므로

$-k+8=10$ ∴ $k=-2$

069 답 2, −2

070 답 최댓값: 1, 최솟값: −7

$-1\leq x\leq1$에서 주어진 이차함수의 그래프는 오른쪽 그림과 같다.

따라서 $x=1$일 때 최댓값은 1이고,

$x=-1$일 때 최솟값은 −7이다.

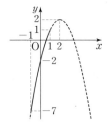

071 답 최댓값: 1, 최솟값: −2

$3\leq x\leq4$에서 주어진 이차함수의 그래프는 오른쪽 그림과 같다.

따라서 $x=3$일 때 최댓값은 1이고,

$x=4$일 때 최솟값은 −2이다.

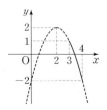

072 답 최댓값: 3, 최솟값: 2

$y=x^2-2x+3=(x-1)^2+2$

이므로 $0\leq x\leq2$에서 이 이차함수의 그래프는 오른쪽 그림과 같다.

따라서 $x=0$ 또는 $x=2$일 때 최댓값은 3이고, $x=1$일 때 최솟값은 2이다.

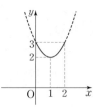

073 답 최댓값: 11, 최솟값: 2

$1\leq x\leq4$에서 주어진 이차함수의 그래프는 오른쪽 그림과 같다.

따라서 $x=4$일 때 최댓값은 11이고,

$x=1$일 때 최솟값은 2이다.

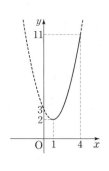

074 답 최댓값: 6, 최솟값: 3

$-1\leq x\leq0$에서 주어진 이차함수의 그래프는 오른쪽 그림과 같다.

따라서 $x=-1$일 때 최댓값은 6이고,

$x=0$일 때 최솟값은 3이다.

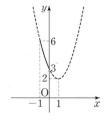

075 답 최댓값: 1, 최솟값: −3

$y=-x^2+4x-3=-(x-2)^2+1$

이므로 $1\leq x\leq4$에서 이 이차함수의 그래프는 오른쪽 그림과 같다.

따라서 $x=2$일 때 최댓값은 1이고,

$x=4$일 때 최솟값은 −3이다.

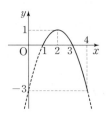

076 답 최댓값: 0, 최솟값: −8

$3\leq x\leq5$에서 주어진 이차함수의 그래프는 오른쪽 그림과 같다.

따라서 $x=3$일 때 최댓값은 0이고,

$x=5$일 때 최솟값은 −8이다.

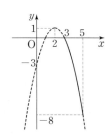

077 답 최댓값: 0, 최솟값: −15

$-2\leq x\leq1$에서 주어진 이차함수의 그래프는 오른쪽 그림과 같다.

따라서 $x=1$일 때 최댓값은 0이고,

$x=-2$일 때 최솟값은 −15이다.

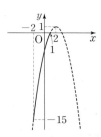

078 답 최댓값: 5, 최솟값: −3

$y=2x^2+4x-1=2(x+1)^2-3$이므로

$-3\leq x\leq0$에서 이 이차함수의 그래프는 오른쪽 그림과 같다.

따라서 $x=-3$일 때 최댓값은 5이고,

$x=-1$일 때 최솟값은 −3이다.

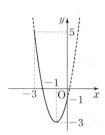

079 답 최댓값: 15, 최솟값: −1

$-4\leq x\leq-2$에서 주어진 이차함수의 그래프는 오른쪽 그림과 같다.

따라서 $x=-4$일 때 최댓값은 15이고,

$x=-2$일 때 최솟값은 −1이다.

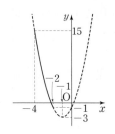

080 답 최댓값: 15, 최솟값: 5

$1 \leq x \leq 2$에서 주어진 이차함수의 그래프는
오른쪽 그림과 같다.

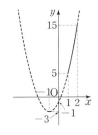

따라서 $x=2$일 때 최댓값은 15이고,
$x=1$일 때 최솟값은 5이다.

081 답 2, 4, 12

082 답 -6

$f(x) = x^2 + 6x + k$
$\qquad = (x+3)^2 + k - 9$

이므로 $-4 \leq x \leq -1$에서 이 이차함
수의 그래프는 오른쪽 그림과 같다.

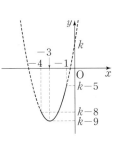

이때 꼭짓점의 x좌표 -3이
$-4 \leq x \leq -1$에 속하므로 $x=-1$일
때 최댓값은 $k-5$이다.
즉, $k-5=-2$이므로 $k=3$
따라서 $x=-3$일 때 최솟값은 $k-9=-6$

083 답 5

$f(x) = -x^2 - 4x + k$
$\qquad = -(x+2)^2 + k + 4$

이므로 $-1 \leq x \leq 1$에서 이 이차함수의 그
래프는 오른쪽 그림과 같다.

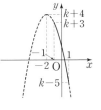

이때 꼭짓점의 x좌표 -2가 $-1 \leq x \leq 1$에
속하지 않으므로 $x=1$일 때 최솟값은
$k-5$이다.
즉, $k-5=-3$이므로 $k=2$
따라서 $x=-1$일 때 최댓값은 $k+3=5$

084 답 5

$f(x) = -x^2 + 2x + k - 1$
$\qquad = -(x-1)^2 + k$

이므로 $0 \leq x \leq 3$에서 이 이차함수의 그래
프는 오른쪽 그림과 같다.

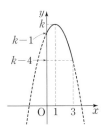

이때 꼭짓점의 x좌표 1이 $0 \leq x \leq 3$에 속
하므로 $x=1$일 때 최댓값은 k이다.
$\therefore k=9$
따라서 $x=3$일 때 최솟값은 $k-4=5$

085 답 5, 5, 5 m

086 답 2초

$h = -5t^2 + 20t = -5(t-2)^2 + 20$
이므로 $t=2$일 때, 최댓값은 20이다.
따라서 물체가 최대 높이에 도달할 때까지 걸린 시간은 2초이다.

087 답 4초, 32 m

$h = -2t^2 + 16t$
$\qquad = -2(t-4)^2 + 32$
이므로 $t=4$일 때, 최댓값은 32이다.
따라서 물체가 최고 높이에 도달할 때까지 걸린 시간은 4초이고,
이때 높이는 32 m이다.

088 답 45 m

$h = 40 + 10t - 5t^2$
$\qquad = -5(t-1)^2 + 45$
이므로 $t=1$일 때, 최댓값은 45이다.
따라서 공이 가장 높이 올라갔을 때의 지면으로부터의 높이는
45 m이다.

089 답 $20-2x$, $20-2x$, 50, 50 m^2

090 답 64 m^2

가축우리의 가로의 길이를 x m라고 하면 세로의 길이는
$(16-x)$ m이다.
가축우리의 넓이를 S m^2라고 하면
$S = x(16-x) = -(x-8)^2 + 64$
이때 $0 < x < 16$이므로 가축우리의 넓이의 최댓값은 $x=8$일 때
64 m^2이다.

091 답 $14-x$, $14-x$, 49, 49 cm^2

092 답 18 cm^2

직각삼각형의 직각을 낀 한 변의 길이를 x cm라고 하면 다른 한 변
의 길이는 $(12-x)$ cm이다.
직각삼각형의 넓이를 S cm^2라고 하면
$S = \dfrac{1}{2} \times x \times (12-x)$
$\quad = -\dfrac{1}{2}x^2 + 6x$
$\quad = -\dfrac{1}{2}(x-6)^2 + 18$
이때 $0 < x < 12$이므로 직각삼각형의 넓이의 최댓값은 $x=6$일 때
18 cm^2이다.

093 답 20 cm, 20 cm

나눈 두 철사의 길이를 각각 x cm, $(40-x)$ cm라고 하면 두 정사
각형의 한 변의 길이는 각각 $\dfrac{x}{4}$ cm, $\dfrac{40-x}{4}$ cm이다.
두 정사각형의 넓이의 합을 S cm^2라고 하면
$S = \left(\dfrac{x}{4}\right)^2 + \left(\dfrac{40-x}{4}\right)^2$
$\quad = \dfrac{1}{8}x^2 - 5x + 100$
$\quad = \dfrac{1}{8}(x-20)^2 + 50$
이때 $0 < x < 40$이므로 $x=20$일 때, 최솟값은 50이다.
따라서 나눈 두 철사의 길이는 각각 20 cm, 20 cm이다.

1 ① **2** $a=6$, $b=-1$ **3** ③ **4** ① **5** ① **6** ④
7 $a=6$, $b=-2$ **8** ⑤ **9** ③ **10** ④ **11** ② **12** ③ **13** ⑤
14 128 m²

1 주어진 그래프의 꼭짓점의 좌표가 $(1, 2)$이므로
$y=(x-1)^2+2=x^2-2x+3$
따라서 $a=-2$, $b=3$이므로
$a+b=1$

2 이차방정식 $x^2+ax+5=0$의 두 근이 -5, b이므로 근과 계수의 관계에 의하여
$-5+b=-a$, $-5 \times b=5$
$\therefore a=6$, $b=-1$

3 이차방정식 $x^2+4x-4k+9=0$의 판별식을 D라고 하면
$\dfrac{D}{4}=2^2-1 \times (-4k+9)=4k-5<0$
$\therefore k<\dfrac{5}{4}$
따라서 구하는 정수 k의 최댓값은 1이다.

4 이차방정식 $2x^2-2(k+3)x+k+7=0$의 판별식을 D라고 하면
$\dfrac{D}{4}=(k+3)^2-2 \times (k+7)=k^2+4k-5=0$
$(k+5)(k-1)=0$ $\therefore k=-5$ 또는 $k=1$
그런데 k는 양수이므로 $k=1$

5 $x^2-6=4x+k$에서 $x^2-4x-k-6=0$
이 이차방정식의 판별식을 D라고 하면
$\dfrac{D}{4}=(-2)^2-1 \times (-k-6)=k+10>0$
$\therefore k>-10$
따라서 구하는 정수 k의 최솟값은 -9이다.

6 $x^2+6x-k=-2x+1$에서
$x^2+8x-k-1=0$
이 이차방정식의 판별식을 D라고 하면
$\dfrac{D}{4}=4^2-1 \times (-k-1)=k+17 \geq 0$
$\therefore k \geq -17$

7 $-x^2-3x+2=x+a$에서 $x^2+4x+a-2=0$
이 이차방정식의 판별식을 D라고 하면
$\dfrac{D}{4}=2^2-1 \times (a-2)=-a+6=0$
$\therefore a=6$
따라서 직선 $y=x+6$이 점 $(b, 4)$를 지나므로
$4=b+6$ $\therefore b=-2$

8 기울기가 -1인 직선의 방정식을 $y=-x+k$라고 하면
$5x^2+x+1=-x+k$에서 $5x^2+2x-k+1=0$
이 이차방정식의 판별식을 D라고 하면
$\dfrac{D}{4}=1^2-5 \times (-k+1)=5k-4=0$
$\therefore k=\dfrac{4}{5}$
따라서 구하는 직선의 y절편은 $\dfrac{4}{5}$이다.

9 $x=3$에서 최솟값 -9를 가지므로
$y=2(x-3)^2-9=2x^2-12x+9$
따라서 $4p=12$, $3q=9$이므로 $p=3$, $q=3$
$\therefore p+q=6$

10 $y=-x^2+2x+k$
$\quad =-(x-1)^2+k+1$
따라서 $x=1$일 때 최댓값은 $k+1$이므로
$k+1=5$ $\therefore k=4$

11 $y=x^2-4x+5$
$\quad =(x-2)^2+1$
이므로 $0 \leq x \leq 3$에서 이 이차함수의 그래프는 오른쪽 그림과 같다.
따라서 $x=0$일 때 최댓값은 5, $x=2$일 때 최솟값은 1이므로 $M=5$, $m=1$
$\therefore M-m=4$

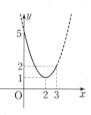

12 $y=-x^2+2x+k+5$
$\quad =-(x-1)^2+k+6$
이므로 $-1 \leq x \leq 2$에서 이 이차함수의 그래프는 오른쪽 그림과 같다.
이때 꼭짓점의 x좌표 1이 $-1 \leq x \leq 2$에 속하므로 $x=1$일 때 최댓값은 $k+6$이다.
즉, $k+6=7$이므로 $k=1$

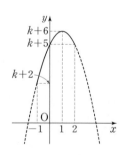

13 $h=-5t^2+10t+20$
$\quad =-5(t-1)^2+25$
이므로 $t=1$일 때, 최댓값은 25이다.
따라서 공이 가장 높이 올라갔을 때의 지면으로부터의 높이는 25 m이다.

14 텃밭의 세로의 길이를 x m라고 하면 가로의 길이는 $(32-2x)$ m이다.
텃밭의 넓이를 S m²라고 하면
$S=x(32-2x)$
$\quad =-2(x-8)^2+128$
이때 $0<x<16$이므로 텃밭의 넓이의 최댓값은 $x=8$일 때 128 m²이다.

06 여러 가지 방정식

92~107쪽

001 답 $x=-3$ 또는 $x=0$ (중근)

$x^3+3x^2=0$의 좌변을 인수분해하면

$x^2(x+3)=0$ ∴ $x=-3$ 또는 $x=0$ (중근)

002 답 $x=-2$ 또는 $x=0$ 또는 $x=1$

$x^3+x^2-2x=0$의 좌변을 인수분해하면

$x(x+2)(x-1)=0$ ∴ $x=-2$ 또는 $x=0$ 또는 $x=1$

003 답 $x=-1$ 또는 $x=\dfrac{1\pm\sqrt{3}i}{2}$

$x^3+1=0$의 좌변을 인수분해하면

$(x+1)(x^2-x+1)=0$

∴ $x=-1$ 또는 $x=\dfrac{1\pm\sqrt{3}i}{2}$

004 답 $x=2$ 또는 $x=-1\pm\sqrt{3}i$

$x^3-8=0$의 좌변을 인수분해하면

$(x-2)(x^2+2x+4)=0$

∴ $x=2$ 또는 $x=-1\pm\sqrt{3}i$

005 답 $x=-\dfrac{3}{2}$ 또는 $x=\dfrac{3\pm3\sqrt{3}i}{4}$

$8x^3+27=0$의 좌변을 인수분해하면

$(2x+3)(4x^2-6x+9)=0$

∴ $x=-\dfrac{3}{2}$ 또는 $x=\dfrac{3\pm3\sqrt{3}i}{4}$

006 답 $x=-\dfrac{1}{2}$ 또는 $x=0$ (중근)

$2x^4+x^3=0$의 좌변을 인수분해하면

$x^3(2x+1)=0$ ∴ $x=-\dfrac{1}{2}$ 또는 $x=0$ (중근)

007 답 $x=-2$ 또는 $x=0$ (중근) 또는 $x=2$

$x^4-4x^2=0$의 좌변을 인수분해하면

$x^2(x+2)(x-2)=0$

∴ $x=-2$ 또는 $x=0$ (중근) 또는 $x=2$

008 답 $x=\pm1$ 또는 $x=\pm i$

$x^4-1=0$의 좌변을 인수분해하면

$(x+1)(x-1)(x^2+1)=0$

∴ $x=\pm1$ 또는 $x=\pm i$

009 답 $x=\pm\dfrac{1}{2}$ 또는 $x=\pm\dfrac{1}{2}i$

$16x^4-1=0$의 좌변을 인수분해하면

$(2x+1)(2x-1)(4x^2+1)=0$

∴ $x=\pm\dfrac{1}{2}$ 또는 $x=\pm\dfrac{1}{2}i$

010 답 $x=-2$ 또는 $x=0$ 또는 $x=1\pm\sqrt{3}i$

$x^4+8x=0$의 좌변을 인수분해하면

$x(x+2)(x^2-2x+4)=0$

∴ $x=-2$ 또는 $x=0$ 또는 $x=1\pm\sqrt{3}i$

011 답 -1, -1, x^2-x-6, $x-3$, $x-3$, 3

012 답 $x=-4$ 또는 $x=1$ (중근)

$f(x)=x^3+2x^2-7x+4$라고 할 때,
$f(1)=0$이므로 조립제법을 이용하여
$f(x)$를 인수분해하면

1	1	2	-7	4
		1	3	-4
	1	3	-4	0

$f(x)=(x-1)(x^2+3x-4)$
$\quad\ =(x-1)^2(x+4)$

따라서 주어진 방정식은 $(x+4)(x-1)^2=0$

∴ $x=-4$ 또는 $x=1$ (중근)

013 답 $x=-2$ 또는 $x=-1$ 또는 $x=2$

$f(x)=x^3+x^2-4x-4$라고 할 때,
$f(-1)=0$이므로 조립제법을 이용
하여 $f(x)$를 인수분해하면

-1	1	1	-4	-4
		-1	0	4
	1	0	-4	0

$f(x)=(x+1)(x^2-4)$
$\quad\ =(x+1)(x+2)(x-2)$

따라서 주어진 방정식은 $(x+2)(x+1)(x-2)=0$

∴ $x=-2$ 또는 $x=-1$ 또는 $x=2$

014 답 $x=-2$ 또는 $x=2\pm2i$

$f(x)=x^3-2x^2+16$이라고 할 때,
$f(-2)=0$이므로 조립제법을 이
용하여 $f(x)$를 인수분해하면

-2	1	-2	0	16
		-2	8	-16
	1	-4	8	0

$f(x)=(x+2)(x^2-4x+8)$

따라서 주어진 방정식은 $(x+2)(x^2-4x+8)=0$

∴ $x=-2$ 또는 $x=2\pm2i$

015 답 $x=2$ 또는 $x=-1\pm2i$

$f(x)=x^3+x-10$이라고 할 때,
$f(2)=0$이므로 조립제법을 이용하
여 $f(x)$를 인수분해하면

2	1	0	1	-10
		2	4	10
	1	2	5	0

$f(x)=(x-2)(x^2+2x+5)$

따라서 주어진 방정식은 $(x-2)(x^2+2x+5)=0$

∴ $x=2$ 또는 $x=-1\pm2i$

016 답 $x=-3$ 또는 $x=2$ 또는 $x=6$

$f(x)=x^3-5x^2-12x+36$이라고 할
때, $f(2)=0$이므로 조립제법을 이용
하여 $f(x)$를 인수분해하면

2	1	-5	-12	36
		2	-6	-36
	1	-3	-18	0

$f(x)=(x-2)(x^2-3x-18)$
$\quad\ =(x-2)(x+3)(x-6)$

따라서 주어진 방정식은 $(x+3)(x-2)(x-6)=0$

∴ $x=-3$ 또는 $x=2$ 또는 $x=6$

017 답 $x=-3$ 또는 $x=-2$ 또는 $x=1$

$f(x)=x^3+4x^2+x-6$이라고 할 때,
$f(1)=0$이므로 조립제법을 이용하여
$f(x)$를 인수분해하면

$$
\begin{array}{r|rrrr}
1 & 1 & 4 & 1 & -6 \\
  &   & 1 & 5 & 6 \\
\hline
  & 1 & 5 & 6 & 0 \\
\end{array}
$$

$f(x)=(x-1)(x^2+5x+6)$
$\qquad =(x-1)(x+3)(x+2)$

따라서 주어진 방정식은 $(x+3)(x+2)(x-1)=0$

$\therefore x=-3$ 또는 $x=-2$ 또는 $x=1$

018 답 $x=-3$ 또는 $x=\pm\dfrac{\sqrt{2}}{2}i$

$f(x)=2x^3+6x^2+x+3$이라고 할 때, $f(-3)=0$이므로 조립제법을 이용하여 $f(x)$를 인수분해하면

$$
\begin{array}{r|rrrr}
-3 & 2 & 6 & 1 & 3 \\
   &   & -6 & 0 & -3 \\
\hline
   & 2 & 0 & 1 & 0 \\
\end{array}
$$

$f(x)=(x+3)(2x^2+1)$

따라서 주어진 방정식은 $(x+3)(2x^2+1)=0$

$\therefore x=-3$ 또는 $x=\pm\dfrac{\sqrt{2}}{2}i$

019 답 $x=-\dfrac{5}{2}$ 또는 $x=-2$ 또는 $x=3$

$f(x)=2x^3+3x^2-17x-30$이라고 할 때, $f(-2)=0$이므로 조립제법을 이용하여 $f(x)$를 인수분해하면

$$
\begin{array}{r|rrrr}
-2 & 2 & 3 & -17 & -30 \\
   &   & -4 & 2 & 30 \\
\hline
   & 2 & -1 & -15 & 0 \\
\end{array}
$$

$f(x)=(x+2)(2x^2-x-15)$
$\qquad =(x+2)(x-3)(2x+5)$

따라서 주어진 방정식은 $(2x+5)(x+2)(x-3)=0$

$\therefore x=-\dfrac{5}{2}$ 또는 $x=-2$ 또는 $x=3$

020 답 $1,\ 1,\ 2,\ 1,\ x^2+x+4,\ x^2+x+4,\ \dfrac{-1\pm\sqrt{15}i}{2}$

021 답 $x=\pm2$ 또는 $x=\pm\sqrt{2}i$

$f(x)=x^4-2x^2-8$이라고 할 때, $f(-2)=0$, $f(2)=0$이므로 조립제법을 이용하여 $f(x)$를 인수분해하면

$$
\begin{array}{r|rrrrr}
-2 & 1 & 0 & -2 & 0 & -8 \\
   &   & -2 & 4 & -4 & 8 \\
\hline
2 & 1 & -2 & 2 & -4 & 0 \\
   &   & 2 & 0 & 4 &   \\
\hline
   & 1 & 0 & 2 & 0 &   \\
\end{array}
$$

$f(x)=(x+2)(x-2)(x^2+2)$

따라서 주어진 방정식은 $(x+2)(x-2)(x^2+2)=0$

$\therefore x=\pm2$ 또는 $x=\pm\sqrt{2}i$

022 답 $x=\pm1$ 또는 $x=\dfrac{1\pm\sqrt{5}}{2}$

$f(x)=x^4-x^3-2x^2+x+1$이라고 할 때, $f(-1)=0$, $f(1)=0$이므로 조립제법을 이용하여 $f(x)$를 인수분해하면

$$
\begin{array}{r|rrrrr}
-1 & 1 & -1 & -2 & 1 & 1 \\
   &   & -1 & 2 & 0 & -1 \\
\hline
1 & 1 & -2 & 0 & 1 & 0 \\
   &   & 1 & -1 & -1 &   \\
\hline
   & 1 & -1 & -1 & 0 &   \\
\end{array}
$$

$f(x)=(x+1)(x-1)(x^2-x-1)$

따라서 주어진 방정식은
$(x+1)(x-1)(x^2-x-1)=0$

$\therefore x=\pm1$ 또는 $x=\dfrac{1\pm\sqrt{5}}{2}$

023 답 $x=-1$ 또는 $x=2$ 또는 $x=\dfrac{-3\pm\sqrt{11}i}{2}$

$f(x)=x^4+2x^3-11x-10$이라고 할 때, $f(-1)=0$, $f(2)=0$이므로 조립제법을 이용하여 $f(x)$를 인수분해하면

$$
\begin{array}{r|rrrrr}
-1 & 1 & 2 & 0 & -11 & -10 \\
   &   & -1 & -1 & 1 & 10 \\
\hline
2 & 1 & 1 & -1 & -10 & 0 \\
   &   & 2 & 6 & -10 &   \\
\hline
   & 1 & 3 & 5 & 0 &   \\
\end{array}
$$

$f(x)=(x+1)(x-2)(x^2+3x+5)$

따라서 주어진 방정식은
$(x+1)(x-2)(x^2+3x+5)=0$

$\therefore x=-1$ 또는 $x=2$ 또는 $x=\dfrac{-3\pm\sqrt{11}i}{2}$

024 답 $x=-3$ 또는 $x=-2$ 또는 $x=1$ 또는 $x=2$

$f(x)=x^4+2x^3-7x^2-8x+12$라고 할 때, $f(1)=0$, $f(2)=0$이므로 조립제법을 이용하여 $f(x)$를 인수분해하면

$$
\begin{array}{r|rrrrr}
1 & 1 & 2 & -7 & -8 & -12 \\
  &   & 1 & 3 & -4 & 12 \\
\hline
2 & 1 & 3 & -4 & -12 & 0 \\
  &   & 2 & 10 & 12 &   \\
\hline
  & 1 & 5 & 6 & 0 &   \\
\end{array}
$$

$f(x)=(x-1)(x-2)(x^2+5x+6)$
$\qquad =(x-1)(x-2)(x+2)(x+3)$

따라서 주어진 방정식은
$(x+3)(x+2)(x-1)(x-2)=0$

$\therefore x=-3$ 또는 $x=-2$ 또는 $x=1$ 또는 $x=2$

025 답 $x=-3$ (중근) 또는 $x=1$ (중근)

$f(x)=x^4+4x^3-2x^2-12x+9$라고 할 때, $f(1)=0$, $f(-3)=0$이므로 조립제법을 이용하여 $f(x)$를 인수분해하면

$$
\begin{array}{r|rrrrr}
1 & 1 & 4 & -2 & -12 & 9 \\
   &   & 1 & 5 & 3 & -9 \\
\hline
-3 & 1 & 5 & 3 & -9 & 0 \\
   &   & -3 & -6 & 9 &   \\
\hline
   & 1 & 2 & -3 & 0 &   \\
\end{array}
$$

$$f(x)=(x-1)(x+3)(x^2+2x-3)$$
$$=(x-1)^2(x+3)^2$$
따라서 주어진 방정식은 $(x+3)^2(x-1)^2=0$
$\therefore x=-3$(중근) 또는 $x=1$(중근)

026 답 $x=1$ 또는 $x=2$ 또는 $x=3$ 또는 $x=4$

$f(x)=x^4-10x^3+35x^2-50x+24$라고 할 때, $f(1)=0$, $f(2)=0$
이므로 조립제법을 이용하여 $f(x)$를 인수분해하면

```
1 | 1   -10    35   -50    24
  |        1    -9    26   -24
2 | 1    -9    26   -24 |   0
  |        2   -14    24
    1    -7    12  |   0
```

$$f(x)=(x-1)(x-2)(x^2-7x+12)$$
$$=(x-1)(x-2)(x-3)(x-4)$$
따라서 주어진 방정식은 $(x-1)(x-2)(x-3)(x-4)=0$
$\therefore x=1$ 또는 $x=2$ 또는 $x=3$ 또는 $x=4$

027 답 x^2+1, x^2+1, x^2+1, ±2, ±2

028 답 $x=1$ 또는 $x=2$ 또는 $x=3$ 또는 $x=4$

$x^2-5x=X$로 치환하면
$X^2+10X+24=0$, $(X+6)(X+4)=0$
$\therefore X=-6$ 또는 $X=-4$
(i) $X=-6$일 때
   $x^2-5x=-6$에서 $x^2-5x+6=0$
   $(x-2)(x-3)=0$　　$\therefore x=2$ 또는 $x=3$
(ii) $X=-4$일 때
   $x^2-5x=-4$에서 $x^2-5x+4=0$
   $(x-1)(x-4)=0$　　$\therefore x=1$ 또는 $x=4$
(i), (ii)에 의하여 주어진 방정식의 해는
$x=1$ 또는 $x=2$ 또는 $x=3$ 또는 $x=4$

029 답 $x=-5$ 또는 $x=-2$ 또는 $x=-1$ 또는 $x=2$

$x^2+3x=X$로 치환하면
$(X+1)(X-9)-11=0$, $X^2-8X-20=0$
$(X+2)(X-10)=0$　　$\therefore X=-2$ 또는 $X=10$
(i) $X=-2$일 때
   $x^2+3x=-2$에서 $x^2+3x+2=0$
   $(x+2)(x+1)=0$
   $\therefore x=-2$ 또는 $x=-1$
(ii) $X=10$일 때
   $x^2+3x=10$에서 $x^2+3x-10=0$
   $(x+5)(x-2)=0$
   $\therefore x=-5$ 또는 $x=2$
(i), (ii)에 의하여 주어진 방정식의 해는
$x=-5$ 또는 $x=-2$ 또는 $x=-1$ 또는 $x=2$

030 답 $x=\dfrac{1\pm\sqrt{5}}{2}$ 또는 $x=\dfrac{1\pm\sqrt{17}}{2}$

$x^2-x=X$로 치환하면
$(X-2)(X-3)-2=0$, $X^2-5X+4=0$
$(X-1)(X-4)=0$　　$\therefore X=1$ 또는 $X=4$
(i) $X=1$일 때
   $x^2-x=1$에서 $x^2-x-1=0$
   $\therefore x=\dfrac{1\pm\sqrt{5}}{2}$
(ii) $X=4$일 때
   $x^2-x=4$에서 $x^2-x-4=0$
   $\therefore x=\dfrac{1\pm\sqrt{17}}{2}$
(i), (ii)에 의하여 주어진 방정식의 해는
$x=\dfrac{1\pm\sqrt{5}}{2}$ 또는 $x=\dfrac{1\pm\sqrt{17}}{2}$

031 답 $x=-1\pm\sqrt{2}i$ 또는 $x=-1\pm\sqrt{3}$

$x^2+2x=X$로 치환하면
$(X+2)(X-1)=4$, $X^2+X-6=0$
$(X+3)(X-2)=0$　　$\therefore X=-3$ 또는 $X=2$
(i) $X=-3$일 때
   $x^2+2x=-3$에서 $x^2+2x+3=0$
   $\therefore x=-1\pm\sqrt{2}i$
(ii) $X=2$일 때
   $x^2+2x=2$에서 $x^2+2x-2=0$
   $\therefore x=-1\pm\sqrt{3}$
(i), (ii)에 의하여 주어진 방정식의 해는
$x=-1\pm\sqrt{2}i$ 또는 $x=-1\pm\sqrt{3}$

032 답 5, x^2+5x, x^2+5x, $\dfrac{-5\pm\sqrt{13}}{2}$, $\dfrac{-5\pm\sqrt{13}}{2}$

033 답 $x=\dfrac{3\pm\sqrt{7}i}{2}$ 또는 $x=\dfrac{3\pm\sqrt{17}}{2}$

$\{x(x-3)\}\{(x-1)(x-2)\}-8=0$에서
$(x^2-3x)(x^2-3x+2)-8=0$
$x^2-3x=X$로 치환하면
$X(X+2)-8=0$, $X^2+2X-8=0$
$(X+4)(X-2)=0$　　$\therefore X=-4$ 또는 $X=2$
(i) $X=-4$일 때
   $x^2-3x=-4$에서 $x^2-3x+4=0$
   $\therefore x=\dfrac{3\pm\sqrt{7}i}{2}$
(ii) $X=2$일 때
   $x^2-3x=2$에서 $x^2-3x-2=0$
   $\therefore x=\dfrac{3\pm\sqrt{17}}{2}$
(i), (ii)에 의하여 주어진 방정식의 해는
$x=\dfrac{3\pm\sqrt{7}i}{2}$ 또는 $x=\dfrac{3\pm\sqrt{17}}{2}$

034 답 $x=1\pm\sqrt{5}$ 또는 $x=1\pm2\sqrt{2}$

$\{(x+1)(x-3)\}\{(x+2)(x-4)\}+4=0$에서

$(x^2-2x-3)(x^2-2x-8)+4=0$

$x^2-2x=X$로 치환하면

$(X-3)(X-8)+4=0,\ X^2-11X+28=0$

$(X-4)(X-7)=0$ ∴ $X=4$ 또는 $X=7$

(i) $X=4$일 때

　$x^2-2x=4$에서 $x^2-2x-4=0$

　∴ $x=1\pm\sqrt{5}$

(ii) $X=7$일 때

　$x^2-2x=7$에서 $x^2-2x-7=0$

　∴ $x=1\pm2\sqrt{2}$

(i), (ii)에 의하여 주어진 방정식의 해는

$x=1\pm\sqrt{5}$ 또는 $x=1\pm2\sqrt{2}$

035 답 $x^2,\ -2,\ \pm1,\ \pm1$

036 답 $x=\pm\sqrt{3}$ 또는 $x=\pm2$

$x^2=X$로 치환하면

$X^2-7X+12=0,\ (X-3)(X-4)=0$

∴ $X=3$ 또는 $X=4$

(i) $X=3$일 때

　$x^2=3$에서 $x=\pm\sqrt{3}$

(ii) $X=4$일 때

　$x^2=4$에서 $x=\pm2$

(i), (ii)에 의하여 주어진 방정식의 해는

$x=\pm\sqrt{3}$ 또는 $x=\pm2$

037 답 $x=\pm2i$ 또는 $x=\pm\sqrt{2}i$

$x^2=X$로 치환하면

$X^2+6X+8=0,\ (X+4)(X+2)=0$

∴ $X=-4$ 또는 $X=-2$

(i) $X=-4$일 때

　$x^2=-4$에서 $x=\pm2i$

(ii) $X=-2$일 때

　$x^2=-2$에서 $x=\pm\sqrt{2}i$

(i), (ii)에 의하여 주어진 방정식의 해는

$x=\pm2i$ 또는 $x=\pm\sqrt{2}i$

038 답 $x=\pm\sqrt{3}i$ 또는 $x=\pm\dfrac{1}{2}$

$x^2=X$로 치환하면

$4X^2+11X-3=0,\ (X+3)(4X-1)=0$

∴ $X=-3$ 또는 $X=\dfrac{1}{4}$

(i) $X=-3$일 때

　$x^2=-3$에서 $x=\pm\sqrt{3}i$

(ii) $X=\dfrac{1}{4}$일 때

　$x^2=\dfrac{1}{4}$에서 $x=\pm\dfrac{1}{2}$

(i), (ii)에 의하여 주어진 방정식의 해는

$x=\pm\sqrt{3}i$ 또는 $x=\pm\dfrac{1}{2}$

039 답 $4x^2,\ x^2-2x-2,\ x^2-2x-2,\ 1\pm\sqrt{3}$

040 답 $x=-2\pm\sqrt{5}$ 또는 $x=2\pm\sqrt{5}$

$x^4-18x^2+1=0$에서 $(x^4-2x^2+1)-16x^2=0$

$(x^2-1)^2-(4x)^2=0,\ (x^2+4x-1)(x^2-4x-1)=0$

∴ $x^2+4x-1=0$ 또는 $x^2-4x-1=0$

따라서 주어진 방정식의 해는

$x=-2\pm\sqrt{5}$ 또는 $x=2\pm\sqrt{5}$

041 답 $x=\dfrac{-1\pm\sqrt{17}}{2}$ 또는 $x=\dfrac{1\pm\sqrt{17}}{2}$

$x^4-9x^2+16=0$에서 $(x^4-8x^2+16)-x^2=0$

$(x^2-4)^2-x^2=0,\ (x^2+x-4)(x^2-x-4)=0$

∴ $x^2+x-4=0$ 또는 $x^2-x-4=0$

따라서 주어진 방정식의 해는

$x=\dfrac{-1\pm\sqrt{17}}{2}$ 또는 $x=\dfrac{1\pm\sqrt{17}}{2}$

042 답 $x=\dfrac{-1\pm\sqrt{15}i}{2}$ 또는 $x=\dfrac{1\pm\sqrt{15}i}{2}$

$x^4+7x^2+16=0$에서 $(x^4+8x^2+16)-x^2=0$

$(x^2+4)^2-x^2=0,\ (x^2+x+4)(x^2-x+4)=0$

∴ $x^2+x+4=0$ 또는 $x^2-x+4=0$

따라서 주어진 방정식의 해는

$x=\dfrac{-1\pm\sqrt{15}i}{2}$ 또는 $x=\dfrac{1\pm\sqrt{15}i}{2}$

043 답 $x=\dfrac{-3\pm\sqrt{3}i}{2}$ 또는 $x=\dfrac{3\pm\sqrt{3}i}{2}$

$x^4-3x^2+9=0$에서 $(x^4+6x^2+9)-9x^2=0$

$(x^2+3)^2-(3x)^2=0,\ (x^2+3x+3)(x^2-3x+3)=0$

∴ $x^2+3x+3=0$ 또는 $x^2-3x+3=0$

따라서 주어진 방정식의 해는

$x=\dfrac{-3\pm\sqrt{3}i}{2}$ 또는 $x=\dfrac{3\pm\sqrt{3}i}{2}$

044 답 $2,\ x+\dfrac{1}{x},\ x+\dfrac{1}{x},\ -1,\ \dfrac{-1\pm\sqrt{3}i}{2},\ \dfrac{-1\pm\sqrt{3}i}{2}$

045 답 $x=\dfrac{1\pm\sqrt{3}i}{2}$ (중근)

$x\neq0$이므로 방정식의 양변을 x^2으로 나누면

$x^2-2x+3-\dfrac{2}{x}+\dfrac{1}{x^2}=0$

$\left(x+\dfrac{1}{x}\right)^2-2\left(x+\dfrac{1}{x}\right)+1=0$

$x+\dfrac{1}{x}=X$로 치환하면 $X^2-2X+1=0$

$(X-1)^2=0$ ∴ $X=1$ (중근)

$x+\dfrac{1}{x}=1$에서 $x^2-x+1=0$

∴ $x=\dfrac{1\pm\sqrt{3}i}{2}$ (중근)

046 답 $x=\dfrac{-3\pm\sqrt{5}}{2}$ 또는 $x=1$ (중근)

$x\neq0$이므로 방정식의 양변을 x^2으로 나누면

$x^2+x-4+\dfrac{1}{x}+\dfrac{1}{x^2}=0$

$\left(x+\dfrac{1}{x}\right)^2+\left(x+\dfrac{1}{x}\right)-6=0$

$x+\dfrac{1}{x}=X$로 치환하면 $X^2+X-6=0$

$(X+3)(X-2)=0$　　$\therefore X=-3$ 또는 $X=2$

(i) $X=-3$일 때

　$x+\dfrac{1}{x}=-3$에서 $x^2+3x+1=0$

　$\therefore x=\dfrac{-3\pm\sqrt{5}}{2}$

(ii) $X=2$일 때

　$x+\dfrac{1}{x}=2$에서 $x^2-2x+1=0$

　$(x-1)^2=0$　　$\therefore x=1$ (중근)

(i), (ii)에 의하여 주어진 방정식의 해는

$x=\dfrac{-3\pm\sqrt{5}}{2}$ 또는 $x=1$ (중근)

047 답 $\alpha+\beta+\gamma=-1$, $\alpha\beta+\beta\gamma+\gamma\alpha=4$, $\alpha\beta\gamma=-5$

048 답 $\alpha+\beta+\gamma=2$, $\alpha\beta+\beta\gamma+\gamma\alpha=-1$, $\alpha\beta\gamma=1$

049 답 $\alpha+\beta+\gamma=4$, $\alpha\beta+\beta\gamma+\gamma\alpha=2$, $\alpha\beta\gamma=3$

050 답 $\alpha+\beta+\gamma=0$, $\alpha\beta+\beta\gamma+\gamma\alpha=-3$, $\alpha\beta\gamma=-2$

051 답 $\alpha+\beta+\gamma=7$, $\alpha\beta+\beta\gamma+\gamma\alpha=0$, $\alpha\beta\gamma=3$

052 답 $\alpha+\beta+\gamma=-2$, $\alpha\beta+\beta\gamma+\gamma\alpha=-\dfrac{1}{2}$, $\alpha\beta\gamma=-1$

$\alpha+\beta+\gamma=-\dfrac{4}{2}=-2$

$\alpha\beta+\beta\gamma+\gamma\alpha=-\dfrac{1}{2}$

$\alpha\beta\gamma=-\dfrac{2}{2}=-1$

053 답 $\alpha+\beta+\gamma=2$, $\alpha\beta+\beta\gamma+\gamma\alpha=\dfrac{2}{3}$, $\alpha\beta\gamma=3$

$\alpha+\beta+\gamma=-\dfrac{-6}{3}=2$

$\alpha\beta+\beta\gamma+\gamma\alpha=\dfrac{2}{3}$

$\alpha\beta\gamma=-\dfrac{-9}{3}=3$

054 답 -2

055 답 1

056 답 -3

057 답 -3

$(\alpha+1)(\beta+1)(\gamma+1)$
$=\alpha\beta\gamma+(\alpha\beta+\beta\gamma+\gamma\alpha)+(\alpha+\beta+\gamma)+1$
$=-3+1+(-2)+1$
$=-3$

058 답 $-\dfrac{1}{3}$

$\dfrac{1}{\alpha}+\dfrac{1}{\beta}+\dfrac{1}{\gamma}=\dfrac{\alpha\beta+\beta\gamma+\gamma\alpha}{\alpha\beta\gamma}=\dfrac{1}{-3}=-\dfrac{1}{3}$

059 답 2

$\alpha^2+\beta^2+\gamma^2=(\alpha+\beta+\gamma)^2-2(\alpha\beta+\beta\gamma+\gamma\alpha)$
$\qquad=(-2)^2-2\times1$
$\qquad=2$

060 답 $\dfrac{2}{3}$

$\dfrac{1}{\alpha\beta}+\dfrac{1}{\beta\gamma}+\dfrac{1}{\gamma\alpha}=\dfrac{\alpha+\beta+\gamma}{\alpha\beta\gamma}=\dfrac{-2}{-3}=\dfrac{2}{3}$

061 답 1

062 답 -5

063 답 -4

064 답 -7

$(\alpha+1)(\beta+1)(\gamma+1)$
$=\alpha\beta\gamma+(\alpha\beta+\beta\gamma+\gamma\alpha)+(\alpha+\beta+\gamma)+1$
$=-4+(-5)+1+1$
$=-7$

065 답 $\dfrac{5}{4}$

$\dfrac{1}{\alpha}+\dfrac{1}{\beta}+\dfrac{1}{\gamma}=\dfrac{\alpha\beta+\beta\gamma+\gamma\alpha}{\alpha\beta\gamma}=\dfrac{-5}{-4}=\dfrac{5}{4}$

066 답 11

$\alpha^2+\beta^2+\gamma^2=(\alpha+\beta+\gamma)^2-2(\alpha\beta+\beta\gamma+\gamma\alpha)$
$\qquad=1^2-2\times(-5)$
$\qquad=11$

067 답 $-\dfrac{1}{4}$

$\dfrac{1}{\alpha\beta}+\dfrac{1}{\beta\gamma}+\dfrac{1}{\gamma\alpha}=\dfrac{\alpha+\beta+\gamma}{\alpha\beta\gamma}=\dfrac{1}{-4}=-\dfrac{1}{4}$

068 답 $x^3-4x^2+3x=0$

세 근의 합은 $0+1+3=4$

두 근의 곱의 합은 $0\times1+1\times3+3\times0=3$

세 근의 곱은 $0\times1\times3=0$

따라서 구하는 삼차방정식은 $x^3-4x^2+3x=0$

069 🅐 $x^3+x^2-10x+8=0$

세 근의 합은
$-4+1+2=-1$
두 근의 곱의 합은
$-4\times1+1\times2+2\times(-4)=-10$
세 근의 곱은
$-4\times1\times2=-8$
따라서 구하는 삼차방정식은 $x^3+x^2-10x+8=0$

070 🅐 $x^3-x^2-3x+3=0$

세 근의 합은
$1+\sqrt{3}-\sqrt{3}=1$
두 근의 곱의 합은
$1\times\sqrt{3}+\sqrt{3}\times(-\sqrt{3})+(-\sqrt{3})\times1=-3$
세 근의 곱은
$1\times\sqrt{3}\times(-\sqrt{3})=-3$
따라서 구하는 삼차방정식은 $x^3-x^2-3x+3=0$

071 🅐 $x^3-x^2-3x-1=0$

세 근의 합은
$-1+(1+\sqrt{2})+(1-\sqrt{2})=1$
두 근의 곱의 합은
$-1\times(1+\sqrt{2})+(1+\sqrt{2})(1-\sqrt{2})+(1-\sqrt{2})\times(-1)=-3$
세 근의 곱은
$-1\times(1+\sqrt{2})\times(1-\sqrt{2})=1$
따라서 구하는 삼차방정식은 $x^3-x^2-3x-1=0$

072 🅐 $x^3+5x^2+11x+15=0$

세 근의 합은
$-3+(-1+2i)+(-1-2i)=-5$
두 근의 곱의 합은
$-3\times(-1+2i)+(-1+2i)(-1-2i)+(-1-2i)\times(-3)=11$
세 근의 곱은
$-3\times(-1+2i)\times(-1-2i)=-15$
따라서 구하는 삼차방정식은 $x^3+5x^2+11x+15=0$

073 🅐 $4, 3, -3, -1, x^3+3x^2-4x+1=0$

074 🅐 $x^3+4x^2+3x-1=0$

$\alpha+\beta+\gamma=4$, $\alpha\beta+\beta\gamma+\gamma\alpha=3$, $\alpha\beta\gamma=-1$이고, 구하는 삼차방정식의 세 근이 $-\alpha$, $-\beta$, $-\gamma$이므로
(i) $(-\alpha)+(-\beta)+(-\gamma)=-(\alpha+\beta+\gamma)=-4$
(ii) $(-\alpha)\times(-\beta)+(-\beta)\times(-\gamma)+(-\gamma)\times(-\alpha)$
$\quad=\alpha\beta+\beta\gamma+\gamma\alpha=3$
(iii) $(-\alpha)\times(-\beta)\times(-\gamma)=-\alpha\beta\gamma=1$
(i), (ii), (iii)에 의하여 구하는 방정식은
$x^3+4x^2+3x-1=0$

075 🅐 $x^3-x^2-2x+1=0$

$\alpha+\beta+\gamma=4$, $\alpha\beta+\beta\gamma+\gamma\alpha=3$, $\alpha\beta\gamma=-1$이고, 구하는 삼차방정식의 세 근이 $\alpha-1$, $\beta-1$, $\gamma-1$이므로
(i) $(\alpha-1)+(\beta-1)+(\gamma-1)=\alpha+\beta+\gamma-3$
$\qquad\qquad\qquad\qquad\qquad=4-3=1$
(ii) $(\alpha-1)(\beta-1)+(\beta-1)(\gamma-1)+(\gamma-1)(\alpha-1)$
$\quad=(\alpha\beta+\beta\gamma+\gamma\alpha)-2(\alpha+\beta+\gamma)+3$
$\quad=3-2\times4+3=-2$
(iii) $(\alpha-1)(\beta-1)(\gamma-1)$
$\quad=\alpha\beta\gamma-(\alpha\beta+\beta\gamma+\gamma\alpha)+(\alpha+\beta+\gamma)-1$
$\quad=-1-3+4-1=-1$
(i), (ii), (iii)에 의하여 구하는 방정식은
$x^3-x^2-2x+1=0$

076 🅐 $x^3-3x^2-4x-1=0$

$\alpha+\beta+\gamma=4$, $\alpha\beta+\beta\gamma+\gamma\alpha=3$, $\alpha\beta\gamma=-1$이고, 구하는 삼차방정식의 세 근이 $\alpha\beta$, $\beta\gamma$, $\gamma\alpha$이므로
(i) $\alpha\beta+\beta\gamma+\gamma\alpha=3$
(ii) $\alpha\beta\times\beta\gamma+\beta\gamma\times\gamma\alpha+\gamma\alpha\times\alpha\beta=\alpha\beta\gamma(\alpha+\beta+\gamma)$
$\qquad\qquad\qquad\qquad\qquad\quad=-1\times4=-4$
(iii) $\alpha\beta\times\beta\gamma\times\gamma\alpha=(\alpha\beta\gamma)^2=(-1)^2=1$
(i), (ii), (iii)에 의하여 구하는 방정식은
$x^3-3x^2-4x-1=0$

077 🅐 $-1-\sqrt{2}, -1-\sqrt{2}, 1, -3, 1$

078 🅐 $a=-19, b=5$

a, b가 유리수이므로 주어진 방정식의 한 근이 $2+\sqrt{3}$이면 $2-\sqrt{3}$도 근이다.
나머지 한 근을 α라고 하면 삼차방정식의 근과 계수의 관계에 의하여
$(2+\sqrt{3})+(2-\sqrt{3})+\alpha=-1$ ······ ㉠
$(2+\sqrt{3})(2-\sqrt{3})+(2-\sqrt{3})\alpha+\alpha(2+\sqrt{3})=a$ ······ ㉡
$(2+\sqrt{3})(2-\sqrt{3})\alpha=-b$ ······ ㉢
㉠에서 $4+\alpha=-1$ $\therefore \alpha=-5$
㉡에서 $1+4\alpha=a$ $\therefore a=-19$
㉢에서 $\alpha=-b$ $\therefore b=5$

079 🅐 $a=-8, b=-8$

a, b가 유리수이므로 주어진 방정식의 한 근이 $-2\sqrt{2}$이면 $2\sqrt{2}$도 근이다.
나머지 한 근을 α라고 하면 삼차방정식의 근과 계수의 관계에 의하여
$-2\sqrt{2}+2\sqrt{2}+\alpha=-1$ ······ ㉠
$-2\sqrt{2}\times2\sqrt{2}+2\sqrt{2}\times\alpha+\alpha\times(-2\sqrt{2})=a$ ······ ㉡
$-2\sqrt{2}\times2\sqrt{2}\times\alpha=-b$ ······ ㉢
㉠에서 $\alpha=-1$
㉡에서 $a=-8$
㉢에서 $-8\alpha=-b$ $\therefore b=-8$

080 답 $a=2$, $b=0$

a, b가 실수이므로 주어진 방정식의 한 근이 $1+i$이면 $1-i$도 근이다.

나머지 한 근을 α라고 하면 삼차방정식의 근과 계수의 관계에 의하여

$(1+i)+(1-i)+\alpha=a$ ...... ㉠

$(1+i)(1-i)+(1-i)\alpha+\alpha(1+i)=2$ ...... ㉡

$(1+i)(1-i)\alpha=b$ ...... ㉢

㉡에서 $2+2\alpha=2$ $\therefore \alpha=0$

㉠에서 $2+\alpha=a$ $\therefore a=2$

㉢에서 $2\alpha=b$ $\therefore b=0$

081 답 $a=-2$, $b=-3$

a, b가 실수이므로 주어진 방정식의 한 근이 $2-i$이면 $2+i$도 근이다.

나머지 한 근을 α라고 하면 삼차방정식의 근과 계수의 관계에 의하여

$(2-i)+(2+i)+\alpha=-a$ ...... ㉠

$(2-i)(2+i)+(2+i)\alpha+\alpha(2-i)=b$ ...... ㉡

$(2-i)(2+i)\alpha=-10$ ...... ㉢

㉢에서 $5\alpha=-10$ $\therefore \alpha=-2$

㉠에서 $4+\alpha=-a$ $\therefore a=-2$

㉡에서 $5+4\alpha=b$ $\therefore b=-3$

082 답 $a=16$, $b=-30$

a, b가 실수이므로 주어진 방정식의 한 근이 $1-3i$이면 $1+3i$도 근이다.

나머지 한 근을 α라고 하면 삼차방정식의 근과 계수의 관계에 의하여

$(1-3i)+(1+3i)+\alpha=5$ ...... ㉠

$(1-3i)(1+3i)+(1+3i)\alpha+\alpha(1-3i)=a$ ...... ㉡

$(1-3i)(1+3i)\alpha=-b$ ...... ㉢

㉠에서 $2+\alpha=5$ $\therefore \alpha=3$

㉡에서 $10+2\alpha=a$ $\therefore a=16$

㉢에서 $10\alpha=-b$ $\therefore b=-30$

083 답 $a=-5$, $b=-13$

a, b가 실수이므로 주어진 방정식의 한 근이 $3+2i$이면 $3-2i$도 근이다.

나머지 한 근을 α라고 하면 삼차방정식의 근과 계수의 관계에 의하여

$(3+2i)+(3-2i)+\alpha=-a$ ...... ㉠

$(3+2i)(3-2i)+(3-2i)\alpha+\alpha(3+2i)=7$ ...... ㉡

$(3+2i)(3-2i)\alpha=b$ ...... ㉢

㉡에서 $13+6\alpha=7$ $\therefore \alpha=-1$

㉠에서 $6+\alpha=-a$ $\therefore a=-5$

㉢에서 $13\alpha=b$ $\therefore b=-13$

084 답 0

$x^3=1$에서 $x^3-1=0$, $(x-1)(x^2+x+1)=0$

이때 ω는 허근이므로 방정식 $x^2+x+1=0$의 근이다.

$\therefore \omega^2+\omega+1=0$

085 답 -1

방정식 $x^2+x+1=0$의 한 허근이 ω이므로 다른 한 허근은 $\overline{\omega}$이다.

따라서 이차방정식의 근과 계수의 관계에 의하여

$\omega+\overline{\omega}=-1$

086 답 -1

ω는 방정식 $x^3=1$의 한 허근이므로

$\omega^3=1$, $\omega^2+\omega+1=0$

$\therefore \omega^{20}+\omega^{10}=\omega^{3\times6+2}+\omega^{3\times3+1}$

$=\omega^2+\omega=-1$

087 답 -1

$\omega^3=1$에서 $\dfrac{1}{\omega^2}=\omega$이므로

$\omega^2+\dfrac{1}{\omega^2}=\omega^2+\omega=-1$

088 답 1

방정식 $x^2+x+1=0$의 두 근이 ω, $\overline{\omega}$이므로 이차방정식의 근과 계수의 관계에 의하여

$\omega\overline{\omega}=1$

$\therefore \dfrac{\overline{\omega}}{\omega^2}=\overline{\omega}\times\omega=1$

089 답 0

$x^3=-1$에서 $x^3+1=0$, $(x+1)(x^2-x+1)=0$

이때 ω는 허근이므로 방정식 $x^2-x+1=0$의 근이다.

$\therefore \omega^2-\omega+1=0$

090 답 1

방정식 $x^2-x+1=0$의 한 허근이 ω이므로 다른 한 허근은 $\overline{\omega}$이다.

따라서 이차방정식의 근과 계수의 관계에 의하여

$\omega\overline{\omega}=1$

091 답 0

ω는 방정식 $x^3=-1$의 한 허근이므로

$\omega^3=-1$, $\omega^2-\omega+1=0$

$\therefore \omega^8-\omega^7+1=\omega^{3\times2+2}-\omega^{3\times2+1}+1$

$=\omega^2-\omega+1=0$

092 답 1

$\omega^3=-1$에서 $\dfrac{1}{\omega}=-\omega^2$이므로

$\omega+\dfrac{1}{\omega}=\omega-\omega^2=-(\omega^2-\omega)=-(-1)=1$

093 답 -1

$\dfrac{\overline{\omega}^2}{\omega} = \overline{\omega}^2 \times (-\omega^2) = -(\omega\overline{\omega})^2 = -1$

094 답 5, 3, 2, 3, 2

095 답 $\begin{cases} x=-1 \\ y=-4 \end{cases}$ 또는 $\begin{cases} x=4 \\ y=1 \end{cases}$

㉠에서 $y=x-3$ ······ ㉢
이를 ㉡에 대입하면
$x^2+(x-3)^2=17$, $x^2-3x-4=0$
$(x+1)(x-4)=0$ ∴ $x=-1$ 또는 $x=4$
이를 각각 ㉢에 대입하면 $x=-1$일 때 $y=-4$, $x=4$일 때 $y=1$
이므로 연립방정식의 해는

$\begin{cases} x=-1 \\ y=-4 \end{cases}$ 또는 $\begin{cases} x=4 \\ y=1 \end{cases}$

096 답 $\begin{cases} x=-5 \\ y=-7 \end{cases}$ 또는 $\begin{cases} x=-1 \\ y=1 \end{cases}$

㉠에서 $y=2x+3$ ······ ㉢
이를 ㉡에 대입하면
$2x^2-(2x+3)^2=1$, $x^2+6x+5=0$
$(x+5)(x+1)=0$ ∴ $x=-5$ 또는 $x=-1$
이를 각각 ㉢에 대입하면 $x=-5$일 때 $y=-7$, $x=-1$일 때
$y=1$이므로 연립방정식의 해는

$\begin{cases} x=-5 \\ y=-7 \end{cases}$ 또는 $\begin{cases} x=-1 \\ y=1 \end{cases}$

097 답 $\begin{cases} x=-2 \\ y=2 \end{cases}$ 또는 $\begin{cases} x=2 \\ y=4 \end{cases}$

㉠에서 $x=2y-6$ ······ ㉢
이를 ㉡에 대입하면
$(2y-6)^2-(2y-6)y+y^2=12$, $y^2-6y+8=0$
$(y-2)(y-4)=0$ ∴ $y=2$ 또는 $y=4$
이를 각각 ㉢에 대입하면 $y=2$일 때 $x=-2$, $y=4$일 때 $x=2$이
므로 연립방정식의 해는

$\begin{cases} x=-2 \\ y=2 \end{cases}$ 또는 $\begin{cases} x=2 \\ y=4 \end{cases}$

098 답 $\begin{cases} x=-2 \\ y=3 \end{cases}$ 또는 $\begin{cases} x=2 \\ y=-1 \end{cases}$

㉠에서 $y=-x+1$ ······ ㉢
이를 ㉡에 대입하면
$x^2+(-x+1)^2-2(-x+1)=7$
$x^2=4$ ∴ $x=\pm2$
이를 각각 ㉢에 대입하면 $x=-2$일 때 $y=3$, $x=2$일 때 $y=-1$
이므로 연립방정식의 해는

$\begin{cases} x=-2 \\ y=3 \end{cases}$ 또는 $\begin{cases} x=2 \\ y=-1 \end{cases}$

099 답 $\begin{cases} x=-9 \\ y=-5 \end{cases}$ 또는 $\begin{cases} x=5 \\ y=2 \end{cases}$

㉠에서 $x=2y+1$ ······ ㉢
이를 ㉡에 대입하면
$(2y+1)^2-(2y+1)y-y^2=11$
$y^2+3y-10=0$, $(y+5)(y-2)=0$
∴ $y=-5$ 또는 $y=2$
이를 각각 ㉢에 대입하면 $y=-5$일 때 $x=-9$, $y=2$일 때 $x=5$
이므로 연립방정식의 해는

$\begin{cases} x=-9 \\ y=-5 \end{cases}$ 또는 $\begin{cases} x=5 \\ y=2 \end{cases}$

100 답 $2x$, $-\sqrt{10}$, -4, $-\sqrt{10}$, -4

101 답 $\begin{cases} x=\sqrt{11} \\ y=-\sqrt{11} \end{cases}$ 또는 $\begin{cases} x=-\sqrt{11} \\ y=\sqrt{11} \end{cases}$
또는 $\begin{cases} x=-3\sqrt{3} \\ y=-\sqrt{3} \end{cases}$ 또는 $\begin{cases} x=3\sqrt{3} \\ y=\sqrt{3} \end{cases}$

㉠에서 $x=-y$ 또는 $x=3y$
(ⅰ) $x=-y$일 때
  $x=-y$를 ㉡에 대입하면
  $y^2+2y^2=33$, $y^2=11$ ∴ $y=\pm\sqrt{11}$
  ∴ $y=-\sqrt{11}$일 때 $x=\sqrt{11}$, $y=\sqrt{11}$일 때 $x=-\sqrt{11}$
(ⅱ) $x=3y$일 때
  $x=3y$를 ㉡에 대입하면
  $9y^2+2y^2=33$, $y^2=3$ ∴ $y=\pm\sqrt{3}$
  ∴ $y=-\sqrt{3}$일 때 $x=-3\sqrt{3}$, $y=\sqrt{3}$일 때 $x=3\sqrt{3}$
(ⅰ), (ⅱ)에 의하여 주어진 연립방정식의 해는

$\begin{cases} x=\sqrt{11} \\ y=-\sqrt{11} \end{cases}$ 또는 $\begin{cases} x=-\sqrt{11} \\ y=\sqrt{11} \end{cases}$ 또는 $\begin{cases} x=-3\sqrt{3} \\ y=-\sqrt{3} \end{cases}$ 또는 $\begin{cases} x=3\sqrt{3} \\ y=\sqrt{3} \end{cases}$

102 답 $\begin{cases} x=0 \\ y=-5 \end{cases}$ 또는 $\begin{cases} x=0 \\ y=5 \end{cases}$ 또는 $\begin{cases} x=-2\sqrt{5} \\ y=-\sqrt{5} \end{cases}$ 또는 $\begin{cases} x=2\sqrt{5} \\ y=\sqrt{5} \end{cases}$

㉠에서 $x(x-2y)=0$
∴ $x=0$ 또는 $x=2y$
(ⅰ) $x=0$일 때
  $x=0$을 ㉡에 대입하면
  $y^2=25$ ∴ $y=\pm5$
(ⅱ) $x=2y$일 때
  $x=2y$를 ㉡에 대입하면
  $4y^2+y^2=25$, $y^2=5$ ∴ $y=\pm\sqrt{5}$
  ∴ $y=-\sqrt{5}$일 때 $x=-2\sqrt{5}$, $y=\sqrt{5}$일 때 $x=2\sqrt{5}$
(ⅰ), (ⅱ)에 의하여 주어진 연립방정식의 해는

$\begin{cases} x=0 \\ y=-5 \end{cases}$ 또는 $\begin{cases} x=0 \\ y=5 \end{cases}$ 또는 $\begin{cases} x=-2\sqrt{5} \\ y=-\sqrt{5} \end{cases}$ 또는 $\begin{cases} x=2\sqrt{5} \\ y=\sqrt{5} \end{cases}$

103 답 $\begin{cases} x=3 \\ y=-1 \end{cases}$ 또는 $\begin{cases} x=-3 \\ y=1 \end{cases}$

ⓛ에서 $(x+3y)(x-y)=0$ $\therefore$ $x=-3y$ 또는 $x=y$

(i) $x=-3y$일 때

$x=-3y$를 ㉠에 대입하면

$9y^2-y^2=8$, $y^2=1$ $\therefore$ $y=\pm 1$

  $\therefore$ $y=-1$일 때 $x=3$, $y=1$일 때 $x=-3$

(ii) $x=y$일 때

$x=y$를 만족하는 해는 없다.

(i), (ii)에 의하여 주어진 연립방정식의 해는

$\begin{cases} x=3 \\ y=-1 \end{cases}$ 또는 $\begin{cases} x=-3 \\ y=1 \end{cases}$

104 답 $\begin{cases} x=-\sqrt{3} \\ y=2\sqrt{3} \end{cases}$ 또는 $\begin{cases} x=\sqrt{3} \\ y=-2\sqrt{3} \end{cases}$

또는 $\begin{cases} x=-\sqrt{7} \\ y=-2\sqrt{7} \end{cases}$ 또는 $\begin{cases} x=\sqrt{7} \\ y=2\sqrt{7} \end{cases}$

㉠에서 $(2x+y)(2x-y)=0$ $\therefore$ $y=-2x$ 또는 $y=2x$

(i) $y=-2x$일 때

$y=-2x$를 ㉡에 대입하면

$x^2+2x^2+4x^2=21$, $x^2=3$ $\therefore$ $x=\pm\sqrt{3}$

  $\therefore$ $x=-\sqrt{3}$일 때 $y=2\sqrt{3}$, $x=\sqrt{3}$일 때 $y=-2\sqrt{3}$

(ii) $y=2x$일 때

$y=2x$를 ㉡에 대입하면

$x^2-2x^2+4x^2=21$, $x^2=7$ $\therefore$ $x=\pm\sqrt{7}$

  $\therefore$ $x=-\sqrt{7}$일 때 $y=-2\sqrt{7}$, $x=\sqrt{7}$일 때 $y=2\sqrt{7}$

(i), (ii)에 의하여 주어진 연립방정식의 해는

$\begin{cases} x=-\sqrt{3} \\ y=2\sqrt{3} \end{cases}$ 또는 $\begin{cases} x=\sqrt{3} \\ y=-2\sqrt{3} \end{cases}$ 또는 $\begin{cases} x=-\sqrt{7} \\ y=-2\sqrt{7} \end{cases}$ 또는 $\begin{cases} x=\sqrt{7} \\ y=2\sqrt{7} \end{cases}$

105 답 $\begin{cases} x=\sqrt{11}\,i \\ y=-\sqrt{11}\,i \end{cases}$ 또는 $\begin{cases} x=-\sqrt{11}\,i \\ y=\sqrt{11}\,i \end{cases}$

또는 $\begin{cases} x=-2 \\ y=-1 \end{cases}$ 또는 $\begin{cases} x=2 \\ y=1 \end{cases}$

㉠에서 $(x+y)(x-2y)=0$ $\therefore$ $x=-y$ 또는 $x=2y$

(i) $x=-y$일 때

$x=-y$를 ㉡에 대입하면

$y^2-3y^2+y^2=11$, $y^2=-11$ $\therefore$ $y=\pm\sqrt{11}\,i$

  $\therefore$ $y=-\sqrt{11}\,i$일 때 $x=\sqrt{11}\,i$, $y=\sqrt{11}\,i$일 때 $x=-\sqrt{11}\,i$

(ii) $x=2y$일 때

$x=2y$를 ㉡에 대입하면

$4y^2+6y^2+y^2=11$, $y^2=1$ $\therefore$ $y=\pm 1$

  $\therefore$ $y=-1$일 때 $x=-2$, $y=1$일 때 $x=2$

(i), (ii)에 의하여 주어진 연립방정식의 해는

$\begin{cases} x=\sqrt{11}\,i \\ y=-\sqrt{11}\,i \end{cases}$ 또는 $\begin{cases} x=-\sqrt{11}\,i \\ y=\sqrt{11}\,i \end{cases}$ 또는 $\begin{cases} x=-2 \\ y=-1 \end{cases}$ 또는 $\begin{cases} x=2 \\ y=1 \end{cases}$

106 답 $\begin{cases} x=-2\sqrt{5}\,i \\ y=-\sqrt{5}\,i \end{cases}$ 또는 $\begin{cases} x=2\sqrt{5}\,i \\ y=\sqrt{5}\,i \end{cases}$

또는 $\begin{cases} x=-3\sqrt{2} \\ y=-\sqrt{2} \end{cases}$ 또는 $\begin{cases} x=3\sqrt{2} \\ y=\sqrt{2} \end{cases}$

㉠에서 $(x-2y)(x-3y)=0$

$\therefore$ $x=2y$ 또는 $x=3y$

(i) $x=2y$일 때

$x=2y$를 ㉡에 대입하면

$8y^2-6y^2-4y^2=10$, $y^2=-5$ $\therefore$ $y=\pm\sqrt{5}\,i$

  $\therefore$ $y=-\sqrt{5}\,i$일 때 $x=-2\sqrt{5}\,i$, $y=\sqrt{5}\,i$일 때 $x=2\sqrt{5}\,i$

(ii) $x=3y$일 때

$x=3y$를 ㉡에 대입하면

$18y^2-9y^2-4y^2=10$, $y^2=2$ $\therefore$ $y=\pm\sqrt{2}$

  $\therefore$ $y=-\sqrt{2}$일 때 $x=-3\sqrt{2}$, $y=\sqrt{2}$일 때 $x=3\sqrt{2}$

(i), (ii)에 의하여 주어진 연립방정식의 해는

$\begin{cases} x=-2\sqrt{5}\,i \\ y=-\sqrt{5}\,i \end{cases}$ 또는 $\begin{cases} x=2\sqrt{5}\,i \\ y=\sqrt{5}\,i \end{cases}$ 또는 $\begin{cases} x=-3\sqrt{2} \\ y=-\sqrt{2} \end{cases}$ 또는 $\begin{cases} x=3\sqrt{2} \\ y=\sqrt{2} \end{cases}$

107 답 y^2, xy, 8, 48

108 답 60 m²

처음 땅의 가로의 길이를 x m, 세로의 길이를 y m라고 하면

$\begin{cases} x^2+y^2=13^2 & \cdots\cdots ㉠ \\ (x-5)(y+5)=xy+10 & \cdots\cdots ㉡ \end{cases}$

㉡에서 $y=x-7$을 ㉠에 대입하면

$x^2+(x-7)^2=169$

$x^2-7x-60=0$, $(x+5)(x-12)=0$

$\therefore$ $x=-5$ 또는 $x=12$

그런데 $5<x<13$이므로 $x=12$

$\therefore$ $x=12$, $y=5$

따라서 처음 땅의 넓이는

$xy=12\times 5=60$ (m²)

109 답 $10y+x$, 4, 2, 42

110 답 95

처음 수의 십의 자리의 숫자를 x, 일의 자리의 숫자를 y라고 하면

$\begin{cases} x^2+y^2=106 & \cdots\cdots ㉠ \\ (10x+y)+(10y+x)=154 & \cdots\cdots ㉡ \end{cases}$

㉡에서 $y=-x+14$를 ㉠에 대입하면

$x^2+(-x+14)^2=106$

$x^2-14x+45=0$, $(x-5)(x-9)=0$

$\therefore$ $x=5$ 또는 $x=9$

$\therefore$ $x=5$일 때 $y=9$, $x=9$일 때 $y=5$

그런데 처음 수의 십의 자리의 숫자가 일의 자리의 숫자보다 크므로

$x=9$, $y=5$

따라서 처음 수는 95이다.

111 답 **4, 4, 4, 2**

112 답 $\begin{cases} x=-4 \\ y=-1 \end{cases}$ 또는 $\begin{cases} x=-1 \\ y=-4 \end{cases}$

주어진 연립방정식을 만족하는 x, y는 이차방정식의 근과 계수의 관계에 의하여 t에 대한 이차방정식 $t^2+5t+4=0$의 두 근이다.
$t^2+5t+4=0$에서 $(t+4)(t+1)=0$
$\therefore t=-4$ 또는 $t=-1$
따라서 주어진 연립방정식의 해는
$\begin{cases} x=-4 \\ y=-1 \end{cases}$ 또는 $\begin{cases} x=-1 \\ y=-4 \end{cases}$

113 답 $\begin{cases} x=-6 \\ y=4 \end{cases}$ 또는 $\begin{cases} x=4 \\ y=-6 \end{cases}$

주어진 연립방정식을 만족하는 x, y는 이차방정식의 근과 계수의 관계에 의하여 t에 대한 이차방정식 $t^2+2t-24=0$의 두 근이다.
$t^2+2t-24=0$에서 $(t+6)(t-4)=0$
$\therefore t=-6$ 또는 $t=4$
따라서 주어진 연립방정식의 해는
$\begin{cases} x=-6 \\ y=4 \end{cases}$ 또는 $\begin{cases} x=4 \\ y=-6 \end{cases}$

114 답 u^2-2v, ± 4, -1, -3, t^2-4t+3, 3, 3, 3, -1, -3, 3, 3

115 답 $\begin{cases} x=-2 \\ y=-1 \end{cases}$ 또는 $\begin{cases} x=-1 \\ y=-2 \end{cases}$ 또는 $\begin{cases} x=1 \\ y=2 \end{cases}$ 또는 $\begin{cases} x=2 \\ y=1 \end{cases}$

주어진 연립방정식을 변형하면
$\begin{cases} xy=2 \\ (x+y)^2-2xy=5 \end{cases}$
$x+y=u$, $xy=v$로 놓으면
$\begin{cases} v=2 \\ u^2-2v=5 \end{cases}$
$v=2$를 $u^2-2v=5$에 대입하여 풀면 $u=\pm 3$
(i) $u=-3$, $v=2$, 즉 $x+y=-3$, $xy=2$일 때
   x, y를 두 근으로 하는 t에 대한 이차방정식은
   $t^2+3t+2=0$, $(t+2)(t+1)=0$
   $\therefore t=-2$ 또는 $t=-1$
   $\therefore \begin{cases} x=-2 \\ y=-1 \end{cases}$ 또는 $\begin{cases} x=-1 \\ y=-2 \end{cases}$
(ii) $u=3$, $v=2$, 즉 $x+y=3$, $xy=2$일 때
   x, y를 두 근으로 하는 t에 대한 이차방정식은
   $t^2-3t+2=0$, $(t-1)(t-2)=0$
   $\therefore t=1$ 또는 $t=2$
   $\therefore \begin{cases} x=1 \\ y=2 \end{cases}$ 또는 $\begin{cases} x=2 \\ y=1 \end{cases}$
(i), (ii)에 의하여 주어진 연립방정식의 해는
$\begin{cases} x=-2 \\ y=-1 \end{cases}$ 또는 $\begin{cases} x=-1 \\ y=-2 \end{cases}$ 또는 $\begin{cases} x=1 \\ y=2 \end{cases}$ 또는 $\begin{cases} x=2 \\ y=1 \end{cases}$

116 답 $y-1$, 1, 0, 1, 3, 2, $(3, 2)$

117 답 $(-6, -1)$, $(-4, 1)$, $(-2, -5)$, $(0, -3)$

$xy+2x+3y+9=0$에서
$x(y+2)+3(y+2)+3=0$
$\therefore (x+3)(y+2)=-3$
그런데 x, y가 정수이므로
(i) $x+3=-3$, $y+2=1$일 때, $x=-6$, $y=-1$
(ii) $x+3=-1$, $y+2=3$일 때, $x=-4$, $y=1$
(iii) $x+3=1$, $y+2=-3$일 때, $x=-2$, $y=-5$
(iv) $x+3=3$, $y+2=-1$일 때, $x=0$, $y=-3$
따라서 구하는 순서쌍 (x, y)는
$(-6, -1)$, $(-4, 1)$, $(-2, -5)$, $(0, -3)$

118 답 $(2, -3)$, $(3, -4)$, $(5, 0)$, $(6, -1)$

$xy+2x-4y-10=0$에서
$x(y+2)-4(y+2)-2=0$
$\therefore (x-4)(y+2)=2$
그런데 x, y가 정수이므로
(i) $x-4=-2$, $y+2=-1$일 때, $x=2$, $y=-3$
(ii) $x-4=-1$, $y+2=-2$일 때, $x=3$, $y=-4$
(iii) $x-4=1$, $y+2=2$일 때, $x=5$, $y=0$
(iv) $x-4=2$, $y+2=1$일 때, $x=6$, $y=-1$
따라서 구하는 순서쌍 (x, y)는
$(2, -3)$, $(3, -4)$, $(5, 0)$, $(6, -1)$

119 답 $y-3$, $y-3$, 3, $y-3$, 3, 3, -1

120 답 $x=4$, $y=3$

[방법 1]
$x^2+y^2-8x-6y+25=0$에서
$(x^2-8x+16)+(y^2-6y+9)=0$
$\therefore (x-4)^2+(y-3)^2=0$
그런데 x, y가 실수이므로
$x-4=0$, $y-3=0$ $\therefore x=4$, $y=3$

[방법 2]
주어진 방정식의 좌변을 x에 대하여 내림차순으로 정리하면
$x^2-8x+y^2-6y+25=0$ ······ ㉠
이때 x는 실수이므로 방정식 ㉠은 실근을 갖는다.
㉠의 판별식을 D라고 하면
$\dfrac{D}{4}=(-4)^2-(y^2-6y+25)\geq 0$, $(y-3)^2\leq 0$
그런데 y도 실수이므로 $y=3$
$y=3$을 ㉠에 대입하여 풀면
$x=4$

121 답 $x=2$, $y=2$

[방법 1]

$2x^2+y^2-2xy-4x+4=0$에서

$(x^2-4x+4)+(x^2-2xy+y^2)=0$

$\therefore (x-2)^2+(x-y)^2=0$

그런데 x, y가 실수이므로

$x-2=0$, $x-y=0$ $\therefore x=2$, $y=2$

[방법 2]

주어진 방정식의 좌변을 x에 대하여 내림차순으로 정리하면

$2x^2-2(y+2)x+y^2+4=0$ ...... ㉠

이때 x는 실수이므로 방정식 ㉠은 실근을 갖는다.

㉠의 판별식을 D라고 하면

$\dfrac{D}{4}=(y+2)^2-2(y^2+4)\geq 0$, $(y-2)^2\leq 0$

그런데 y도 실수이므로 $y=2$

$y=2$를 ㉠에 대입하여 풀면 $x=2$

연산유형 최종 점검하기

108~109쪽

1 ① **2** ② **3** $-1\pm\sqrt{3}i$ **4** ⑤ **5** 1 **6** ③ **7** ③ **8** -4

9 ④ **10** -24 **11** ② **12** ② **13** 10 **14** ⑤ **15** ②

16 -6

---

1 $f(x)=x^3-2x-4$라고 할 때,

$f(2)=0$이므로 조립제법을 이용하여

$f(x)$를 인수분해하면

$$\begin{array}{r|rrrr} 2 & 1 & 0 & -2 & -4 \\ & & 2 & 4 & 4 \\ \hline & 1 & 2 & 2 & 0 \end{array}$$

$f(x)=(x-2)(x^2+2x+2)$

즉, 주어진 방정식은

$(x-2)(x^2+2x+2)=0$

$\therefore x=2$ 또는 $x=-1\pm i$

따라서 두 허근의 곱은

$(-1-i)(-1+i)=2$

2 $f(x)=x^4+4x^3+7x^2+8x+4$라고 할 때, $f(-1)=0$,

$f(-2)=0$이므로 조립제법을 이용하여 $f(x)$를 인수분해하면

$$\begin{array}{r|rrrrr} -1 & 1 & 4 & 7 & 8 & 4 \\ & & -1 & -3 & -4 & -4 \\ \hline -2 & 1 & 3 & 4 & 4 & 0 \\ & & -2 & -2 & -4 & \\ \hline & 1 & 1 & 2 & 0 & \end{array}$$

$f(x)=(x+1)(x+2)(x^2+x+2)$

즉, 주어진 방정식은

$(x+2)(x+1)(x^2+x+2)=0$

$\therefore x=-2$ 또는 $x=-1$ 또는 $x=\dfrac{-1\pm\sqrt{7}i}{2}$

따라서 모든 실근의 곱은

$-2\times(-1)=2$

3 $x^3+kx^2+2kx-4=0$에 $x=1$을 대입하면

$1+k+2k-4=0$ $\therefore k=1$

$\therefore x^3+x^2+2x-4=0$

$f(x)=x^3+x^2+2x-4$라고 할 때,

$f(1)=0$이므로 조립제법을 이용하여

$f(x)$를 인수분해하면

$$\begin{array}{r|rrrr} 1 & 1 & 1 & 2 & -4 \\ & & 1 & 2 & 4 \\ \hline & 1 & 2 & 4 & 0 \end{array}$$

$f(x)=(x-1)(x^2+2x+4)$

따라서 주어진 방정식은

$(x-1)(x^2+2x+4)=0$

$\therefore x=1$ 또는 $x=-1\pm\sqrt{3}i$

따라서 나머지 두 근은 $-1\pm\sqrt{3}i$이다.

4 $x^2-3x=X$로 치환하면

$X^2-2X-8=0$, $(X+2)(X-4)=0$

$\therefore X=-2$ 또는 $X=4$

(i) $X=-2$일 때

$x^2-3x=-2$에서 $x^2-3x+2=0$

$(x-1)(x-2)=0$ $\therefore x=1$ 또는 $x=2$

(ii) $X=4$일 때

$x^2-3x=4$에서 $x^2-3x-4=0$

$(x+1)(x-4)=0$ $\therefore x=-1$ 또는 $x=4$

(i), (ii)에 의하여 $\alpha=-1$, $\beta=1$, $\gamma=2$, $\delta=4$이므로

$\alpha+\beta-\gamma+\delta=-1+1-2+4=2$

5 $x^2=X$로 치환하면

$X^2+X-20=0$, $(X+5)(X-4)=0$

$\therefore X=-5$ 또는 $X=4$

(i) $X=-5$일 때

$x^2=-5$에서 $x=\pm\sqrt{5}i$

(ii) $X=4$일 때

$x^2=4$에서 $x=\pm 2$

(i), (ii)에 의하여

$\alpha\beta+\gamma\delta=2\times(-2)+\sqrt{5}i\times(-\sqrt{5}i)=-4+5=1$

6 $x^4-7x^2+9=0$에서 $(x^4-6x^2+9)-x^2=0$

$(x^2-3)^2-x^2=0$, $(x^2+x-3)(x^2-x-3)=0$

$\therefore x^2+x-3=0$ 또는 $x^2-x-3=0$

$\therefore x=\dfrac{-1\pm\sqrt{13}}{2}$ 또는 $x=\dfrac{1\pm\sqrt{13}}{2}$

따라서 $\alpha=\dfrac{1+\sqrt{13}}{2}$, $\beta=\dfrac{-1-\sqrt{13}}{2}$이므로 $\alpha+\beta=0$

7 $x\neq 0$이므로 방정식의 양변을 x^2으로 나누면

$x^2-6x+7-\dfrac{6}{x}+\dfrac{1}{x^2}=0$

$\left(x+\dfrac{1}{x}\right)^2-6\left(x+\dfrac{1}{x}\right)+5=0$

$x+\dfrac{1}{x}=X$로 치환하면 $X^2-6X+5=0$

$(X-1)(X-5)=0$ $\therefore X=1$ 또는 $X=5$

(ⅰ) $X=1$일 때

$x+\dfrac{1}{x}=1$에서 $x^2-x+1=0$

$\therefore x=\dfrac{1\pm\sqrt{3}i}{2}$

(ⅱ) $X=5$일 때

$x+\dfrac{1}{x}=5$에서 $x^2-5x+1=0$

$\therefore x=\dfrac{5\pm\sqrt{21}}{2}$

따라서 구하는 실근은 $\dfrac{5\pm\sqrt{21}}{2}$이다.

8 삼차방정식의 근과 계수의 관계에 의하여

$\alpha+\beta+\gamma=-2$, $\alpha\beta+\beta\gamma+\gamma\alpha=4$, $\alpha\beta\gamma=3$

$\therefore (\alpha-1)(\beta-1)(\gamma-1)$

$\quad =\alpha\beta\gamma-(\alpha\beta+\beta\gamma+\gamma\alpha)+(\alpha+\beta+\gamma)-1$

$\quad =3-4-2-1=-4$

9 삼차방정식의 근과 계수의 관계에 의하여

$\alpha+\beta+\gamma=-1$, $\alpha\beta+\beta\gamma+\gamma\alpha=0$, $\alpha\beta\gamma=-1$

(ⅰ) $\dfrac{1}{\alpha}+\dfrac{1}{\beta}+\dfrac{1}{\gamma}=\dfrac{\alpha\beta+\beta\gamma+\gamma\alpha}{\alpha\beta\gamma}=\dfrac{0}{-1}=0$

(ⅱ) $\dfrac{1}{\alpha}\times\dfrac{1}{\beta}+\dfrac{1}{\beta}\times\dfrac{1}{\gamma}+\dfrac{1}{\gamma}\times\dfrac{1}{\alpha}=\dfrac{\alpha+\beta+\gamma}{\alpha\beta\gamma}=\dfrac{-1}{-1}=1$

(ⅲ) $\dfrac{1}{\alpha}\times\dfrac{1}{\beta}\times\dfrac{1}{\gamma}=\dfrac{1}{\alpha\beta\gamma}=\dfrac{1}{-1}=-1$

(ⅰ), (ⅱ), (ⅲ)에 의하여 구하는 방정식은

$x^3+x+1=0$

10 a, b가 실수이므로 $1+i$가 근이면 $1-i$도 근이다.

나머지 한 근을 α라고 하면 삼차방정식의 근과 계수의 관계에 의하여

$(1+i)+(1-i)+\alpha=-1$ ······ ㉠

$(1+i)(1-i)+(1-i)\alpha+\alpha(1+i)=a$ ······ ㉡

$(1+i)(1-i)\alpha=-b$ ······ ㉢

㉠에서 $\alpha=-3$

㉡에서 $2+2\alpha=a$ $\therefore a=-4$

㉢에서 $2\alpha=-b$ $\therefore b=6$

$\therefore ab=-24$

11 $x^3=1$에서 $x^3-1=0$, $(x-1)(x^2+x+1)=0$

이때 ω는 $x^3=1$의 허근이므로

$\omega^3=1$, $\omega^2+\omega+1=0$

$\therefore \dfrac{\omega^{14}}{\omega+1}=\dfrac{\omega^{3\times4+2}}{\omega+1}=\dfrac{\omega^2}{\omega+1}=\dfrac{\omega^2}{-\omega^2}=-1$

12 $x-y=2$에서 $y=x-2$를 $x^2+y^2=10$에 대입하면

$x^2+(x-2)^2=10$, $x^2-2x-3=0$

$(x+1)(x-3)=0$ $\therefore x=-1$ 또는 $x=3$

$\therefore x=-1$일 때 $y=-3$, $x=3$일 때 $y=1$

따라서 $\alpha=-1$, $\beta=-3$ 또는 $\alpha=3$, $\beta=1$이므로

$\alpha\beta=3$

13 $2x^2-3xy+y^2=0$에서

$(x-y)(2x-y)=0$ $\therefore y=x$ 또는 $y=2x$

(ⅰ) $y=x$일 때

$y=x$를 $x^2+xy-y^2=25$에 대입하면

$x^2=25$ $\therefore x=\pm5$

$\therefore x=-5$일 때 $y=-5$, $x=5$일 때 $y=5$

(ⅱ) $y=2x$일 때

$y=2x$를 $x^2+xy-y^2=25$에 대입하면

$x^2=-25$ $\therefore x=\pm5i$

$\therefore x=-5i$일 때 $y=-10i$, $x=5i$일 때 $y=10i$

그런데 x, y는 양의 정수이므로 $x=5$, $y=5$

$\therefore x+y=10$

14 주어진 연립방정식을 변형하면

$\begin{cases}xy=-3\\(x+y)^2-2xy=10\end{cases}$

$x+y=u$, $xy=v$로 놓으면

$\begin{cases}v=-3\\u^2-2v=10\end{cases}$

$v=-3$을 $u^2-2v=10$에 대입하여 풀면 $u=\pm2$

(ⅰ) $u=-2$, $v=-3$, 즉 $x+y=-2$, $xy=-3$일 때

x, y를 두 근으로 하는 t에 대한 이차방정식은

$t^2+2t-3=0$, $(t+3)(t-1)=0$

$\therefore t=-3$ 또는 $t=1$

$\therefore \begin{cases}x=-3\\y=1\end{cases}$ 또는 $\begin{cases}x=1\\y=-3\end{cases}$

(ⅱ) $u=2$, $v=-3$, 즉 $x+y=2$, $xy=-3$일 때

x, y를 두 근으로 하는 t에 대한 이차방정식은

$t^2-2t-3=0$, $(t+1)(t-3)=0$

$\therefore t=-1$ 또는 $t=3$

$\therefore \begin{cases}x=-1\\y=3\end{cases}$ 또는 $\begin{cases}x=3\\y=-1\end{cases}$

(ⅰ), (ⅱ)에 의하여 $\alpha+\beta$의 최댓값은

$-1+3=2$

15 $xy-2x-y-1=0$에서

$x(y-2)-(y-2)-3=0$ $\therefore (x-1)(y-2)=3$

그런데 x, y가 자연수이므로

$x-1\geq0$, $y-2\geq-1$

(ⅰ) $x-1=1$, $y-2=3$일 때, $x=2$, $y=5$

(ⅱ) $x-1=3$, $y-2=1$일 때, $x=4$, $y=3$

따라서 구하는 순서쌍 (x, y)는 $(2, 5)$, $(4, 3)$의 2개이다.

16 $2x^2+y^2+2xy+6x+9=0$에서

$(x^2+6x+9)+(x^2+2xy+y^2)=0$

$\therefore (x+3)^2+(x+y)^2=0$

그런데 x, y가 실수이므로

$x+3=0$, $x+y=0$ $\therefore x=-3$, $y=3$

$\therefore x-y=-6$

07 일차부등식

001 답 >

002 답 >

003 답 <

004 답 >

005 답 <

006 답 <

$a<b$의 양변에 a를 더하면 $2a<a+b$

007 답 <

$a<b$의 양변에 b를 더하면 $a+b<2b$

008 답 >

$a<0$이므로 $a<b$의 양변에 a를 곱하면 $a^2>ab$

009 답 <

$b>0$이므로 $a<b$의 양변을 b로 나누면 $\dfrac{a}{b}<1$

010 답 $x\geq-3$

$3x-1\geq x-7$에서 $2x\geq-6$ $\therefore x\geq-3$

011 답 $x<-4$

$x-9>5x+7$에서 $-4x>16$ $\therefore x<-4$

012 답 해는 없다.

$2(x+4)\leq-x+3(x-1)$에서 $2x+8\leq-x+3x-3$

$\therefore 0\cdot x\leq-11$

따라서 주어진 일차부등식의 해는 없다.

013 답 해는 모든 실수

$5(x+1)-x<4x+9$에서 $5x+5-x<4x+9$

$\therefore 0\cdot x<4$

따라서 주어진 일차부등식의 해는 모든 실수이다.

014 답 $x<5$

$\dfrac{x}{5}-1>\dfrac{x-5}{3}$에서 $3x-15>5x-25$

$-2x>-10$ $\therefore x<5$

015 답 >, <

016 답 풀이 참고

$ax\leq a$에서

(ⅰ) $a>0$일 때, $x\leq1$

(ⅱ) $a=0$일 때, 해는 모든 실수

(ⅲ) $a<0$일 때, $x\geq1$

017 답 풀이 참고

$(a-1)x>1$에서

(ⅰ) $a>1$일 때, $x>\dfrac{1}{a-1}$

(ⅱ) $a=1$일 때, 해는 없다.

(ⅲ) $a<1$일 때, $x<\dfrac{1}{a-1}$

018 답 풀이 참고

$(a+1)x\geq a+1$에서

(ⅰ) $a>-1$일 때, $x\geq1$

(ⅱ) $a=-1$일 때, 해는 모든 실수

(ⅲ) $a<-1$일 때, $x\leq1$

019 답 $x>-1$

$3x+5>2$에서 $3x>-3$ $\therefore x>-1$

020 답 $x<9$

021 답

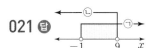

022 답 $-1<x<9$

023 답 $x\leq5$

$2x+3\geq3x-2$에서 $-x\geq-5$ $\therefore x\leq5$

024 답 $x<3$

025 답

026 답 $x<3$

027 답 $-4\leq x<2$

$x+1\geq-3$에서 $x\geq-4$ $\cdots\cdots$ ㉠

$4x<8$에서 $x<2$ $\cdots\cdots$ ㉡

따라서 주어진 연립부등식의 해는

$-4\leq x<2$

028 답 $x \geq 2$

$x-2 < 3x$에서 $-2x < 2$

$\therefore x > -1$ ...... ㉠

$5x-7 \geq 3$에서 $5x \geq 10$

$\therefore x \geq 2$ ...... ㉡

따라서 주어진 연립부등식의 해는 $x \geq 2$

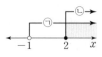

029 답 $x \geq 5$

$x+7 < 4(x-2)$에서 $x+7 \leq 4x-8$

$-3x \leq -15$ $\therefore x \geq 5$ ...... ㉠

$5(x-1) > x+3$에서 $5x-5 > x+3$

$4x > 8$ $\therefore x > 2$ ...... ㉡

따라서 주어진 연립부등식의 해는 $x \geq 5$

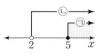

030 답 $x \geq \dfrac{1}{3}$

$4-(x-2) \leq 2x+7$에서 $-x+6 \leq 2x+7$

$-3x \leq 1$ $\therefore x \geq -\dfrac{1}{3}$ ...... ㉠

$18x+11 \geq 12x+13$에서 $6x \geq 2$

$\therefore x \geq \dfrac{1}{3}$ ...... ㉡

따라서 주어진 연립부등식의 해는 $x \geq \dfrac{1}{3}$

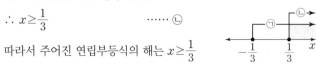

031 답 $9 < x < 13$

$\dfrac{x-1}{12} < 1$에서 $x-1 < 12$

$\therefore x < 13$ ...... ㉠

$6(x-7) > x+3$에서 $6x-42 > x+3$

$5x > 45$ $\therefore x > 9$ ...... ㉡

따라서 주어진 연립부등식의 해는

$9 < x < 13$

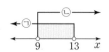

032 답 $-7 \leq x < -\dfrac{7}{3}$

$5x < 2(x-4)+1$에서 $5x < 2x-7$

$3x < -7$ $\therefore x < -\dfrac{7}{3}$ ...... ㉠

$\dfrac{5x-1}{6} \leq x+1$에서 $5x-1 \leq 6x+6$

$-x \leq 7$ $\therefore x \geq -7$ ...... ㉡

따라서 주어진 연립부등식의 해는

$-7 \leq x < -\dfrac{7}{3}$

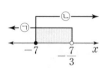

033 답 $-5 \leq x < 5$

$3(x-2) < 2x-1$에서 $3x-6 < 2x-1$

$\therefore x < 5$ ...... ㉠

$\dfrac{3}{4}x+1 \geq \dfrac{1}{2}x-\dfrac{1}{4}$에서 $3x+4 \geq 2x-1$

$\therefore x \geq -5$ ...... ㉡

따라서 주어진 연립부등식의 해는

$-5 \leq x < 5$

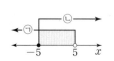

034 답 $x \leq \dfrac{1}{3}$

$\dfrac{x+1}{4} \leq \dfrac{x+2}{5}$에서 $5x+5 \leq 4x+8$

$\therefore x \leq 3$ ...... ㉠

$-x-1 \geq \dfrac{x-3}{2}$에서 $-2x-2 \geq x-3$

$-3x \geq -1$ $\therefore x \leq \dfrac{1}{3}$ ...... ㉡

따라서 주어진 연립부등식의 해는

$x \leq \dfrac{1}{3}$

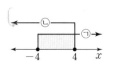

035 답 $-4 \leq x \leq 4$

$\dfrac{x}{4}-2 \leq \dfrac{x}{2}-1$에서 $x-8 \leq 2x-4$

$-x \leq 4$ $\therefore x \geq -4$ ...... ㉠

$\dfrac{x-1}{6} \geq \dfrac{x-3}{2}$에서 $x-1 \geq 3x-9$

$-2x \geq -8$ $\therefore x \leq 4$ ...... ㉡

따라서 주어진 연립부등식의 해는

$-4 \leq x \leq 4$

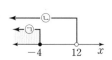

036 답 $x \leq -4$

$0.7(x-1) \geq 1.2x+1.3$에서 $7x-7 \geq 12x+13$

$-5x \geq 20$ $\therefore x \leq -4$ ...... ㉠

$\dfrac{1}{6}x-2 < 3-\dfrac{1}{4}x$에서 $2x-24 < 36-3x$

$5x < 60$ $\therefore x < 12$ ...... ㉡

따라서 주어진 연립부등식의 해는

$x \leq -4$

037 답 $x \geq -1$

$3.2x-0.2 \geq 2.4x-1$에서 $32x-2 \geq 24x-10$

$8x \geq -8$ $\therefore x \geq -1$ ...... ㉠

$-\dfrac{x}{12} < \dfrac{x}{4}+1$에서 $-x < 3x+12$

$-4x < 12$ $\therefore x > -3$ ...... ㉡

따라서 주어진 연립부등식의 해는

$x \geq -1$

038 답 $\dfrac{1}{2} \leq x < 3$

$\dfrac{2}{3}x+1 \leq \dfrac{7}{3}x+\dfrac{1}{6}$에서 $4x+6 \leq 14x+1$

$-10x \leq -5$ $\therefore x \geq \dfrac{1}{2}$ ...... ㉠

$0.5x-0.7 < 0.2(3-x)+0.8$에서

$5x-7 < 2(3-x)+8$

$7x < 21$ $\therefore x < 3$ ...... ㉡

따라서 주어진 연립부등식의 해는

$\dfrac{1}{2} \leq x < 3$

039 답 $3, -2, 2$

040 답 -2

$x-4<2x-1$에서 $-x<3$ $\therefore x>-3$

$5x-a\leq7$에서 $5x\leq a+7$ $\therefore x\leq\dfrac{a+7}{5}$

연립부등식의 해가 $-3<x\leq1$이므로

$\dfrac{a+7}{5}=1$ $\therefore a=-2$

041 답 12

$2x-4>-a$에서 $2x>-a+4$

$\therefore x>\dfrac{-a+4}{2}$

$-2x+16>3x-4$에서 $-5x>-20$

$\therefore x<4$

연립부등식의 해가 $-4<x<4$이므로

$\dfrac{-a+4}{2}=-4$ $\therefore a=12$

042 답 9

$9-3x\geq2x-1$에서 $-5x\geq-10$

$\therefore x\leq2$

$4(x-2)\geq3x-a$에서 $4x-8\geq3x-a$

$\therefore x\geq-a+8$

연립부등식의 해가 $-1\leq x\leq2$이므로

$-a+8=-1$ $\therefore a=9$

043 답 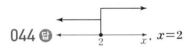, 해는 없다.

044 답 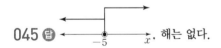, $x=2$

045 답 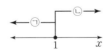, 해는 없다.

046 답 $x=1$

$2x+5\leq x+6$에서

$x\leq1$ $\cdots\cdots\ \bigcirc$

$7x\geq5x+2$에서 $2x\geq2$

$\therefore x\geq1$ $\cdots\cdots\ \bigcirc$

따라서 주어진 연립부등식의 해는

$x=1$

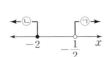

047 답 해는 없다.

$34x+14>-3$에서 $34x>-17$

$\therefore x>-\dfrac{1}{2}$ $\cdots\cdots\ \bigcirc$

$-4+x\geq3x$에서 $-2x\geq4$

$\therefore x\leq-2$ $\cdots\cdots\ \bigcirc$

따라서 주어진 연립부등식의 해는 없다.

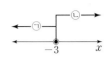

048 답 해는 없다.

$3(x+1)\geq4x+6$에서 $3x+3\geq4x+6$

$-x\geq3$

$\therefore x\leq-3$ $\cdots\cdots\ \bigcirc$

$5x-2<8x+7$에서 $-3x<9$

$\therefore x>-3$ $\cdots\cdots\ \bigcirc$

따라서 주어진 연립부등식의 해는 없다.

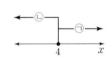

049 답 $x=4$

$\dfrac{x}{4}+2\leq\dfrac{x}{2}+1$에서 $x+8\leq2x+4$

$-x\leq-4$

$\therefore x\geq4$ $\cdots\cdots\ \bigcirc$

$\dfrac{x-2}{6}\leq-\dfrac{x-5}{3}$에서

$x-2\leq-2x+10$

$3x\leq12$

$\therefore x\leq4$ $\cdots\cdots\ \bigcirc$

따라서 주어진 연립부등식의 해는

$x=4$

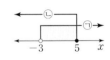

050 답 10, 10, 3, 3, 3

다른 풀이 $-2\leq3x+1\leq10$의 각 변에서 1을 빼면

$-3\leq3x\leq9$

각 변을 3으로 나누면

$-1\leq x\leq3$

051 답 $-3<x\leq5$

주어진 부등식은 $\begin{cases}-7<2x-1\\2x-1\leq9\end{cases}$로 나타낼 수 있다.

$-7<2x-1$에서 $-2x<6$

$\therefore x>-3$ $\cdots\cdots\ \bigcirc$

$2x-1\leq9$에서 $2x\leq10$

$\therefore x\leq5$ $\cdots\cdots\ \bigcirc$

따라서 주어진 부등식의 해는

$-3<x\leq5$

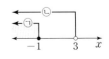

다른 풀이 $-7<2x-1\leq9$의 각 변에 1을 더하면

$-6<2x\leq10$

각 변을 2로 나누면

$-3<x\leq5$

052 답 $x\leq-1$

주어진 부등식은 $\begin{cases}2x\leq x-1\\x-1<2\end{cases}$로 나타낼 수 있다.

$2x\leq x-1$에서

$x\leq-1$ $\cdots\cdots\ \bigcirc$

$x-1<2$에서

$x<3$ $\cdots\cdots\ \bigcirc$

따라서 주어진 부등식의 해는

$x\leq-1$

053 답 $x=30$

주어진 부등식은 $\begin{cases} 5x+30 \leq 180 \\ 180 \leq 6x \end{cases}$ 로 나타낼 수 있다.

$5x+30 \leq 180$에서 $5x \leq 150$

$\therefore x \leq 30$ ······ ㉠

$180 \leq 6x$에서 $x \geq 30$ ······ ㉡

따라서 주어진 부등식의 해는 $x=30$

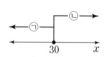

054 답 $2<x<3$

주어진 부등식은 $\begin{cases} 4x+5<7x-1 \\ 7x-1<3x+11 \end{cases}$ 로 나타낼 수 있다.

$4x+5<7x-1$에서 $-3x<-6$

$\therefore x>2$ ······ ㉠

$7x-1<3x+11$에서 $4x<12$

$\therefore x<3$ ······ ㉡

따라서 주어진 부등식의 해는
$2<x<3$

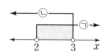

055 답 $x \leq \dfrac{3}{5}$

주어진 부등식은 $\begin{cases} 2x-3<x+1 \\ x+1 \leq -9x+7 \end{cases}$ 로 나타낼 수 있다.

$2x-3<x+1$에서 $x<4$ ······ ㉠

$x+1 \leq -9x+7$에서 $10x \leq 6$

$\therefore x \leq \dfrac{3}{5}$ ······ ㉡

따라서 주어진 부등식의 해는 $x \leq \dfrac{3}{5}$

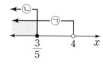

056 답 $-2<x \leq \dfrac{4}{5}$

주어진 부등식은 $\begin{cases} 3-2x \leq 7(1-x) \\ 7(1-x)<11-5x \end{cases}$ 로 나타낼 수 있다.

$3-2x \leq 7(1-x)$에서 $3-2x \leq 7-7x$

$5x \leq 4$ $\therefore x \leq \dfrac{4}{5}$ ······ ㉠

$7(1-x)<11-5x$에서 $7-7x<11-5x$

$-2x<4$ $\therefore x>-2$ ······ ㉡

따라서 주어진 부등식의 해는
$-2<x \leq \dfrac{4}{5}$

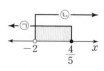

057 답 $-3<x \leq 1$

주어진 부등식은 $\begin{cases} \dfrac{1}{2}(x-3)<x \\ x \leq \dfrac{4-x}{3} \end{cases}$ 로 나타낼 수 있다.

$\dfrac{1}{2}(x-3)<x$에서 $x-3<2x$, $-x<3$

$\therefore x>-3$ ······ ㉠

$x \leq \dfrac{4-x}{3}$에서 $3x \leq 4-x$, $4x \leq 4$

$\therefore x \leq 1$ ······ ㉡

따라서 주어진 부등식의 해는
$-3<x \leq 1$

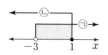

058 답 36, 10, 12, 11, 9, 11, 13

$30<(x-2)+x+(x+2)<36$에서

$30<3x<36$

$\therefore 10<x<12$

059 답 9개

과자를 x개 산다고 하면 사탕은 $(15-x)$개 살 수 있으므로 전체 금액은

$12000 \leq 1000x+600(15-x) \leq 12800$

$120 \leq 4x+90 \leq 128$

$30 \leq 4x \leq 38$

$\therefore \dfrac{15}{2} \leq x \leq \dfrac{19}{2}$

따라서 과자는 최대 9개 살 수 있다.

060 답 60 m 이상 85 m 이하

꽃밭의 세로의 길이를 x m라고 하면 가로의 길이는 $(x+30)$ m이므로 둘레의 길이는

$300 \leq 4x+60 \leq 400$

$240 \leq 4x \leq 340$

$\therefore 60 \leq x \leq 85$

따라서 세로의 길이의 범위는 60 m 이상 85 m 이하이다.

061 답 1, 3, 16, 18, 18

$6(x-1)+1 \leq 5x+13 \leq 6(x-1)+3$

$6(x-1)+1 \leq 5x+13$에서

$6x-5 \leq 5x+13$

$\therefore x \leq 18$ ······ ㉠

$5x+13 \leq 6(x-1)+3$에서

$5x+13 \leq 6x-3$, $-x \leq -16$

$\therefore x \geq 16$ ······ ㉡

부등식의 해는 ㉠, ㉡의 공통부분이므로

$16 \leq x \leq 18$

062 답 20

의자의 개수를 x라고 하면 학생 수는 $(6x+7)$이므로

$7(x-2)+1 \leq 6x+7 \leq 7(x-2)+7$

$7(x-2)+1 \leq 6x+7$에서

$7x-13 \leq 6x+7$

$\therefore x \leq 20$ ······ ㉠

$6x+7 \leq 7(x-2)+7$에서

$6x+7 \leq 7x-7$, $-x \leq -14$

$\therefore x \geq 14$ ······ ㉡

부등식의 해는 ㉠, ㉡의 공통부분이므로

$14 \leq x \leq 20$

따라서 의자의 최대 개수는 20이다.

063 답 **12**

상자의 개수를 x라고 하면 사과의 개수는 $(12x+5)$이므로

$15(x-3)+1 \leq 12x+5 \leq 15(x-3)+15$

$15(x-3)+1 \leq 12x+5$에서

$15x-44 \leq 12x+5$, $3x \leq 49$

$\therefore x \leq \dfrac{49}{3}$ ...... ㉠

$12x+5 \leq 15(x-3)+15$에서

$12x+5 \leq 15x-30$, $-3x \leq -35$

$\therefore x \geq \dfrac{35}{3}$ ...... ㉡

부등식의 해는 ㉠, ㉡의 공통부분이므로

$\dfrac{35}{3} \leq x \leq \dfrac{49}{3}$

따라서 상자의 최소 개수는 12이다.

064 답 -2, -1

065 답 $-14 \leq x \leq 6$

$|x+4| \leq 10$에서 $-10 \leq x+4 \leq 10$ $\therefore -14 \leq x \leq 6$

066 답 $-4 < x < 3$

$|2x+1| < 7$에서 $-7 < 2x+1 < 7$

$-8 < 2x < 6$ $\therefore -4 < x < 3$

067 답 $-5 \leq x \leq 7$

$|1-x| \leq 6$에서 $-6 \leq 1-x \leq 6$

$-7 \leq -x \leq 5$ $\therefore -5 \leq x \leq 7$

068 답 -5, -3, 7

069 답 $x < -9$ 또는 $x > 3$

$|x+3| > 6$에서

$x+3 < -6$ 또는 $x+3 > 6$

$\therefore x < -9$ 또는 $x > 3$

070 답 $x < -\dfrac{9}{4}$ 또는 $x > \dfrac{15}{4}$

$|4x-3| > 12$에서

$4x-3 < -12$ 또는 $4x-3 > 12$

$\therefore x < -\dfrac{9}{4}$ 또는 $x > \dfrac{15}{4}$

071 답 $x \leq -2$ 또는 $x \geq 14$

$\left| 3-\dfrac{x}{2} \right| \geq 4$에서

$3-\dfrac{x}{2} \leq -4$ 또는 $3-\dfrac{x}{2} \geq 4$

$\therefore x \leq -2$ 또는 $x \geq 14$

072 답 $\dfrac{1}{4}$, 1, $\dfrac{1}{4}$

073 답 $x \leq 2$

$x+2=0$, 즉 $x=-2$를 기준으로 구간을 나누면

(i) $x < -2$일 때

$\quad |x+2| = -(x+2)$이므로

$\quad -(x+2) \geq 2x$, $-3x \geq 2$ $\quad \therefore x \leq -\dfrac{2}{3}$

$\quad$ 그런데 $x < -2$이므로 $x < -2$

(ii) $x \geq -2$일 때

$\quad |x+2| = x+2$이므로 $x+2 \geq 2x$

$\quad -x \geq -2$ $\quad \therefore x \leq 2$

$\quad$ 그런데 $x \geq -2$이므로 $-2 \leq x \leq 2$

(i), (ii)에 의하여 주어진 부등식의 해는

$x \leq 2$

074 답 $-\dfrac{6}{7} < x < \dfrac{16}{5}$

$6x-5=0$, 즉 $x=\dfrac{5}{6}$를 기준으로 구간을 나누면

(i) $x < \dfrac{5}{6}$일 때

$\quad |6x-5| = -(6x-5)$이므로

$\quad -(6x-5) < x+11$, $-7x < 6$ $\quad \therefore x > -\dfrac{6}{7}$

$\quad$ 그런데 $x < \dfrac{5}{6}$이므로 $-\dfrac{6}{7} < x < \dfrac{5}{6}$

(ii) $x \geq \dfrac{5}{6}$일 때

$\quad |6x-5| = 6x-5$이므로

$\quad 6x-5 < x+11$, $5x < 16$ $\quad \therefore x < \dfrac{16}{5}$

$\quad$ 그런데 $x \geq \dfrac{5}{6}$이므로 $\dfrac{5}{6} \leq x < \dfrac{16}{5}$

(i), (ii)에 의하여 주어진 부등식의 해는

$-\dfrac{6}{7} < x < \dfrac{16}{5}$

075 답 $x > \dfrac{9}{4}$

$x+1=0$, 즉 $x=-1$을 기준으로 구간을 나누면

(i) $x < -1$일 때

$\quad |x+1| = -(x+1)$이므로

$\quad -2(x+1) < 6x-7$, $-8x < -5$ $\quad \therefore x > \dfrac{5}{8}$

$\quad$ 그런데 $x < -1$이므로 해는 없다.

(ii) $x \geq -1$일 때

$\quad |x+1| = x+1$이므로

$\quad 2(x+1) < 6x-7$, $2x+2 < 6x-7$

$\quad -4x < -9$ $\quad \therefore x > \dfrac{9}{4}$

$\quad$ 그런데 $x \geq -1$이므로 $x > \dfrac{9}{4}$

(i), (ii)에 의하여 주어진 부등식의 해는

$x > \dfrac{9}{4}$

076 답 -4, 2, 2, -4, 3

(i) $x<-3$일 때

$|x+3|=-(x+3)$, $|x-2|=-(x-2)$이므로

$-(x+3)-(x-2)\leq7$, $-2x-1\leq7$ $\quad\therefore x\geq-4$

그런데 $x<-3$이므로 $-4\leq x<-3$

(ii) $-3\leq x<2$일 때

$|x+3|=x+3$, $|x-2|=-(x-2)$이므로

$(x+3)-(x-2)\leq7$

$0\cdot x\leq2$이므로 해는 모든 실수이다.

그런데 $-3\leq x<2$이므로 $-3\leq x<2$

(iii) $x\geq2$일 때

$|x+3|=x+3$, $|x-2|=x-2$이므로

$(x+3)+(x-2)\leq7$, $2x+1\leq7$ $\quad\therefore x\leq3$

그런데 $x\geq2$이므로 $2\leq x\leq3$

(i), (ii), (iii)에 의하여 주어진 부등식의 해는

$-4\leq x\leq3$

077 답 $-\dfrac{1}{2}<x<\dfrac{3}{2}$

$x=0$, $x-1=0$, 즉 $x=0$, $x=1$을 기준으로 구간을 나누면

(i) $x<0$일 때

$|x|=-x$, $|x-1|=-(x-1)$이므로

$-x-(x-1)<2$, $-2x+1<2$

$-2x<1$ $\quad\therefore x>-\dfrac{1}{2}$

그런데 $x<0$이므로 $-\dfrac{1}{2}<x<0$

(ii) $0\leq x<1$일 때

$|x|=x$, $|x-1|=-(x-1)$이므로

$x-(x-1)<2$

이때 $0\cdot x<1$이므로 해는 모든 실수이다.

그런데 $0\leq x<1$이므로 $0\leq x<1$

(iii) $x\geq1$일 때

$|x|=x$, $|x-1|=x-1$이므로

$x+(x-1)<2$, $2x-1<2$,

$2x<3$ $\quad\therefore x<\dfrac{3}{2}$

그런데 $x\geq1$이므로 $1\leq x<\dfrac{3}{2}$

(i), (ii), (iii)에 의하여 주어진 부등식의 해는

$-\dfrac{1}{2}<x<\dfrac{3}{2}$

078 답 $x=-2$

$x-3=0$, $x+2=0$, 즉 $x=-2$, $x=3$을 기준으로 구간을 나누면

(i) $x<-2$일 때

$|x-3|=-(x-3)$, $|x+2|=-(x+2)$이므로

$-(x-3)-2(x+2)\leq5$, $-3x\leq6$

$\therefore x\geq-2$

그런데 $x<-2$이므로 해는 없다.

(ii) $-2\leq x<3$일 때

$|x-3|=-(x-3)$, $|x+2|=x+2$이므로

$-(x-3)+2(x+2)\leq5$, $x+7\leq5$

$\therefore x\leq-2$

그런데 $-2\leq x<3$이므로 해는 $x=-2$

(iii) $x\geq3$일 때

$|x-3|=x-3$, $|x+2|=x+2$이므로

$x-3+2(x+2)\leq5$, $3x\leq4$ $\quad\therefore x\leq\dfrac{4}{3}$

그런데 $x\geq3$이므로 해는 없다.

(i), (ii), (iii)에 의하여 주어진 부등식의 해는

$x=-2$

079 답 $x\geq\dfrac{5}{2}$

$x-1=0$, $x-2=0$, 즉 $x=1$, $x=2$를 기준으로 구간을 나누면

(i) $x<1$일 때

$|x-1|=-(x-1)$, $|x-2|=-(x-2)$이므로

$-(x-1)-(x-2)\geq-2x+7$

이때 $0\cdot x\geq4$이므로 해는 없다.

(ii) $1\leq x<2$일 때

$|x-1|=x-1$, $|x-2|=-(x-2)$이므로

$x-1-(x-2)\geq-2x+7$, $2x\geq6$ $\quad\therefore x\geq3$

그런데 $1\leq x<2$이므로 해는 없다.

(iii) $x\geq2$일 때

$|x-1|=x-1$, $|x-2|=x-2$이므로

$x-1+(x-2)\geq-2x+7$, $4x\geq10$ $\quad\therefore x\geq\dfrac{5}{2}$

그런데 $x\geq2$이므로 $x\geq\dfrac{5}{2}$

(i), (ii), (iii)에 의하여 주어진 부등식의 해는

$x\geq\dfrac{5}{2}$

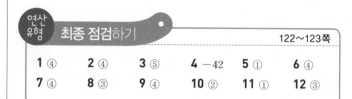

최종 점검하기 122~123쪽

| 1 ④ | 2 ④ | 3 ⑤ | 4 -42 | 5 ① | 6 ④ |
| 7 ④ | 8 ③ | 9 ④ | 10 ② | 11 ① | 12 ③ |

1 ④ $a>b$이므로 $-a<-b$ $\quad\therefore 4-a<4-b$

2 ④ $a=0$, $b=0$이면 해는 모든 실수이다.

3 $x-2\geq3x-10$에서 $-2x\geq-8$ $\quad\therefore x\leq4$ $\quad\cdots\cdots$ ㉠

$-x+2<2x+1$에서 $-3x<-1$ $\quad\therefore x>\dfrac{1}{3}$ $\quad\cdots\cdots$ ㉡

주어진 연립부등식의 해는 ㉠, ㉡의 공통부분이므로 $\dfrac{1}{3}<x\leq4$

따라서 해가 아닌 것은 ⑤ 5이다.

4 $\dfrac{x}{6}-2\leq\dfrac{x}{3}-1$에서 $x-12\leq 2x-6$

$-x\leq 6$ $\quad\therefore x\geq -6$

$\dfrac{x-1}{6}>\dfrac{x-3}{4}$에서 $2x-2>3x-9$

$-x>-7$ $\quad\therefore x<7$

따라서 주어진 연립부등식의 해는 $-6\leq x<7$이므로

$a=-6$, $b=7$이다.

$\therefore ab=-42$

5 $5x-4>-a$에서 $5x>-a+4$ $\quad\therefore x>\dfrac{-a+4}{5}$

$-x+12>2x-3$에서 $-3x>-15$ $\quad\therefore x<5$

연립부등식의 해가 $3<x<5$이므로

$\dfrac{-a+4}{5}=3$ $\quad\therefore a=-11$

6 $\dfrac{x}{2}-1<\dfrac{x}{5}$에서 $5x-10<2x$ $\quad\therefore x<\dfrac{10}{3}$ $\quad\cdots\cdots\,\bigcirc$

$\dfrac{x}{5}\leq\dfrac{3x}{4}+1$에서 $4x\leq 15x+20$ $\quad\therefore x\geq -\dfrac{20}{11}$ $\quad\cdots\cdots\,\bigcirc$

주어진 연립부등식의 해는 $\bigcirc$, $\bigcirc$의 공통부분이므로

$-\dfrac{20}{11}\leq x<\dfrac{10}{3}$

따라서 정수 x의 값의 합은

$-1+0+1+2+3=5$

7 ① $2x<5$에서 $x<\dfrac{5}{2}$

  $6x-5\leq 3x+4$에서 $3x\leq 9$ $\quad\therefore x\leq 3$

  따라서 주어진 연립부등식의 해는 $x<\dfrac{5}{2}$

② $x-3\leq -1-x$에서 $2x\leq 2$ $\quad\therefore x\leq 1$

  $1-4x\leq -2-x$에서 $-3x\leq -3$ $\quad\therefore x\geq 1$

  따라서 주어진 연립부등식의 해는 $x=1$

③ $2x\geq 5x+6$에서 $-3x\geq 6$ $\quad\therefore x\leq -2$

  $4(x+1)>2(x-4)$에서 $4x+4>2x-8$ $\quad\therefore x>-6$

  따라서 주어진 연립부등식의 해는 $-6<x\leq -2$

④ $\dfrac{x}{10}+\dfrac{1}{5}\leq\dfrac{1}{20}$에서 $2x+4\leq 1$ $\quad\therefore x\leq -\dfrac{3}{2}$

  $\dfrac{x}{2}-3>1$에서 $x-6>2$ $\quad\therefore x>8$

  따라서 주어진 연립부등식의 해는 없다.

⑤ $x-3\leq 6x+2$에서 $-5x\leq 5$ $\quad\therefore x\geq -1$

  $6x+2<10-2x$에서 $8x<8$ $\quad\therefore x<1$

  따라서 주어진 연립부등식의 해는 $-1\leq x<1$

따라서 해가 없는 것은 ④이다.

8 $3(x-1)\geq 4x-a$에서 $3x-3\geq 4x-a$

$-x\geq -a+3$ $\quad\therefore x\leq a-3$

$5x+b\leq 8x-7$에서 $-3x\leq -b-7$ $\quad\therefore x\geq\dfrac{b+7}{3}$

주어진 연립부등식의 해가 $x=3$이므로

$a-3=3$, $\dfrac{b+7}{3}=3$ $\quad\therefore a=6$, $b=2$

$\therefore ab=12$

9 막대 사탕을 x개 산다고 하면 알사탕은 $(30-x)$개 살 수 있으므로 전체 무게는

$180\leq 12x+3(30-x)\leq 225$, $180\leq 9x+90\leq 225$

$90\leq 9x\leq 135$

$\therefore 10\leq x\leq 15$

따라서 막대 사탕의 최대 개수는 15이다.

10 텐트의 개수를 x라고 하면 학생 수는 $(4x+8)$이므로

$5(x-4)+1\leq 4x+8\leq 5(x-4)+5$

$5(x-4)+1\leq 4x+8$에서

$5x-19\leq 4x+8$

$\therefore x\leq 27$ $\quad\cdots\cdots\,\bigcirc$

$4x+8\leq 5(x-4)+5$에서

$4x+8\leq 5x-15$

$\therefore x\geq 23$ $\quad\cdots\cdots\,\bigcirc$

부등식의 해는 $\bigcirc$, $\bigcirc$의 공통부분이므로 $23\leq x\leq 27$

따라서 텐트의 최소 개수는 23이다.

11 $|3x+1|\leq 5$에서 $-5\leq 3x+1\leq 5$

$-6\leq 3x\leq 4$ $\quad\therefore -2\leq x\leq\dfrac{4}{3}$

따라서 $a=-2$, $b=\dfrac{4}{3}$이므로

$a+b=-\dfrac{2}{3}$

12 $x+1=0$, $x-1=0$, 즉 $x=-1$, $x=1$을 기준으로 구간을 나누면

(i) $x<-1$일 때

  $|x+1|=-(x+1)$, $|x-1|=-(x-1)$이므로

  $-2(x+1)-(x-1)<5$, $-3x-1<5$

  $\therefore x>-2$

  그런데 $x<-1$이므로 $-2<x<-1$

(ii) $-1\leq x<1$일 때

  $|x+1|=x+1$, $|x-1|=-(x-1)$이므로

  $2(x+1)-(x-1)<5$, $x+3<5$

  $\therefore x<2$

  그런데 $-1\leq x<1$이므로 $-1\leq x<1$

(iii) $x\geq 1$일 때

  $|x+1|=x+1$, $|x-1|=x-1$이므로

  $2(x+1)+(x-1)<5$, $3x+1<5$

  $\therefore x<\dfrac{4}{3}$

  그런데 $x\geq 1$이므로 $1\leq x<\dfrac{4}{3}$

(i), (ii), (iii)에 의하여 주어진 연립부등식의 해는

$-2<x<\dfrac{4}{3}$

따라서 구하는 정수 x의 개수는 -1, 0, 1의 3이다.

08 이차부등식

001 답 $x<2$ 또는 $x>5$

002 답 $2<x<5$

003 답 $x\leq2$ 또는 $x\geq5$

004 답 $2\leq x\leq5$

005 답 $-1<x<3$

006 답 $-1\leq x\leq3$

007 답 $x<-1$ 또는 $x>3$

008 답 $x\leq-1$ 또는 $x\geq3$

009 답 2, -2

010 답 $x\leq-2$ 또는 $x\geq3$

$x^2-x-6\geq0$에서 $(x+2)(x-3)\geq0$

$\therefore x\leq-2$ 또는 $x\geq3$

011 답 $x<-\dfrac{3}{2}$ 또는 $x>3$

$2x^2-3x-9>0$에서 $(2x+3)(x-3)>0$

$\therefore x<-\dfrac{3}{2}$ 또는 $x>3$

012 답 $-2\leq x\leq\dfrac{3}{2}$

$2x^2+x-6\leq0$에서 $(x+2)(2x-3)\leq0$

$\therefore -2\leq x\leq\dfrac{3}{2}$

013 답 $x<\dfrac{1}{3}$ 또는 $x>3$

$-3x^2+10x-3<0$에서 $3x^2-10x+3>0$

$(3x-1)(x-3)>0$ $\therefore x<\dfrac{1}{3}$ 또는 $x>3$

014 답 $x<-1-\sqrt{2}$ 또는 $x>-1+\sqrt{2}$

$x^2+2x-1>0$에서 $\{x-(-1-\sqrt{2})\}\{x-(-1+\sqrt{2})\}>0$

$\therefore x<-1-\sqrt{2}$ 또는 $x>-1+\sqrt{2}$

015 답 $-2<x<\dfrac{1}{3}$

$3x^2<2-5x$에서 $3x^2+5x-2<0$

$(x+2)(3x-1)<0$ $\therefore -2<x<\dfrac{1}{3}$

016 답 $5\leq x\leq6$

$-x^2+11x-30\geq0$에서 $x^2-11x+30\leq0$

$(x-5)(x-6)\leq0$ $\therefore 5\leq x\leq6$

017 답 $x<-1$ 또는 $x>1$

$-x^2+1<0$에서 $x^2-1>0$

$(x+1)(x-1)>0$ $\therefore x<-1$ 또는 $x>1$

018 답 $-\dfrac{1}{2}\leq x\leq2$

$-2x^2+3x+2\geq0$에서 $2x^2-3x-2\leq0$

$(2x+1)(x-2)\leq0$ $\therefore -\dfrac{1}{2}\leq x\leq2$

019 답 3

020 답 $x\neq2$인 모든 실수

$-x^2+4x-4<0$에서 $x^2-4x+4>0$, $(x-2)^2>0$

따라서 주어진 이차부등식의 해는 $x\neq2$인 모든 실수이다.

021 답 해는 없다.

$x^2-24x+144<0$에서 $(x-12)^2<0$

따라서 주어진 이차부등식의 해는 없다.

022 답 $x\neq-\dfrac{5}{2}$인 모든 실수

$4x^2+20x+25>0$에서 $(2x+5)^2>0$

따라서 주어진 이차부등식의 해는 $x\neq-\dfrac{5}{2}$인 모든 실수이다.

023 답 해는 없다.

$9x^2-24x+16<0$에서 $(3x-4)^2<0$

따라서 주어진 이차부등식의 해는 없다.

024 답 $x=1$

$2x^2\leq4x-2$에서 $2x^2-4x+2\leq0$

$2(x-1)^2\leq0$ $\therefore x=1$

025 답 모든 실수

$4x(3+x)\geq-9$에서 $4x^2+12x+9\geq0$, $(2x+3)^2\geq0$

따라서 주어진 이차부등식의 해는 모든 실수이다.

026 답 모든 실수

$-x^2+20x-100\leq0$에서 $x^2-20x+100\geq0$, $(x-10)^2\geq0$

따라서 주어진 이차부등식의 해는 모든 실수이다.

027 답 해는 없다.

$-25x^2-40x-16>0$에서 $25x^2+40x+16<0$, $(5x+4)^2<0$
따라서 주어진 이차부등식의 해는 없다.

028 답 $x=\dfrac{1}{2}$

$-2x^2+2x-\dfrac{1}{2}\geq0$에서 $2x^2-2x+\dfrac{1}{2}\leq0$
$2\left(x-\dfrac{1}{2}\right)^2\leq0$ $\therefore x=\dfrac{1}{2}$

029 답 $x\neq\dfrac{3}{5}$인 모든 실수

$-25x^2+30x-9<0$에서 $25x^2-30x+9>0$, $(5x-3)^2>0$
따라서 주어진 이차부등식의 해는 $x\neq\dfrac{3}{5}$인 모든 실수이다.

030 답 $<$, 없다.

$D=(-1)^2-4\times1\times1=-3<0$

031 답 모든 실수

이차방정식 $x^2+3x+9=0$의 판별식을 D라고 하면
$D=3^2-4\times1\times9=-27<0$
따라서 주어진 이차부등식의 해는 모든 실수이다.

032 답 모든 실수

이차방정식 $x^2+3x+5=0$의 판별식을 D라고 하면
$D=3^2-4\times1\times5=-11<0$
따라서 주어진 이차부등식의 해는 모든 실수이다.

033 답 해는 없다.

이차방정식 $x^2-5x+10=0$의 판별식을 D라고 하면
$D=(-5)^2-4\times1\times10=-15<0$
따라서 주어진 이차부등식의 해는 없다.

034 답 해는 없다.

$-x^2+x-1\geq0$에서 $x^2-x+1\leq0$
이차방정식 $x^2-x+1=0$의 판별식을 D라고 하면
$D=(-1)^2-4\times1\times1=-3<0$
따라서 주어진 이차부등식의 해는 없다.

035 답 모든 실수

이차방정식 $2x^2-x+1=0$의 판별식을 D라고 하면
$D=(-1)^2-4\times2\times1=-7<0$
따라서 주어진 이차부등식의 해는 모든 실수이다.

036 답 해는 없다.

이차방정식 $3x^2+4x+5=0$의 판별식을 D라고 하면
$\dfrac{D}{4}=2^2-3\times5=-11<0$
따라서 주어진 이차부등식의 해는 없다.

037 답 모든 실수

$-x^2+4x-5<0$에서 $x^2-4x+5>0$
이차방정식 $x^2-4x+5=0$의 판별식을 D라고 하면
$\dfrac{D}{4}=(-2)^2-1\times5=-1<0$
따라서 주어진 이차부등식의 해는 모든 실수이다.

038 답 해는 없다.

$x(5-x)>7$에서 $x^2-5x+7<0$
이차방정식 $x^2-5x+7=0$의 판별식을 D라고 하면
$D=(-5)^2-4\times1\times7=-3<0$
따라서 주어진 이차부등식의 해는 없다.

039 답 모든 실수

$-3x^2-8x-25<0$에서 $3x^2+8x+25>0$
이차방정식 $3x^2+8x+25=0$의 판별식을 D라고 하면
$\dfrac{D}{4}=4^2-3\times25=-59<0$
따라서 주어진 이차부등식의 해는 모든 실수이다.

040 답 해는 없다.

이차방정식 $2x^2+4x+5=0$의 판별식을 D라고 하면
$\dfrac{D}{4}=2^2-2\times5=-6<0$
따라서 주어진 이차부등식의 해는 없다.

041 답 5, 9, 20

042 답 $x^2-9\geq0$

$(x+3)(x-3)\geq0$에서 $x^2-9\geq0$

043 답 $x^2-x-2\leq0$

$(x+1)(x-2)\leq0$에서 $x^2-x-2\leq0$

044 답 $x^2+11x+28>0$

$(x+7)(x+4)>0$에서 $x^2+11x+28>0$

045 답 $x^2+3x<0$

$x(x+3)<0$에서 $x^2+3x<0$

046 답 3, 4, 3, -4, 3

047 답 $a=-17$, $b=70$

$(x-7)(x-10)\geq0$에서 $x^2-17x+70\geq0$
$\therefore a=-17$, $b=70$

048 답 $a=3$, $b=-18$

$(x+6)(x-3)\leq0$에서 $x^2+3x-18\leq0$
$\therefore a=3$, $b=-18$

049 답 $a=-\dfrac{3}{2}$, $b=-1$

$\left(x+\dfrac{1}{2}\right)(x-2)>0$에서 $x^2-\dfrac{3}{2}x-1>0$

$\therefore a=-\dfrac{3}{2}$, $b=-1$

050 답 1, 1

051 답 $k\le-\dfrac{9}{4}$

이차방정식 $-x^2-3x+k=0$의 판별식을 D라고 하면

$D=(-3)^2-4\times(-1)\times k=4k+9\le0$　　$\therefore k\le-\dfrac{9}{4}$

052 답 $-4\le k\le4$

이차방정식 $x^2-kx+4=0$의 판별식을 D라고 하면

$D=(-k)^2-4\times1\times4=k^2-16=(k+4)(k-4)\le0$

$\therefore -4\le k\le4$

053 답 $0<k<4$

이차방정식 $x^2+kx+k=0$의 판별식을 D라고 하면

$D=k^2-4\times1\times k=k^2-4k=k(k-4)<0$

$\therefore 0<k<4$

054 답 $-2\sqrt{6}<k<2\sqrt{6}$

이차방정식 $-2x^2+kx-3=0$의 판별식을 D라고 하면

$D=k^2-4\times(-2)\times(-3)=k^2-24=(k+2\sqrt{6})(k-2\sqrt{6})<0$

$\therefore -2\sqrt{6}<k<2\sqrt{6}$

055 답 $0\le k\le1$

이차방정식 $-x^2+2kx-k=0$의 판별식을 D라고 하면

$\dfrac{D}{4}=k^2-(-1)\times(-k)=k^2-k=k(k-1)\le0$

$\therefore 0\le k\le1$

056 답 $-1<k<3$

이차방정식 $x^2+(k+1)x+k+1=0$의 판별식을 D라고 하면

$D=(k+1)^2-4\times1\times(k+1)=(k+1)(k-3)<0$

$\therefore -1<k<3$

057 답 $>$, $<$, 4, 4

058 답 $-5\le k<0$

$kx^2+4kx+3k-5\le0$에서

$k<0$　　……㉠

이차방정식 $kx^2+4kx+3k-5=0$의 판별식을 D라고 하면

$\dfrac{D}{4}=(2k)^2-k(3k-5)=k^2+5k=k(k+5)\le0$

$\therefore -5\le k\le0$　　……㉡

㉠, ㉡에 의하여 구하는 k의 값의 범위는 $-5\le k<0$

059 답 $-9<k<-1$

$kx^2-2(k+3)x-4<0$에서 $k<0$　　……㉠

이차방정식 $kx^2-2(k+3)x-4=0$의 판별식을 D라고 하면

$\dfrac{D}{4}=\{-(k+3)\}^2+4k=k^2+10k+9=(k+1)(k+9)<0$

$\therefore -9<k<-1$　　……㉡

㉠, ㉡에 의하여 구하는 k의 값의 범위는 $-9<k<-1$

060 답 $0<k<\dfrac{16}{9}$

$kx^2-3kx>-4$, 즉 $kx^2-3kx+4>0$에서

$k>0$　　……㉠

이차방정식 $kx^2-3kx+4=0$의 판별식을 D라고 하면

$D=(-3k)^2-4\times k\times4=9k^2-16k=k(9k-16)<0$

$\therefore 0<k<\dfrac{16}{9}$　　……㉡

㉠, ㉡에 의하여 구하는 k의 값의 범위는 $0<k<\dfrac{16}{9}$

061 답 $-3\le k\le0$

$(k-1)x^2-2(k+1)x-1\le0$에서

$k-1<0$　　$\therefore k<1$　　……㉠

이차방정식 $(k-1)x^2-2(k+1)x-1=0$의 판별식을 D라고 하면

$\dfrac{D}{4}=\{-(k+1)\}^2+(k-1)=k^2+3k=k(k+3)\le0$

$\therefore -3\le k\le0$　　……㉡

㉠, ㉡에 의하여 구하는 k의 값의 범위는 $-3\le k\le0$

062 답 $\ge$, $\le$, $\ge$

063 답 $k\le-\dfrac{1}{4}$

주어진 이차부등식의 해가 존재하지 않으려면 이차부등식

$-x^2-x+k\le0$이 항상 성립해야 한다.

이차방정식 $-x^2-x+k=0$의 판별식을 D라고 하면

$D=(-1)^2-4\times(-1)\times k=4k+1\le0$

$\therefore k\le-\dfrac{1}{4}$

064 답 $-\sqrt{2}<k<\sqrt{2}$

주어진 이차부등식의 해가 존재하지 않으려면 이차부등식

$x^2+4kx+8>0$이 항상 성립해야 한다.

이차방정식 $x^2+4kx+8=0$의 판별식을 D라고 하면

$\dfrac{D}{4}=(2k)^2-1\times8=4k^2-8=4(k+\sqrt{2})(k-\sqrt{2})<0$

$\therefore -\sqrt{2}<k<\sqrt{2}$

065 답 $4\le k\le16$

주어진 이차부등식의 해가 존재하지 않으려면 이차부등식

$x^2+(k-8)x+k\ge0$이 항상 성립해야 한다.

이차방정식 $x^2+(k-8)x+k=0$의 판별식을 D라고 하면

$D=(k-8)^2-4\times1\times k=k^2-20k+64=(k-4)(k-16)\le0$

$\therefore 4\le k\le16$

066 답 $x<-7$ 또는 $x>-1$

067 답 $x<-5$ 또는 $x>1$

068 답 $-5\le x\le 1$

069 답 $x<2$ 또는 $x>5$

070 답 $2<x<5$

071 답 $x\le 2$ 또는 $x\ge 5$

$f(x)-g(x)\ge 0$에서 $f(x)\ge g(x)$ ∴ $x\le 2$ 또는 $x\ge 5$

072 답 $-1<x\le 4$

$x-4\le 0$에서 $x\le 4$ ……㉠

$x^2-6x-7<0$에서 $(x+1)(x-7)<0$

∴ $-1<x<7$ ……㉡

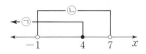

따라서 주어진 연립부등식의 해는 $-1<x\le 4$

073 답 $-\dfrac{5}{2}\le x\le 1$

$2x+5\ge 0$에서 $x\ge -\dfrac{5}{2}$ ……㉠

$x^2+3x-4\le 0$에서 $(x+4)(x-1)\le 0$

∴ $-4\le x\le 1$ ……㉡

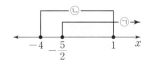

따라서 주어진 연립부등식의 해는 $-\dfrac{5}{2}\le x\le 1$

074 답 $x>4$

$2x-1\ge x-2$에서 $x\ge -1$ ……㉠

$x^2+x-15>5$에서 $x^2+x-20>0$

$(x+5)(x-4)>0$ ∴ $x<-5$ 또는 $x>4$ ……㉡

따라서 주어진 연립부등식의 해는 $x>4$

075 답 $-\dfrac{3}{4}<x\le 1$

$4x+1\le 5$에서 $x\le 1$ ……㉠

$8x^2-5x-7<x+2$에서 $8x^2-6x-9<0$

$(4x+3)(2x-3)<0$ ∴ $-\dfrac{3}{4}<x<\dfrac{3}{2}$ ……㉡

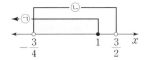

따라서 주어진 연립부등식의 해는 $-\dfrac{3}{4}<x\le 1$

076 답 $x<-2$

$3x+2<x+6$에서 $x<2$ ……㉠

$x^2-x-5>1$에서 $x^2-x-6>0$, $(x+2)(x-3)>0$

∴ $x<-2$ 또는 $x>3$ ……㉡

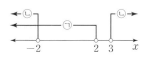

따라서 주어진 연립부등식의 해는 $x<-2$

077 답 $3-\sqrt{3}<x<3+\sqrt{3}$

$x^2-3x<3x-6$에서 $x^2-6x+6<0$

$\{x-(3-\sqrt{3})\}\{x-(3+\sqrt{3})\}<0$

∴ $3-\sqrt{3}<x<3+\sqrt{3}$ ……㉠

$3x-6\le 7x+2$에서 $-4x<8$ ∴ $x>-2$ ……㉡

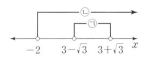

따라서 주어진 연립부등식의 해는 $3-\sqrt{3}<x<3+\sqrt{3}$

078 답 $-2<x\le -1$ 또는 $3\le x<5$

$x^2-2x-3\ge 0$에서 $(x+1)(x-3)\ge 0$

∴ $x\le -1$ 또는 $x\ge 3$ ……㉠

$x^2-3x-10<0$에서 $(x+2)(x-5)<0$

∴ $-2<x<5$ ……㉡

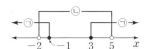

따라서 주어진 연립부등식의 해는 $-2<x\le -1$ 또는 $3\le x<5$

079 답 $-2\le x<-1$

$x^2-x-5>3x$에서 $x^2-4x-5>0$

$(x+1)(x-5)>0$ ∴ $x<-1$ 또는 $x>5$ ……㉠

$2x^2-2x-6\le x^2+2$에서 $x^2-2x-8\le 0$

$(x+2)(x-4)\le 0$ ∴ $-2\le x\le 4$ ……㉡

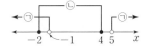

따라서 주어진 연립부등식의 해는 $-2\le x<-1$

080 답 해는 없다.

$2x^2-4<0$에서 $x^2-2<0$

$(x+\sqrt{2})(x-\sqrt{2})<0$ ∴ $-\sqrt{2}<x<\sqrt{2}$ ……㉠

$-x^2+5x-3>3$에서 $x^2-5x+6<0$

$(x-2)(x-3)<0$ ∴ $2<x<3$ ……㉡

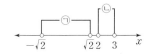

따라서 주어진 연립부등식의 해는 없다.

081 답 $3\leq x<5$

$x^2\geq x+6$에서 $x^2-x-6\geq0$

$(x+2)(x-3)\geq0$ $\therefore x\leq-2$ 또는 $x\geq3$ ······ ㉠

$x^2<4x+5$에서 $x^2-4x-5<0$

$(x+1)(x-5)<0$ $\therefore -1<x<5$ ······ ㉡

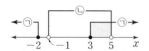

따라서 주어진 연립부등식의 해는 $3\leq x<5$

082 답 $-9\leq x\leq-\dfrac{7}{3}$

$-x^2-11x-14\geq4$에서 $x^2+11x+18\leq0$

$(x+2)(x+9)\leq0$ $\therefore -9\leq x\leq-2$ ······ ㉠

$3x^2+7x+1\geq1$에서 $3x^2+7x\geq0$

$x(3x+7)\geq0$ $\therefore x\leq-\dfrac{7}{3}$ 또는 $x\geq0$ ······ ㉡

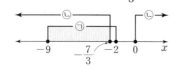

따라서 주어진 연립부등식의 해는 $-9\leq x\leq-\dfrac{7}{3}$

083 답 $-3\leq x<-1$ 또는 $3<x\leq5$

$4<x^2-2x+1$에서 $x^2-2x-3>0$

$(x+1)(x-3)>0$ $\therefore x<-1$ 또는 $x>3$ ······ ㉠

$x^2-2x+1\leq16$에서 $x^2-2x-15\leq0$

$(x+3)(x-5)\leq0$ $\therefore -3\leq x\leq5$ ······ ㉡

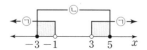

따라서 주어진 연립부등식의 해는 $-3\leq x<-1$ 또는 $3<x\leq5$

084 답 $4\leq x\leq5$

$x+9<x^2+7$에서 $x^2-x-2>0$

$(x+1)(x-2)>0$ $\therefore x<-1$ 또는 $x>2$ ······ ㉠

$x^2+7\leq9x-13$에서 $x^2-9x+20\leq0$

$(x-4)(x-5)\leq0$ $\therefore 4\leq x\leq5$ ······ ㉡

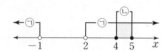

따라서 주어진 연립부등식의 해는 $4\leq x\leq5$

085 답 $2\leq x<8$

$x^2-3x+5\leq2x^2-5$에서 $x^2+3x-10\geq0$

$(x+5)(x-2)\geq0$ $\therefore x\leq-5$ 또는 $x\geq2$ ······ ㉠

$2x^2-5<x^2+7x+3$에서 $x^2-7x-8<0$

$(x+1)(x-8)<0$ $\therefore -1<x<8$ ······ ㉡

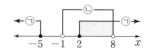

따라서 주어진 연립부등식의 해는 $2\leq x<8$

| **1** ④ | **2** ① | **3** ③ | **4** ② | **5** $x<-1$ 또는 $x>4$ |
| **6** ④ | **7** ① | **8** ④ | **9** ③ | **10** ③ | **11** ④ | **12** 2초 |

1 $x^2\leq8x+2$에서 $x^2-8x-2\leq0$

$\{x-(4-3\sqrt{2})\}\{x-(4+3\sqrt{2})\}\leq0$

$\therefore 4-3\sqrt{2}\leq x\leq4+3\sqrt{2}$

따라서 실수 x의 최댓값과 최솟값의 차는

$4+3\sqrt{2}-(4-3\sqrt{2})=6\sqrt{2}$

2 ① 이차방정식 $-x^2+x-1=0$의 판별식을 D라고 하면

$D=-3<0$이므로 이차부등식의 해는 없다.

② $-x^2+2x-3<0$에서 $x^2-2x+3>0$

이차방정식 $x^2-2x+3=0$의 판별식을 D라고 하면 $D=-2<0$

이므로 이차부등식의 해는 모든 실수이다.

③ $x^2+2x+1\leq0$에서 $(x+1)^2\leq0$

$\therefore x=-1$

④ $x^2+3x-4<0$에서 $(x+4)(x-1)<0$

$\therefore -4<x<1$

⑤ 이차방정식 $x^2+3x+8=0$의 판별식을 D라고 하면

$D=-23<0$이므로 이차부등식의 해는 모든 실수이다.

3 $x-2=0$, 즉 $x=2$를 기준으로 구간을 나누면

(i) $x<2$일 때

$x^2-4<-2(x-2)$, $x^2+2x-8<0$

$(x+4)(x-2)<0$ $\therefore -4<x<2$

그런데 $x<2$이므로 $-4<x<2$

(ii) $x\geq2$일 때

$x^2-4<2(x-2)$, $x^2-2x<0$

$x(x-2)<0$ $\therefore 0<x<2$

그런데 $x\geq2$이므로 해는 없다.

(i), (ii)에 의하여 주어진 부등식의 해는 $-4<x<2$

따라서 정수 x는 -3, -2, -1, 0, 1의 5개이다.

4 주어진 이차부등식의 해가 $x=2$뿐이려면

이차함수 $y=ax^2+bx+c$의 그래프는 오른쪽

그림과 같아야 하므로

$a<0$

이때 $a(x-2)^2\geq0$에서 $ax^2-4ax+4a\geq0$이므로

$b>0$, $c<0$

5 $(x-1)(x-3)<0$에서 $x^2-4x+3<0$

즉, $a=-4$, $b=3$이므로 이차부등식 $x^2-3x-4>0$의 해는

$(x+1)(x-4)>0$ $\therefore x<-1$ 또는 $x>4$

6 $x^2-2ax+2a^2-a+1>3$에서

$x^2-2ax+2a^2-a-2>0$

이차방정식 $x^2-2ax+2a^2-a-2=0$의 판별식을 D라고 하면

$\dfrac{D}{4}=(-a)^2-(2a^2-a-2)=-a^2+a+2<0$

$a^2-a-2>0$, $(a+1)(a-2)>0$

$\therefore a<-1$ 또는 $a>2$

7 주어진 이차부등식의 해가 존재하지 않으려면 이차부등식

$kx^2-2(k+1)x+4\geq0$이 항상 성립해야 하므로

$k>0$ ...... ㉠

이차방정식 $kx^2-2(k+1)x+4=0$의 판별식을 D라고 하면

$\dfrac{D}{4}=\{-(k+1)\}^2-k\times4=k^2-2k+1\leq0$

$(k-1)^2\leq0$ $\therefore k=1$ ...... ㉡

㉠, ㉡에 의하여 구하는 k의 값은 $k=1$

8 $ax^2+(b-m)x+c-n<0$에서 $ax^2+bx+c<mx+n$

따라서 주어진 이차부등식의 해는

$-2<x<1$

9 $2x-1>3$에서 $2x>4$ $\therefore x>2$ ...... ㉠

$x^2-3x-5\leq-1$에서 $x^2-3x-4\leq0$

$(x+1)(x-4)\leq0$ $\therefore -1\leq x\leq4$ ...... ㉡

주어진 연립부등식의 해는 ㉠, ㉡의 공통부분이므로 $2<x\leq4$

따라서 $a=2$, $b=4$이므로 $a+b=6$

10 $4x+1\leq x^2+4$에서 $x^2-4x+3\geq0$

$(x-1)(x-3)\geq0$ $\therefore x\leq1$ 또는 $x\geq3$ ...... ㉠

$x^2+4<2x+5$에서 $x^2-2x-1<0$

$\{x-(1-\sqrt{2})\}\{x-(1+\sqrt{2})\}<0$

$\therefore 1-\sqrt{2}<x<1+\sqrt{2}$ ...... ㉡

주어진 연립부등식의 해는 ㉠, ㉡의 공통부분이므로

$1-\sqrt{2}<x\leq1$

따라서 정수 x의 값은 0, 1이므로 합은 1이다.

11 $|x+2|<2$에서 $-2<x+2<2$ $\therefore -4<x<0$ ...... ㉠

$x^2+2x+3\geq x+5$에서 $x^2+x-2\geq0$

$(x+2)(x-1)\geq0$ $\therefore x\leq-2$ 또는 $x\geq1$ ...... ㉡

주어진 연립부등식의 해는 ㉠, ㉡의 공통부분이므로

$-4<x\leq-2$

따라서 $a=-4$, $b=-2$이므로 $ab=8$

12 공의 높이가 지면으로부터 1 m 이상이면

$-5t^2+10t+1\geq1$, $5t^2-10t\leq0$

$5t(t-2)\leq0$ $\therefore 0\leq t\leq2$

따라서 구하는 시간은 2초 동안이다.

09 평면좌표

001 답 6

002 답 7

003 답 7

004 답 5

005 답 $\sqrt{13}$

$\overline{\mathrm{AB}}=\sqrt{(3-1)^2+(3-0)^2}=\sqrt{13}$

006 답 $2\sqrt{5}$

$\overline{\mathrm{AB}}=\sqrt{(-4)^2+2^2}=2\sqrt{5}$

007 답 $2\sqrt{2}$

$\overline{\mathrm{AB}}=\sqrt{(-2+4)^2+(-3+5)^2}=2\sqrt{2}$

008 답 $\sqrt{13}$

$\overline{\mathrm{AB}}=\sqrt{(2-0)^2+(2+1)^2}=\sqrt{13}$

009 답 7, 7, 7

010 답 -3, 5

$\sqrt{(-1-3)^2+(1-a)^2}=4\sqrt{2}$이므로 양변을 제곱하면

$16+(1-a)^2=32$, $a^2-2a-15=0$

$(a+3)(a-5)=0$ $\therefore a=-3$ 또는 $a=5$

011 답 1

$\sqrt{(-1-a)^2+(2a-1-2)^2}=\sqrt{5}$이므로 양변을 제곱하면

$(a+1)^2+(2a-3)^2=5$, $5(a^2-2a+1)=0$

$(a-1)^2=0$ $\therefore a=1$

012 답 -11, 6

$\sqrt{(a+1-2)^2+(a+4+2)^2}=13$이므로 양변을 제곱하면

$(a-1)^2+(a+6)^2=169$, $2(a^2+5a-66)=0$

$(a+11)(a-6)=0$ $\therefore a=-11$ 또는 $a=6$

013 답 -1, 2

$\sqrt{(a+1)^2+(a+1-3)^2}=3$이므로 양변을 제곱하면

$(a+1)^2+(a-2)^2=9$, $2(a^2-a-2)=0$

$(a+1)(a-2)=0$ $\therefore a=-1$ 또는 $a=2$

014 답 16, -3, -3, 4, 3, 3

015 답 $P\left(\dfrac{17}{6}, 0\right)$, $Q\left(0, \dfrac{17}{4}\right)$

$P(a, 0)$이라고 하면 $\overline{AP}=\overline{BP}$에서 $\overline{AP}^2=\overline{BP}^2$이므로
$a^2+1=(a-3)^2+9$, $a^2+1=a^2-6a+18$
$6a=17$ $\therefore a=\dfrac{17}{6}$
따라서 점 P의 좌표는 $P\left(\dfrac{17}{6}, 0\right)$이다.
$Q(0, b)$라고 하면 $\overline{AQ}=\overline{BQ}$에서 $\overline{AQ}^2=\overline{BQ}^2$이므로
$(b-1)^2=9+(b-3)^2$, $b^2-2b+1=b^2-6b+18$
$4b=17$ $\therefore b=\dfrac{17}{4}$
따라서 점 Q의 좌표는 $Q\left(0, \dfrac{17}{4}\right)$이다.

016 답 $P\left(-\dfrac{41}{10}, 0\right)$, $Q\left(0, \dfrac{41}{8}\right)$

$P(a, 0)$이라고 하면 $\overline{AP}=\overline{BP}$에서 $\overline{AP}^2=\overline{BP}^2$이므로
$a^2=(a+5)^2+16$, $a^2=a^2+10a+41$
$-10a=41$ $\therefore a=-\dfrac{41}{10}$
따라서 점 P의 좌표는 $P\left(-\dfrac{41}{10}, 0\right)$이다.
$Q(0, b)$라고 하면 $\overline{AQ}=\overline{BQ}$에서 $\overline{AQ}^2=\overline{BQ}^2$이므로
$b^2=25+(b-4)^2$, $b^2=b^2-8b+41$
$8b=41$ $\therefore b=\dfrac{41}{8}$
따라서 점 Q의 좌표는 $Q\left(0, \dfrac{41}{8}\right)$이다.

017 답 $P(5, 0)$, $Q(0, 5)$

$P(a, 0)$이라고 하면 $\overline{AP}=\overline{BP}$에서 $\overline{AP}^2=\overline{BP}^2$이므로
$(a-1)^2+4=(a-3)^2+16$, $a^2-2a+5=a^2-6a+25$
$4a=20$ $\therefore a=5$
따라서 점 P의 좌표는 $P(5, 0)$이다.
$Q(0, b)$라고 하면 $\overline{AQ}=\overline{BQ}$에서 $\overline{AQ}^2=\overline{BQ}^2$이므로
$1+(b-2)^2=9+(b-4)^2$, $b^2-4b+5=b^2-8b+25$
$4b=20$ $\therefore b=5$
따라서 점 Q의 좌표는 $Q(0, 5)$이다.

018 답 $P\left(-\dfrac{85}{14}, 0\right)$, $Q\left(0, \dfrac{85}{16}\right)$

$P(a, 0)$이라고 하면 $\overline{AP}=\overline{BP}$에서 $\overline{AP}^2=\overline{BP}^2$이므로
$(a-2)^2=(a+5)^2+64$, $a^2-4a+4=a^2+10a+89$
$-14a=85$ $\therefore a=-\dfrac{85}{14}$
따라서 점 P의 좌표는 $P\left(-\dfrac{85}{14}, 0\right)$이다.
$Q(0, b)$라고 하면 $\overline{AQ}=\overline{BQ}$에서 $\overline{AQ}^2=\overline{BQ}^2$이므로
$4+b^2=25+(b-8)^2$, $b^2+4=b^2-16b+89$
$16b=85$ $\therefore b=\dfrac{85}{16}$
따라서 점 Q의 좌표는 $Q\left(0, \dfrac{85}{16}\right)$이다.

019 답 $P(-6, 0)$, $Q(0, -6)$

$P(a, 0)$이라고 하면 $\overline{AP}=\overline{BP}$에서 $\overline{AP}^2=\overline{BP}^2$이므로
$(a+1)^2+16=(a+2)^2+25$, $a^2+2a+17=a^2+4a+29$
$-2a=12$ $\therefore a=-6$
따라서 점 P의 좌표는 $P(-6, 0)$이다.
$Q(0, b)$라고 하면 $\overline{AQ}=\overline{BQ}$에서 $\overline{AQ}^2=\overline{BQ}^2$이므로
$1+(b+4)^2=4+(b+5)^2$, $b^2+8b+17=b^2+10b+29$
$-2b=12$ $\therefore b=-6$
따라서 점 Q의 좌표는 $Q(0, -6)$이다.

020 답 $P\left(\dfrac{26}{5}, 0\right)$, $Q\left(0, -\dfrac{26}{7}\right)$

$P(a, 0)$이라고 하면 $\overline{AP}=\overline{BP}$에서 $\overline{AP}^2=\overline{BP}^2$이므로
$(a-2)^2+9=(a-7)^2+16$, $a^2-4a+13=a^2-14a+65$
$10a=52$ $\therefore a=\dfrac{26}{5}$
따라서 점 P의 좌표는 $P\left(\dfrac{26}{5}, 0\right)$이다.
$Q(0, b)$라고 하면 $\overline{AQ}=\overline{BQ}$에서 $\overline{AQ}^2=\overline{BQ}^2$이므로
$4+(b-3)^2=49+(b+4)^2$, $b^2-6b+13=b^2+8b+65$
$-14b=52$ $\therefore b=-\dfrac{26}{7}$
따라서 점 Q의 좌표는 $Q\left(0, -\dfrac{26}{7}\right)$이다.

021 답 $P(-1, 0)$, $Q(0, 2)$

$P(a, 0)$이라고 하면 $\overline{AP}=\overline{BP}$에서 $\overline{AP}^2=\overline{BP}^2$이므로
$(a+2)^2+9=(a-2)^2+1$, $a^2+4a+13=a^2-4a+5$
$8a=-8$ $\therefore a=-1$
따라서 점 P의 좌표는 $P(-1, 0)$이다.
$Q(0, b)$라고 하면 $\overline{AQ}=\overline{BQ}$에서 $\overline{AQ}^2=\overline{BQ}^2$이므로
$4+(b-3)^2=4+(b-1)^2$, $b^2-6b+13=b^2-2b+5$
$-4b=-8$ $\therefore b=2$
따라서 점 Q의 좌표는 $Q(0, 2)$이다.

022 답 $P(3, 0)$, $Q(0, 6)$

$P(a, 0)$이라고 하면 $\overline{AP}=\overline{BP}$에서 $\overline{AP}^2=\overline{BP}^2$이므로
$(a+1)^2+9=(a-3)^2+25$, $a^2+2a+10=a^2-6a+34$
$8a=24$ $\therefore a=3$
따라서 점 P의 좌표는 $P(3, 0)$이다.
$Q(0, b)$라고 하면 $\overline{AQ}=\overline{BQ}$에서 $\overline{AQ}^2=\overline{BQ}^2$이므로
$1+(b-3)^2=9+(b-5)^2$, $b^2-6b+10=b^2-10b+34$
$4b=24$ $\therefore b=6$
따라서 점 Q의 좌표는 $Q(0, 6)$이다.

023 답 2, 18, 2, 18

024 답 22

$P(0, a)$라고 하면
$\overline{AP}^2+\overline{BP}^2=4+(a-3)^2+16+(a-5)^2$
$\qquad\qquad\qquad=2a^2-16a+54=2(a-4)^2+22$
따라서 $a=4$일 때 $\overline{AP}^2+\overline{BP}^2$의 최솟값은 22이다.

025 답 **6**

P$(a, 0)$이라고 하면

$\overline{AP}^2 + \overline{BP}^2 = (a-3)^2 + (a-5)^2 + 4$

$\qquad\qquad = 2a^2 - 16a + 38 = 2(a-4)^2 + 6$

따라서 $a=4$일 때 $\overline{AP}^2 + \overline{BP}^2$의 최솟값은 6이다.

026 답 $\dfrac{185}{2}$

P$(0, a)$라고 하면

$\overline{AP}^2 + \overline{BP}^2 = 64 + (a-4)^2 + 16 + (a+1)^2$

$\qquad\qquad = 2a^2 - 6a + 97 = 2\left(a - \dfrac{3}{2}\right)^2 + \dfrac{185}{2}$

따라서 $a = \dfrac{3}{2}$일 때 $\overline{AP}^2 + \overline{BP}^2$의 최솟값은 $\dfrac{185}{2}$이다.

027 답 **5, 5, CA**

028 답 $\overline{AB} = \overline{BC}$인 이등변삼각형

$\overline{AB} = \sqrt{5^2 + 5^2} = 5\sqrt{2}$

$\overline{BC} = \sqrt{(-2-5)^2 + (4-5)^2} = 5\sqrt{2}$

$\overline{CA} = \sqrt{2^2 + (-4)^2} = 2\sqrt{5}$

따라서 삼각형 ABC는 $\overline{AB} = \overline{BC}$인 이등변삼각형이다.

029 답 ∠A=90°인 직각삼각형

$\overline{AB} = \sqrt{(2-1)^2 + (-2)^2} = \sqrt{5}$

$\overline{BC} = \sqrt{(5-2)^2 + 4^2} = 5$

$\overline{CA} = \sqrt{(1-5)^2 + (2-4)^2} = 2\sqrt{5}$

따라서 $\overline{AB}^2 + \overline{CA}^2 = \overline{BC}^2$이므로 삼각형 ABC는 ∠A=90°인 직각삼각형이다.

030 답 정삼각형

$\overline{AB} = \sqrt{(1+1)^2 + (2\sqrt{3})^2} = 4$

$\overline{BC} = \sqrt{(3-1)^2 + (-2\sqrt{3})^2} = 4$

$\overline{CA} = \sqrt{(-1-3)^2} = 4$

따라서 삼각형 ABC는 정삼각형이다.

031 답 ∠A=90°인 직각이등변삼각형

$\overline{AB} = \sqrt{(-1)^2 + (5-1)^2} = \sqrt{17}$

$\overline{BC} = \sqrt{(-3)^2 + (-5)^2} = \sqrt{34}$

$\overline{CA} = \sqrt{(1+3)^2 + 1^2} = \sqrt{17}$

따라서 $\overline{AB} = \overline{CA}$이고, $\overline{AB}^2 + \overline{CA}^2 = \overline{BC}^2$이므로 삼각형 ABC는 ∠A=90°인 직각이등변삼각형이다.

032 답 **17, 4, 4, 17, −4**

$\overline{AB} = \sqrt{(4-2)^2 + 3^2} = \sqrt{13}$

$\overline{BC} = \sqrt{(a-4)^2 + 1^2} = \sqrt{a^2 - 8a + 17}$

$\overline{CA} = \sqrt{(2-a)^2 + (-3-1)^2} = \sqrt{a^2 - 4a + 20}$

삼각형 ABC가 ∠A=90°인 직각삼각형이므로 $\overline{AB}^2 + \overline{CA}^2 = \overline{BC}^2$에서

$13 + a^2 - 4a + 20 = a^2 - 8a + 17$, $4a = -16$ $\qquad \therefore a = -4$

033 답 **8**

$\overline{BC} = \sqrt{(a-1)^2 + (-2-2)^2} = \sqrt{a^2 - 2a + 17}$

$\overline{CA} = \sqrt{(-a)^2 + (-1+2)^2} = \sqrt{a^2 + 1}$

삼각형 ABC가 $\overline{BC} = \overline{CA}$인 이등변삼각형이므로 $\overline{BC}^2 = \overline{CA}^2$에서

$a^2 - 2a + 17 = a^2 + 1$, $-2a = -16$ $\qquad \therefore a = 8$

034 답 **0**

$\overline{AB} = \sqrt{1^2 + (\sqrt{3})^2} = 2$, $\overline{CA} = \sqrt{(-2)^2 + (-a)^2} = \sqrt{4 + a^2}$

삼각형 ABC가 정삼각형이므로 $\overline{AB}^2 = \overline{CA}^2$에서

$4 = 4 + a^2$ $\qquad \therefore a = 0$

035 답 $\dfrac{11}{3}$

$\overline{AB} = \sqrt{(-2-3)^2 + (-4-2)^2} = \sqrt{61}$

$\overline{BC} = \sqrt{(1+2)^2 + (a+4)^2} = \sqrt{a^2 + 8a + 25}$

$\overline{CA} = \sqrt{(3-1)^2 + (2-a)^2} = \sqrt{a^2 - 4a + 8}$

삼각형 ABC가 ∠A=90°인 직각삼각형이므로 $\overline{AB}^2 + \overline{CA}^2 = \overline{BC}^2$에서

$61 + a^2 - 4a + 8 = a^2 + 8a + 25$, $-12a = -44$ $\qquad \therefore a = \dfrac{11}{3}$

036 답 **1**

037 답 **2**

038 답 **D**

039 답 **3**

040 답 **5**

041 답 **D**

042 답 **B**

043 답 **9, 9, −15, −15**

044 답 **P(4), Q(−20)**

P(x), Q(y)라고 하면

$x = \dfrac{2 \times 7 + 1 \times (-2)}{2+1} = 4$ $\qquad \therefore$ P(4)

$y = \dfrac{2 \times 7 - 3 \times (-2)}{2-3} = -20$ $\qquad \therefore$ Q(-20)

045 답 **P(3), Q(−5)**

P(x), Q(y)라고 하면

$x = \dfrac{2 \times 4 + 1 \times 1}{2+1} = 3$ $\qquad \therefore$ P(3)

$y = \dfrac{2 \times 4 - 3 \times 1}{2-3} = -5$ $\qquad \therefore$ Q(-5)

046 답 $P\left(-\dfrac{17}{3}\right)$, $Q(-27)$

$P(x)$, $Q(y)$라고 하면

$x=\dfrac{2\times(-3)+1\times(-11)}{2+1}=-\dfrac{17}{3}$ $\therefore P\left(-\dfrac{17}{3}\right)$

$y=\dfrac{2\times(-3)-3\times(-11)}{2-3}=-27$ $\therefore Q(-27)$

047 답 $P\left(-\dfrac{16}{3}\right)$, $Q(16)$

$P(x)$, $Q(y)$라고 하면

$x=\dfrac{2\times(-8)+1\times0}{2+1}=-\dfrac{16}{3}$ $\therefore P\left(-\dfrac{16}{3}\right)$

$y=\dfrac{2\times(-8)-3\times0}{2-3}=16$ $\therefore Q(16)$

048 답 -3, -3, -17, -17

049 답 $P(1)$, $Q(15)$

$P(x)$, $Q(y)$라고 하면

$x=\dfrac{3\times5+2\times(-5)}{3+2}=1$ $\therefore P(1)$

$y=\dfrac{2\times5-1\times(-5)}{2-1}=15$ $\therefore Q(15)$

050 답 $P\left(-\dfrac{48}{5}\right)$, $Q(-18)$

$P(x)$, $Q(y)$라고 하면

$x=\dfrac{3\times(-12)+2\times(-6)}{3+2}=-\dfrac{48}{5}$ $\therefore P\left(-\dfrac{48}{5}\right)$

$y=\dfrac{2\times(-12)-1\times(-6)}{2-1}=-18$ $\therefore Q(-18)$

051 답 $P(3)$, $Q(10)$

$P(x)$, $Q(y)$라고 하면

$x=\dfrac{3\times5+2\times0}{3+2}=3$ $\therefore P(3)$

$y=\dfrac{2\times5-1\times0}{2-1}=10$ $\therefore Q(10)$

052 답 $P\left(\dfrac{47}{5}\right)$, $Q(22)$

$P(x)$, $Q(y)$라고 하면

$x=\dfrac{3\times13+2\times4}{3+2}=\dfrac{47}{5}$ $\therefore P\left(\dfrac{47}{5}\right)$

$y=\dfrac{2\times13-1\times4}{2-1}=22$ $\therefore Q(22)$

053 답 $P\left(-\dfrac{5}{4}, -\dfrac{3}{2}\right)$, $Q\left(-\dfrac{7}{2}, -6\right)$

$P(x_1, y_1)$이라고 하면

$x_1=\dfrac{3\times(-2)+1\times1}{3+1}=-\dfrac{5}{4}$, $y_1=\dfrac{3\times(-3)+1\times3}{3+1}=-\dfrac{3}{2}$

$\therefore P\left(-\dfrac{5}{4}, -\dfrac{3}{2}\right)$

$Q(x_2, y_2)$라고 하면

$x_2=\dfrac{3\times(-2)-1\times1}{3-1}=-\dfrac{7}{2}$, $y_2=\dfrac{3\times(-3)-1\times3}{3-1}=-6$

$\therefore Q\left(-\dfrac{7}{2}, -6\right)$

054 답 $P\left(\dfrac{11}{4}, \dfrac{23}{4}\right)$, $Q\left(\dfrac{13}{2}, \dfrac{19}{2}\right)$

$P(x_1, y_1)$이라고 하면

$x_1=\dfrac{3\times4+1\times(-1)}{3+1}=\dfrac{11}{4}$, $y_1=\dfrac{3\times7+1\times2}{3+1}=\dfrac{23}{4}$

$\therefore P\left(\dfrac{11}{4}, \dfrac{23}{4}\right)$

$Q(x_2, y_2)$라고 하면

$x_2=\dfrac{3\times4-1\times(-1)}{3-1}=\dfrac{13}{2}$, $y_2=\dfrac{3\times7-1\times2}{3-1}=\dfrac{19}{2}$

$\therefore Q\left(\dfrac{13}{2}, \dfrac{19}{2}\right)$

055 답 $P\left(\dfrac{11}{4}, -\dfrac{1}{4}\right)$, $Q\left(\dfrac{7}{2}, \dfrac{13}{2}\right)$

$P(x_1, y_1)$이라고 하면

$x_1=\dfrac{3\times3+1\times2}{3+1}=\dfrac{11}{4}$, $y_1=\dfrac{3\times2+1\times(-7)}{3+1}=-\dfrac{1}{4}$

$\therefore P\left(\dfrac{11}{4}, -\dfrac{1}{4}\right)$

$Q(x_2, y_2)$라고 하면

$x_2=\dfrac{3\times3-1\times2}{3-1}=\dfrac{7}{2}$, $y_2=\dfrac{3\times2-1\times(-7)}{3-1}=\dfrac{13}{2}$

$\therefore Q\left(\dfrac{7}{2}, \dfrac{13}{2}\right)$

056 답 $P\left(-\dfrac{3}{2}, 7\right)$, $Q(-6, 10)$

$P(x_1, y_1)$이라고 하면

$x_1=\dfrac{3\times(-3)+1\times3}{3+1}=-\dfrac{3}{2}$, $y_1=\dfrac{3\times8+1\times4}{3+1}=7$

$\therefore P\left(-\dfrac{3}{2}, 7\right)$

$Q(x_2, y_2)$라고 하면

$x_2=\dfrac{3\times(-3)-1\times3}{3-1}=-6$, $y_2=\dfrac{3\times8-1\times4}{3-1}=10$

$\therefore Q(-6, 10)$

057 답 $P\left(-\dfrac{3}{4}, \dfrac{11}{2}\right)$, $Q\left(-\dfrac{3}{2}, 16\right)$

$P(x_1, y_1)$이라고 하면

$x_1=\dfrac{3\times(-1)+1\times0}{3+1}=-\dfrac{3}{4}$, $y_1=\dfrac{3\times9+1\times(-5)}{3+1}=\dfrac{11}{2}$

$\therefore P\left(-\dfrac{3}{4}, \dfrac{11}{2}\right)$

$Q(x_2, y_2)$라고 하면

$x_2=\dfrac{3\times(-1)-1\times0}{3-1}=-\dfrac{3}{2}$, $y_2=\dfrac{3\times9-1\times(-5)}{3-1}=16$

$\therefore Q\left(-\dfrac{3}{2}, 16\right)$

058 답 $M(2, 3)$, $Q(-13, -2)$

$M(x_1, y_1)$이라고 하면

$x_1=\dfrac{-1+5}{2}=2$, $y_1=\dfrac{2+4}{2}=3$ $\therefore M(2, 3)$

$Q(x_2, y_2)$라고 하면

$x_2=\dfrac{2\times5-3\times(-1)}{2-3}=-13$, $y_2=\dfrac{2\times4-3\times2}{2-3}=-2$

$\therefore Q(-13, -2)$

059 답 M(2, 3), Q(−3, 8)

$M(x_1, y_1)$이라고 하면

$x_1 = \dfrac{1+3}{2} = 2$, $y_1 = \dfrac{4+2}{2} = 3$

$\therefore M(2, 3)$

$Q(x_2, y_2)$라고 하면

$x_2 = \dfrac{2 \times 3 - 3 \times 1}{2-3} = -3$, $y_2 = \dfrac{2 \times 2 - 3 \times 4}{2-3} = 8$

$\therefore Q(-3, 8)$

060 답 M(−4, 4), Q(6, 4)

$M(x_1, y_1)$이라고 하면

$x_1 = \dfrac{-2-6}{2} = -4$, $y_1 = \dfrac{4+4}{2} = 4$

$\therefore M(-4, 4)$

$Q(x_2, y_2)$라고 하면

$x_2 = \dfrac{2 \times (-6) - 3 \times (-2)}{2-3} = 6$, $y_2 = \dfrac{2 \times 4 - 3 \times 4}{2-3} = 4$

$\therefore Q(6, 4)$

061 답 $M\left(1, \dfrac{9}{2}\right)$, Q(−19, −13)

$M(x_1, y_1)$이라고 하면

$x_1 = \dfrac{-3+5}{2} = 1$, $y_1 = \dfrac{1+8}{2} = \dfrac{9}{2}$

$\therefore M\left(1, \dfrac{9}{2}\right)$

$Q(x_2, y_2)$라고 하면

$x_2 = \dfrac{2 \times 5 - 3 \times (-3)}{2-3} = -19$, $y_2 = \dfrac{2 \times 8 - 3 \times 1}{2-3} = -13$

$\therefore Q(-19, -13)$

062 답 M(−6, −8), Q(4, −18)

$M(x_1, y_1)$이라고 하면

$x_1 = \dfrac{-4-8}{2} = -6$, $y_1 = \dfrac{-10-6}{2} = -8$

$\therefore M(-6, -8)$

$Q(x_2, y_2)$라고 하면

$x_2 = \dfrac{2 \times (-8) - 3 \times (-4)}{2-3} = 4$,

$y_2 = \dfrac{2 \times (-6) - 3 \times (-10)}{2-3} = -18$

$\therefore Q(4, -18)$

063 답 $P\left(-\dfrac{8}{5}, -7\right)$, Q(−32, 50)

$P(x_1, y_1)$이라고 하면

$x_1 = \dfrac{1 \times (-8) + 4 \times 0}{1+4} = -\dfrac{8}{5}$, $y_1 = \dfrac{1 \times 5 + 4 \times (-10)}{1+4} = -7$

$\therefore P\left(-\dfrac{8}{5}, -7\right)$

$Q(x_2, y_2)$라고 하면

$x_2 = \dfrac{4 \times (-8) - 3 \times 0}{4-3} = -32$, $y_2 = \dfrac{4 \times 5 - 3 \times (-10)}{4-3} = 50$

$\therefore Q(-32, 50)$

064 답 $P\left(\dfrac{9}{5}, \dfrac{23}{5}\right)$, Q(−2, −3)

$P(x_1, y_1)$이라고 하면

$x_1 = \dfrac{1 \times 1 + 4 \times 2}{1+4} = \dfrac{9}{5}$, $y_1 = \dfrac{1 \times 3 + 4 \times 5}{1+4} = \dfrac{23}{5}$

$\therefore P\left(\dfrac{9}{5}, \dfrac{23}{5}\right)$

$Q(x_2, y_2)$라고 하면

$x_2 = \dfrac{4 \times 1 - 3 \times 2}{4-3} = -2$, $y_2 = \dfrac{4 \times 3 - 3 \times 5}{4-3} = -3$

$\therefore Q(-2, -3)$

065 답 $P\left(-3, \dfrac{31}{5}\right)$, Q(16, −9)

$P(x_1, y_1)$이라고 하면

$x_1 = \dfrac{1 \times 1 + 4 \times (-4)}{1+4} = -3$, $y_1 = \dfrac{1 \times 3 + 4 \times 7}{1+4} = \dfrac{31}{5}$

$\therefore P\left(-3, \dfrac{31}{5}\right)$

$Q(x_2, y_2)$라고 하면

$x_2 = \dfrac{4 \times 1 - 3 \times (-4)}{4-3} = 16$, $y_2 = \dfrac{4 \times 3 - 3 \times 7}{4-3} = -9$

$\therefore Q(16, -9)$

066 답 $P\left(-\dfrac{14}{5}, \dfrac{7}{5}\right)$, Q(20, 9)

$P(x_1, y_1)$이라고 하면

$x_1 = \dfrac{1 \times 2 + 4 \times (-4)}{1+4} = -\dfrac{14}{5}$, $y_1 = \dfrac{1 \times 3 + 4 \times 1}{1+4} = \dfrac{7}{5}$

$\therefore P\left(-\dfrac{14}{5}, \dfrac{7}{5}\right)$

$Q(x_2, y_2)$라고 하면

$x_2 = \dfrac{4 \times 2 - 3 \times (-4)}{4-3} = 20$, $y_2 = \dfrac{4 \times 3 - 3 \times 1}{4-3} = 9$

$\therefore Q(20, 9)$

067 답 $P\left(-4, \dfrac{2}{5}\right)$, Q(34, −11)

$P(x_1, y_1)$이라고 하면

$x_1 = \dfrac{1 \times 4 + 4 \times (-6)}{1+4} = -4$, $y_1 = \dfrac{1 \times (-2) + 4 \times 1}{1+4} = \dfrac{2}{5}$

$\therefore P\left(-4, \dfrac{2}{5}\right)$

$Q(x_2, y_2)$라고 하면

$x_2 = \dfrac{4 \times 4 - 3 \times (-6)}{4-3} = 34$, $y_2 = \dfrac{4 \times (-2) - 3 \times 1}{4-3} = -11$

$\therefore Q(34, -11)$

068 답 3, 9, 9, 2, 6

069 답 $a = 0$, $b = 4$

선분 AB의 중점의 좌표는 $\left(\dfrac{a+4}{2}, \dfrac{-2+b}{2}\right)$

이 점이 점 (2, 1)이므로

$\dfrac{a+4}{2} = 2$, $\dfrac{-2+b}{2} = 1$ $\therefore a = 0$, $b = 4$

070 답 $a=5$, $b=-2$

선분 AB를 $2:1$로 외분하는 점의 좌표는

$\left(\dfrac{2\times a-1\times 6}{2-1},\ \dfrac{2\times b-1\times a}{2-1}\right)$

$\therefore (2a-6,\ 2b-a)$

이 점이 점 $(4,\ -9)$이므로

$2a-6=4$, $2b-a=-9$　　$\therefore a=5$, $b=-2$

071 답 $a=8$, $b=18$

선분 AB를 $4:3$으로 내분하는 점의 좌표는

$\left(\dfrac{4\times a+3\times 1}{4+3},\ \dfrac{4\times b+3\times(-3)}{4+3}\right)$

$\therefore \left(\dfrac{4a+3}{7},\ \dfrac{4b-9}{7}\right)$

이 점이 점 $(5,\ 9)$이므로

$\dfrac{4a+3}{7}=5$, $\dfrac{4b-9}{7}=9$　　$\therefore a=8$, $b=18$

072 답 $(1,\ -1)$

$\left(\dfrac{4+1-2}{3},\ \dfrac{0+2-5}{3}\right)$　　$\therefore (1,\ -1)$

073 답 $(2,\ 3)$

$\left(\dfrac{-3+3+6}{3},\ \dfrac{-2+8+3}{3}\right)$　　$\therefore (2,\ 3)$

074 답 $\left(-\dfrac{2}{3},\ \dfrac{5}{3}\right)$

$\left(\dfrac{-6-1+5}{3},\ \dfrac{3-2+4}{3}\right)$　　$\therefore \left(-\dfrac{2}{3},\ \dfrac{5}{3}\right)$

075 답 $\left(\dfrac{8}{3},\ -3\right)$

$\left(\dfrac{2-4+10}{3},\ \dfrac{-3+1-7}{3}\right)$　　$\therefore \left(\dfrac{8}{3},\ -3\right)$

076 답 $(5,\ -4)$

$\left(\dfrac{5+12-2}{3},\ \dfrac{3-9-6}{3}\right)$　　$\therefore (5,\ -4)$

077 답 3, -1, 10

078 답 $a=3$, $b=-6$

삼각형 ABC의 무게중심이 $G(0,\ 0)$이므로

$\dfrac{3-6+a}{3}=0$, $\dfrac{2+4+b}{3}=0$　　$\therefore a=3$, $b=-6$

079 답 $a=1$, $b=4$

삼각형 ABC의 무게중심이 $G(1,\ 1)$이므로

$\dfrac{-5+b+4}{3}=1$, $\dfrac{a+3-1}{3}=1$　　$\therefore a=1$, $b=4$

080 답 $a=3$, $b=-1$

삼각형 ABC의 무게중심이 $G(b,\ 4)$이므로

$\dfrac{-2-6+5}{3}=b$, $\dfrac{-1+a+10}{3}=4$　　$\therefore a=3$, $b=-1$

081 답 $a=4$, $b=2$

삼각형 ABC의 무게중심이 $G(2,\ b)$이므로

$\dfrac{-3+5+a}{3}=2$, $\dfrac{2-1+5}{3}=b$　　$\therefore a=4$, $b=2$

082 답 6, b, 6, b, 1, 13

083 답 $a=8$, $b=-1$

대각선 AC의 중점의 좌표는 $(3,\ 1)$

대각선 BD의 중점의 좌표는 $\left(\dfrac{a-2}{2},\ \dfrac{b+3}{2}\right)$

두 대각선의 중점은 일치하므로

$3=\dfrac{a-2}{2}$, $1=\dfrac{b+3}{2}$　　$\therefore a=8$, $b=-1$

084 답 $a=-2$, $b=-2$

대각선 AC의 중점의 좌표는 $(0,\ 1)$

대각선 BD의 중점의 좌표는 $\left(\dfrac{a+2}{2},\ \dfrac{b+4}{2}\right)$

두 대각선의 중점은 일치하므로

$0=\dfrac{a+2}{2}$, $1=\dfrac{b+4}{2}$　　$\therefore a=-2$, $b=-2$

085 답 2, 4, 4, 2

086 답 $a=-2$, $b=-1$

대각선 AC의 중점의 좌표는 $\left(\dfrac{3}{2},\ \dfrac{b}{2}\right)$

대각선 BD의 중점의 좌표는 $\left(\dfrac{3}{2},\ \dfrac{a+1}{2}\right)$

두 대각선의 중점은 일치하므로

$\dfrac{b}{2}=\dfrac{a+1}{2}$에서 $b=a+1$

또 $\overline{AB}=\overline{AD}$에서 $\overline{AB}^2=\overline{AD}^2$이므로

$1^2+a^2=2^2+1^2$, $a^2=4$　　$\therefore a=-2$ 또는 $a=2$

그런데 $a<0$이므로 $a=-2$, $b=-1$

087 답 $a=1$, $b=5$

대각선 AC의 중점의 좌표는 $\left(\dfrac{a+7}{2},\ 2\right)$

대각선 BD의 중점의 좌표는 $\left(\dfrac{b+3}{2},\ 2\right)$

두 대각선의 중점은 일치하므로

$\dfrac{a+7}{2}=\dfrac{b+3}{2}$에서 $b=a+4$

또 $\overline{AD}=\overline{CD}$에서 $\overline{AD}^2=\overline{CD}^2$이므로

$(3-a)^2+(5-1)^2=(3-7)^2+(5-3)^2$

$a^2-6a+5=0$, $(a-1)(a-5)=0$

$\therefore a=1$ 또는 $a=5$

그런데 $a<3$이므로 $a=1$, $b=5$

150~151쪽

1 ④	**2** ①	**3** ②	**4** ④	**5** ⑤	**6** ⑤
7 ③	**8** ②	**9** ④	**10** ③	**11** ③	**12** 7

1 ① $\overline{AB}=3$ ② $\overline{BC}=5$ ③ $\overline{BD}=1$
④ $\overline{CA}=8$ ⑤ $\overline{CD}=4$
따라서 선분의 길이가 가장 긴 것은 ④ $\overline{CA}$이다.

2 $\sqrt{(-5-a)^2+(-2-6)^2}=10$이므로 양변을 제곱하여 정리하면
$a^2+10a-11=0$, $(a+11)(a-1)=0$ ∴ $a=-11$ 또는 $a=1$
그런데 $a>0$이므로 a의 값은 1이다.

3 $P(a, 0)$이라고 하면 $\overline{AP}=\overline{BP}$에서 $\overline{AP}^2=\overline{BP}^2$이므로
$(a-1)^2+1=(a-3)^2+9$, $a^2-2a+2=a^2-6a+18$
$4a=16$ ∴ $a=4$
∴ $P(4, 0)$
$Q(0, b)$라고 하면 $\overline{AQ}=\overline{BQ}$에서 $\overline{AQ}^2=\overline{BQ}^2$이므로
$1+(b+1)^2=9+(b-3)^2$, $b^2+2b+2=b^2-6b+18$
$8b=16$ ∴ $b=2$
∴ $Q(0, 2)$
∴ $\overline{PQ}=\sqrt{(-4)^2+2^2}=2\sqrt{5}$

4 $\overline{AB}=\sqrt{(1+2)^2+(-4-2)^2}=3\sqrt{5}$
$\overline{BC}=\sqrt{(4-1)^2+(5+4)^2}=3\sqrt{10}$
$\overline{CA}=\sqrt{(-2-4)^2+(2-5)^2}=3\sqrt{5}$
따라서 $\overline{AB}=\overline{CA}$이고, $\overline{AB}^2+\overline{CA}^2=\overline{BC}^2$이므로
삼각형 ABC는 ∠A=90°인 직각이등변삼각형이다.

5 $\overline{AB}=\sqrt{(1+1)^2+(a-7)^2}=\sqrt{a^2-14a+53}$
$\overline{BC}=\sqrt{(4-1)^2+(2-a)^2}=\sqrt{a^2-4a+13}$
$\overline{CA}=\sqrt{(-1-4)^2+(7-2)^2}=5\sqrt{2}$
삼각형 ABC가 ∠B=90°인 직각삼각형이므로
$\overline{AB}^2+\overline{BC}^2=\overline{CA}^2$에서
$a^2-14a+53+a^2-4a+13=50$, $a^2-9a+8=0$
$(a-1)(a-8)=0$ ∴ $a=1$ 또는 $a=8$
그런데 $a>1$이므로 a의 값은 8이다.

6 ㄱ. 점 A는 선분 BC를 3 : 5로 외분하는 점이다.
따라서 옳은 것은 ㄴ, ㄷ이다.

7 $\overline{AP}=2\overline{BP}$이므로 $\overline{AP}:\overline{BP}=2:1$
(i) 점 P가 선분 AB를 2 : 1로 내분할 때
$$x=\frac{2\times(-1)+1\times1}{2+1}=-\frac{1}{3}$$

(ii) 점 P가 선분 AB를 2 : 1로 외분할 때
$$x=\frac{2\times(-1)-1\times1}{2-1}=-3$$
따라서 x의 값은 $-\frac{1}{3}$, -3이므로 곱은 1이다.

8 $P(x_1, y_1)$이라고 하면
$x_1=\frac{3\times4+2\times(-1)}{3+2}=2$, $y_1=\frac{3\times6+2\times1}{3+2}=4$
∴ $P(2, 4)$
$Q(x_2, y_2)$라고 하면
$x_2=\frac{3\times4-2\times(-1)}{3-2}=14$, $y_2=\frac{3\times6-2\times1}{3-2}=16$
∴ $Q(14, 16)$
선분 PQ의 중점 M의 좌표는
$M\left(\frac{2+14}{2}, \frac{4+16}{2}\right)$ ∴ $M(8, 10)$
따라서 $a=8$, $b=10$이므로 $a+b=18$

9 선분 AB를 1 : 2로 외분하는 점의 좌표는
$\left(\frac{1\times(-1)-2\times a}{1-2}, \frac{1\times b-2\times2}{1-2}\right)$
∴ $(2a+1, -b+4)$
이 점이 점 $(3, 5)$이므로
$2a+1=3$, $-b+4=5$ ∴ $a=1$, $b=-1$
∴ $a-b=2$

10 삼각형 ABC의 무게중심의 좌표가 $(1, b)$이므로
$\frac{a+2a-3}{3}=1$, $\frac{1+5+b}{3}=b$
∴ $a=2$, $b=3$
∴ $ab=6$

11 대각선 AC의 중점의 좌표는 $\left(3, \frac{a+5}{2}\right)$
대각선 BD의 중점의 좌표는 $\left(\frac{b+1}{2}, \frac{5}{2}\right)$
두 대각선의 중점은 일치하므로
$3=\frac{b+1}{2}$, $\frac{a+5}{2}=\frac{5}{2}$ ∴ $a=0$, $b=5$
∴ $a+b=5$

12 대각선 AC의 중점의 좌표는 $\left(\frac{a+7}{2}, 4\right)$
대각선 BD의 중점의 좌표는 $\left(\frac{b+6}{2}, 4\right)$
두 대각선의 중점은 일치하므로
$\frac{a+7}{2}=\frac{b+6}{2}$에서 $b=a+1$
또 $\overline{AB}=\overline{CB}$에서 $\overline{AB}^2=\overline{CB}^2$이므로
$(6-a)^2+(3-2)^2=(6-7)^2+(3-6)^2$
$a^2-12a+27=0$, $(a-3)(a-9)=0$
∴ $a=3$ 또는 $a=9$
그런데 $a<6$이므로 $a=3$, $b=4$
따라서 $a+b$의 값은 7이다.

10 직선의 방정식

001 답 $y=3x$

002 답 $y=-x+3$

003 답 $y=4x-8$

$y=4(x-2)$ $\quad \therefore y=4x-8$

004 답 $y=6x-11$

$y-1=6(x-2)$ $\quad \therefore y=6x-11$

005 답 $y=-2x+1$

$y+1=-2(x-1)$ $\quad \therefore y=-2x+1$

006 답 $y=5x+16$

$y-6=5(x+2)$ $\quad \therefore y=5x+16$

007 답 $y=x+5$

기울기가 1이므로
$y-3=x+2$ $\quad \therefore y=x+5$

008 답 $y=-6x+14$

기울기가 -6이므로
$y+4=-6(x-3)$ $\quad \therefore y=-6x+14$

009 답 $y=\dfrac{\sqrt{3}}{3}x$

기울기가 $\tan 30°=\dfrac{\sqrt{3}}{3}$이므로 $y=\dfrac{\sqrt{3}}{3}x$

010 답 $y=x+1$

기울기가 $\tan 45°=1$이므로 $y=x+1$

011 답 $y=\sqrt{3}x+3\sqrt{3}$

기울기가 $\tan 60°=\sqrt{3}$이므로
$y=\sqrt{3}(x+3)$ $\quad \therefore y=\sqrt{3}x+3\sqrt{3}$

012 답 $y=\dfrac{\sqrt{3}}{3}x+1$

기울기가 $\tan 30°=\dfrac{\sqrt{3}}{3}$이므로
$y-2=\dfrac{\sqrt{3}}{3}(x-\sqrt{3})$ $\quad \therefore y=\dfrac{\sqrt{3}}{3}x+1$

013 답 $y=x+7$

기울기가 $\tan 45°=1$이므로
$y-5=x+2$ $\quad \therefore y=x+7$

014 답 $y=\sqrt{3}x-7$

기울기가 $\tan 60°=\sqrt{3}$이므로
$y+4=\sqrt{3}(x-\sqrt{3})$ $\quad \therefore y=\sqrt{3}x-7$

015 답 $y=5$

016 답 $x=-3$

017 답 $y=-6$

018 답 $x=1$

019 답 $y=8$

020 답 $x=-2$

021 답 $y=-x+5$

$y-4=\dfrac{2-4}{3-1}(x-1)$ $\quad \therefore y=-x+5$

022 답 $y=2x-3$

$y-1=\dfrac{5-1}{4-2}(x-2)$ $\quad \therefore y=2x-3$

023 답 $y=-x+4$

$y-3=\dfrac{5-3}{-1-1}(x-1)$ $\quad \therefore y=-x+4$

024 답 $y=-2x+4$

$y-8=\dfrac{-2-8}{3+2}(x+2)$ $\quad \therefore y=-2x+4$

025 답 $y=-2x+8$

$y+2=\dfrac{10+2}{-1-5}(x-5)$ $\quad \therefore y=-2x+8$

026 답 $y=3x+15$

$y-3=\dfrac{9-3}{-2+4}(x+4)$ $\quad \therefore y=3x+15$

027 답 $x=2$

두 점의 x좌표가 2로 서로 같으므로 $x=2$

028 답 $x=-4$

두 점의 x좌표가 -4로 서로 같으므로 $x=-4$

029 답 $y=-1$

두 점의 y좌표가 -1로 서로 같으므로 $y=-1$

030 답 $y=5$

두 점의 y좌표가 5로 서로 같으므로 $y=5$

031 답 $\dfrac{x}{4}-\dfrac{y}{2}=1$

032 답 $-\dfrac{x}{5}+\dfrac{y}{7}=1$

033 답 $\dfrac{x}{3}-\dfrac{y}{6}=1$

034 답 $\dfrac{x}{2}-\dfrac{y}{8}=1$

035 답 1, 2, 1, 2, 1

036 답 3

직선 $-\dfrac{x}{3}+\dfrac{y}{2}=1$의 x절편은 -3, y절편은
2이므로 이 직선과 x축 및 y축으로 둘러싸인
도형은 오른쪽 그림의 색칠한 삼각형이고 그
넓이는

$\dfrac{1}{2}\times 3\times 2=3$

037 답 10

직선 $\dfrac{x}{4}-\dfrac{y}{5}=1$의 x절편은 4, y절편은 -5
이므로 이 직선과 x축 및 y축으로 둘러싸인
도형은 오른쪽 그림의 색칠한 삼각형이고 그
넓이는

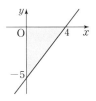

$\dfrac{1}{2}\times 4\times 5=10$

038 답 3, 1, 2, 1, 3, 4

039 답 -3

세 점 A, B, C가 한 직선 위에 있으려면
(직선 AB의 기울기)=(직선 BC의 기울기)이어야 하므로
$\dfrac{3-k}{2+1}=\dfrac{5-3}{3-2}$, $\dfrac{3-k}{3}=2$

$3-k=6$ ∴ $k=-3$

040 답 5

세 점 A, B, C가 한 직선 위에 있으려면
(직선 AB의 기울기)=(직선 AC의 기울기)이어야 하므로
$\dfrac{k+7}{1+3}=\dfrac{8+7}{2+3}$, $\dfrac{k+7}{4}=3$

$k+7=12$ ∴ $k=5$

041 답 1

세 점 A, B, C가 한 직선 위에 있으려면
(직선 AB의 기울기)=(직선 AC의 기울기)이어야 하므로
$\dfrac{(2a+1)-1}{0+1}=\dfrac{5-1}{a+1}$, $2a=\dfrac{4}{a+1}$

$2a^2+2a=4$, $a^2+a-2=0$
$(a+2)(a-1)=0$ ∴ $a=1$ $(∵ a>0)$

042 답 $\dfrac{1}{2}$

세 점 A, B, C가 한 직선 위에 있으려면
(직선 AB의 기울기)=(직선 BC의 기울기)이어야 하므로
$\dfrac{2-3}{2-(2a+3)}=\dfrac{(a+2)-2}{3-2}$, $\dfrac{-1}{-2a-1}=a$

$\dfrac{1}{2a+1}=a$, $2a^2+a-1=0$

$(a+1)(2a-1)=0$ ∴ $a=\dfrac{1}{2}$ $(∵ a>0)$

043 답 2

세 점 A, B, C가 한 직선 위에 있으려면
(직선 AC의 기울기)=(직선 BC의 기울기)이어야 하므로
$\dfrac{-3-(a-1)}{2-6}=\dfrac{-3+1}{2-(3a-2)}$, $\dfrac{-a-2}{-4}=\dfrac{-2}{-3a+4}$

$\dfrac{a+2}{4}=\dfrac{2}{3a-4}$, $(a+2)(3a-4)=8$

$3a^2+2a-16=0$, $(3a+8)(a-2)=0$ ∴ $a=2$ $(∵ a>0)$

044 답

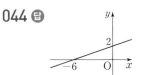

$x-3y+6=0$을 변형하면 $y=\dfrac{1}{3}x+2$이므로 기울기가 $\dfrac{1}{3}$이고 y절
편이 2인 직선이다.

045 답

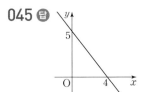

$5x+4y-20=0$을 변형하면 $y=-\dfrac{5}{4}x+5$이므로 기울기가 $-\dfrac{5}{4}$
이고 y절편이 5인 직선이다.

046 답

$3x-2y-6=0$을 변형하면 $y=\dfrac{3}{2}x-3$이므로 기울기가 $\dfrac{3}{2}$이고
y절편이 -3인 직선이다.

047 답

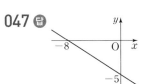

$5x+8y+40=0$을 변형하면 $y=-\dfrac{5}{8}x-5$이므로 기울기가 $-\dfrac{5}{8}$
이고 y절편이 -5인 직선이다.

048 답

$4x+2=0$을 변형하면 $x=-\dfrac{1}{2}$이므로 y축에 평행한 직선이다.

049 답

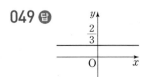

$6y-4=0$을 변형하면 $y=\dfrac{2}{3}$이므로 x축에 평행한 직선이다.

050 답

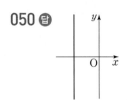

$ax+by+c=0$에서 $b=0$이므로 $x=-\dfrac{c}{a}$

이때 $a<0$, $c<0$이므로 $-\dfrac{c}{a}<0$

따라서 x절편이 음수이고 y축에 평행한 직선이다.

051 답

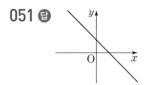

$ax+by+c=0$에서 $b\neq0$이므로 $y=-\dfrac{a}{b}x-\dfrac{c}{b}$

이때 $a>0$, $b>0$, $c<0$이므로 $-\dfrac{a}{b}<0$, $-\dfrac{c}{b}>0$

따라서 기울기가 음수이고 y절편이 양수인 직선이다.

052 답

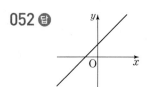

$ax+by+c=0$에서 $b\neq0$이므로 $y=-\dfrac{a}{b}x-\dfrac{c}{b}$

이때 $a>0$, $b<0$, $c>0$이므로 $-\dfrac{a}{b}>0$, $-\dfrac{c}{b}>0$

따라서 기울기가 양수이고 y절편이 양수인 직선이다.

053 답

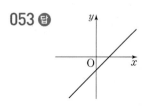

$ax+by+c=0$에서 $b\neq0$이므로 $y=-\dfrac{a}{b}x-\dfrac{c}{b}$

이때 $a>0$, $b<0$, $c<0$이므로 $-\dfrac{a}{b}>0$, $-\dfrac{c}{b}<0$

따라서 기울기가 양수이고 y절편이 음수인 직선이다.

054 답

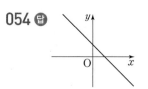

$ax+by+c=0$에서 $b\neq0$이므로 $y=-\dfrac{a}{b}x-\dfrac{c}{b}$

이때 $a<0$, $b<0$, $c>0$이므로 $-\dfrac{a}{b}<0$, $-\dfrac{c}{b}>0$

따라서 기울기가 음수이고 y절편이 양수인 직선이다.

055 답

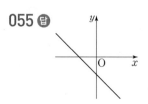

$ax+by+c=0$에서 $b\neq0$이므로 $y=-\dfrac{a}{b}x-\dfrac{c}{b}$

이때 $a<0$, $b<0$, $c<0$이므로 $-\dfrac{a}{b}<0$, $-\dfrac{c}{b}<0$

따라서 기울기가 음수이고 y절편이 음수인 직선이다.

056 답 $b<0$, $c<0$

주어진 그래프에서 $b\neq0$이므로 직선의 방정식 $ax+by+c=0$을 변형하면 $y=-\dfrac{a}{b}x-\dfrac{c}{b}$

기울기는 양수이므로 $-\dfrac{a}{b}>0$에서 $a>0$이므로 $b<0$

y절편은 음수이므로 $-\dfrac{c}{b}<0$에서 $b<0$이므로 $c<0$

$\therefore b<0$, $c<0$

057 답 $b>0$, $c<0$

주어진 그래프에서 $b\neq0$이므로 직선의 방정식 $ax+by+c=0$을 변형하면 $y=-\dfrac{a}{b}x-\dfrac{c}{b}$

기울기는 음수이므로 $-\dfrac{a}{b}<0$에서 $a>0$이므로 $b>0$

y절편은 양수이므로 $-\dfrac{c}{b}>0$에서 $b>0$이므로 $c<0$

$\therefore b>0$, $c<0$

058 답 $b>0$, $c>0$

주어진 그래프에서 $b\neq0$이므로 직선의 방정식 $ax+by+c=0$을 변형하면 $y=-\dfrac{a}{b}x-\dfrac{c}{b}$

기울기는 음수이므로 $-\dfrac{a}{b}<0$에서 $a>0$이므로 $b>0$

y절편은 음수이므로 $-\dfrac{c}{b}<0$에서 $b>0$이므로 $c>0$

$\therefore b>0$, $c>0$

059

주어진 그래프에서 $b \neq 0$이므로 직선의 방정식 $ax+by+c=0$을 변형하면 $y=-\dfrac{a}{b}x-\dfrac{c}{b}$

기울기는 양수이므로 $-\dfrac{a}{b}>0$에서 $ab<0$

y절편은 양수이므로 $-\dfrac{c}{b}>0$에서 $bc<0$

즉, a와 b의 부호가 서로 다르고, b와 c의 부호가 서로 다르므로 a와 c의 부호는 서로 같다.

$\therefore ac>0$

한편 $cx+ay+b=0$에서 $a \neq 0$이므로 변형하면 $y=-\dfrac{c}{a}x-\dfrac{b}{a}$

이때 $ac>0$에서 기울기는 $-\dfrac{c}{a}<0$이고, $ab<0$에서 y절편은 $-\dfrac{b}{a}>0$이다.

따라서 직선 $cx+ay+b=0$은 기울기가 음수이고 y절편이 양수인 직선이다.

060

주어진 그래프에서 $b \neq 0$이므로 직선의 방정식 $ax+by+c=0$을 변형하면 $y=-\dfrac{a}{b}x-\dfrac{c}{b}$

기울기는 양수이므로 $-\dfrac{a}{b}>0$에서 $ab<0$

y절편은 음수이므로 $-\dfrac{c}{b}<0$에서 $bc>0$

즉, a와 b의 부호가 서로 다르고, b와 c의 부호가 서로 같으므로 a와 c의 부호는 서로 다르다.

$\therefore ac<0$

한편 $cx+ay+b=0$에서 $a \neq 0$이므로 변형하면 $y=-\dfrac{c}{a}x-\dfrac{b}{a}$

이때 $ac<0$에서 기울기는 $-\dfrac{c}{a}>0$이고, $ab<0$에서 y절편은 $-\dfrac{b}{a}>0$이다.

따라서 직선 $cx+ay+b=0$은 기울기가 양수이고 y절편이 양수인 직선이다.

061

주어진 그래프에서 $b \neq 0$이므로 직선의 방정식 $ax+by+c=0$을 변형하면 $y=-\dfrac{a}{b}x-\dfrac{c}{b}$

기울기는 음수이므로 $-\dfrac{a}{b}<0$에서 $ab>0$

y절편은 음수이므로 $-\dfrac{c}{b}<0$에서 $bc>0$

즉, a와 b의 부호가 서로 같고, b와 c의 부호가 서로 같으므로 a와 c의 부호가 서로 같다.

$\therefore ac>0$

한편 $cx+ay+b=0$에서 $a \neq 0$이므로 변형하면 $y=-\dfrac{c}{a}x-\dfrac{b}{a}$

이때 $ac>0$에서 기울기는 $-\dfrac{c}{a}<0$이고 $ab>0$에서 y절편은 $-\dfrac{b}{a}<0$이다.

따라서 직선 $cx+ay+b=0$은 기울기가 음수이고 y절편이 음수인 직선이다.

062 답 1, 5, 2, -1, 2, -1

063 답 $(-2, 0)$

주어진 등식이 k의 값에 관계없이 항상 성립하려면

$x-3y+2=0, 2x+y+4=0$

두 식을 연립하여 풀면 $x=-2, y=0$

따라서 구하는 점의 좌표는 $(-2, 0)$이다.

064 답 $(3, -2)$

주어진 등식의 좌변을 k에 대하여 정리하면

$k(x-3)+2(y+2)=0$

이 등식이 k의 값에 관계없이 항상 성립하려면

$x-3=0, y+2=0$ $\therefore x=3, y=-2$

따라서 구하는 점의 좌표는 $(3, -2)$이다.

065 답 $(2, -4)$

주어진 등식의 좌변을 k에 대하여 정리하면

$x-y-6+k(3x+y-2)=0$

주어진 등식이 k의 값에 관계없이 항상 성립하려면

$x-y-6=0, 3x+y-2=0$

두 식을 연립하여 풀면 $x=2, y=-4$

따라서 구하는 점의 좌표는 $(2, -4)$이다.

066 답 2, 3, 2, 2, 2, 2, 3, 3, 5

067 답 $x-3y+3=0$

주어진 두 직선의 교점을 지나는 직선의 방정식을

$x+2y-1+k(2x-y+2)=0$ (k는 실수)

으로 놓으면 이 직선이 점 $P(0, 1)$을 지나므로

$1+k=0$ $\therefore k=-1$

따라서 구하는 직선의 방정식은

$x+2y-1-(2x-y+2)=0$

$\therefore x-3y+3=0$

068 답 $16x+5y-32=0$

주어진 두 직선의 교점을 지나는 직선의 방정식을
$4x-3y-4+k(3x+2y-7)=0$ (k는 실수)
으로 놓으면 이 직선이 점 P$(2, 0)$을 지나므로
$4-k=0$ $\therefore k=4$
따라서 구하는 직선의 방정식은
$4x-3y-4+4(3x+2y-7)=0$
$\therefore 16x+5y-32=0$

069 답 $5x-12y+9=0$

주어진 두 직선의 교점을 지나는 직선의 방정식을
$2x+3y+6+k(4x-7y+8)=0$ (k는 실수)
으로 놓으면 이 직선이 점 P$(3, 2)$를 지나므로
$18+6k=0$ $\therefore k=-3$
따라서 구하는 직선의 방정식은
$2x+3y+6-3(4x-7y+8)=0$ $\therefore 5x-12y+9=0$

070 답 수직이다.

두 직선의 기울기의 곱이 $1 \times (-1)=-1$이므로 두 직선은 수직이다.

071 답 평행하다.

두 직선의 기울기가 같고 y절편이 다르므로 두 직선은 평행하다.

072 답 평행하다.

$\dfrac{2}{2}=\dfrac{-1}{-1} \neq \dfrac{6}{2}$이므로 두 직선은 평행하다.

073 답 수직이다.

$3 \times 2+(-2) \times 3=0$이므로 두 직선은 수직이다.

074 답 4

두 직선이 평행하려면 기울기가 같아야 하므로 $k=4$

075 답 -2

두 직선이 평행하려면 기울기가 같아야 하므로
$k+1=-1$ $\therefore k=-2$

076 답 -6

두 직선이 평행하려면 $\dfrac{4}{2}=\dfrac{k}{-3} \neq \dfrac{2}{-5}$이어야 하므로
$2=\dfrac{k}{-3}$에서 $k=-6$

077 답 4

두 직선이 평행하려면 $\dfrac{3}{6}=\dfrac{1}{k-2} \neq \dfrac{-6}{4}$이어야 하므로
$\dfrac{1}{2}=\dfrac{1}{k-2}$에서 $k-2=2$ $\therefore k=4$

078 답 $-\dfrac{1}{2}$

두 직선이 수직이 되려면 $k \times 2=-1$이어야 하므로 $k=-\dfrac{1}{2}$

079 답 4

두 직선이 수직이 되려면 $-\dfrac{1}{3} \times (k-1)=-1$이어야 하므로
$k-1=3$ $\therefore k=4$

080 답 $-\dfrac{3}{2}$

두 직선이 수직이 되려면 $(2k-1) \times \dfrac{1}{4}=-1$이어야 하므로
$2k-1=-4$ $\therefore k=-\dfrac{3}{2}$

081 답 -2

두 직선이 수직이 되려면 $3 \times (k+4)+k \times 3=0$이어야 하므로
$6k+12=0$ $\therefore k=-2$

082 답 1

두 직선이 수직이 되려면 $k \times 6+3 \times (k-3)=0$이어야 하므로
$9k-9=0$ $\therefore k=1$

083 답 -3

두 직선이 수직이 되려면 $4 \times (k+2)+(k-1) \times (-1)=0$이어야 하므로 $3k+9=0$ $\therefore k=-3$

084 답 $y=-\dfrac{1}{3}x$

구하는 직선은 기울기가 $-\dfrac{1}{3}$이고 점 $(3, -1)$을 지나는 직선이므로 $y+1=-\dfrac{1}{3}(x-3)$ $\therefore y=-\dfrac{1}{3}x$

085 답 $y=4x-13$

$4x-y+3=0$을 변형하면 $y=4x+3$
따라서 구하는 직선은 기울기가 4이고 점 $(3, -1)$을 지나는 직선이므로 $y+1=4(x-3)$ $\therefore y=4x-13$

086 답 $y=-\dfrac{2}{3}x+1$

$2x+3y-5=0$을 변형하면 $y=-\dfrac{2}{3}x+\dfrac{5}{3}$
따라서 구하는 직선은 기울기가 $-\dfrac{2}{3}$이고 점 $(3, -1)$을 지나는 직선이므로 $y+1=-\dfrac{2}{3}(x-3)$ $\therefore y=-\dfrac{2}{3}x+1$

087 답 $y=\dfrac{1}{3}x+7$

직선 $y=-3x+2$에 수직이므로 구하는 직선의 기울기는 $\dfrac{1}{3}$이다.
따라서 기울기가 $\dfrac{1}{3}$이고 점 $(-6, 5)$를 지나는 직선의 방정식은
$y-5=\dfrac{1}{3}(x+6)$ $\therefore y=\dfrac{1}{3}x+7$

088 답 $y=-2x-7$

직선 $y=\dfrac{1}{2}x-3$에 수직이므로 구하는 직선의 기울기는 -2이다.
따라서 기울기가 -2이고 점 $(-6, 5)$를 지나는 직선의 방정식은
$y-5=-2(x+6)$ $\therefore y=-2x-7$

089 답 $y=\dfrac{5}{2}x+20$

$2x+5y-1=0$을 변형하면 $y=-\dfrac{2}{5}x+\dfrac{1}{5}$, 즉 직선 $y=-\dfrac{2}{5}x+\dfrac{1}{5}$
에 수직이므로 구하는 직선의 기울기는 $\dfrac{5}{2}$이다.
따라서 기울기가 $\dfrac{5}{2}$이고 점 $(-6, 5)$를 지나는 직선의 방정식은
$y-5=\dfrac{5}{2}(x+6)$ $\therefore y=\dfrac{5}{2}x+20$

090 답 $-2,\ \dfrac{1}{2},\ 1,\ 0,\ \dfrac{1}{2},\ 1,\ 0,\ \dfrac{1}{2},\ \dfrac{1}{2}$

091 답 $y=-x+5$

두 점 $A(2, -1)$, $B(6, 3)$을 지나는 직선의 기울기는 $\dfrac{3+1}{6-2}=1$
이므로 선분 AB의 수직이등분선의 기울기는 -1이다.
또 선분 AB의 중점의 좌표는
$\left(\dfrac{2+6}{2},\ \dfrac{-1+3}{2}\right)$ $\therefore (4, 1)$
따라서 선분 AB의 수직이등분선은 기울기가 -1이고 점 $(4, 1)$
을 지나는 직선이므로
$y-1=-(x-4)$ $\therefore y=-x+5$

092 답 $y=\dfrac{1}{2}x+\dfrac{3}{2}$

두 점 $A(2, 0)$, $B(0, 4)$를 지나는 직선의 기울기는 $\dfrac{4-0}{0-2}=-2$
이므로 선분 AB의 수직이등분선의 기울기는 $\dfrac{1}{2}$이다.
또 선분 AB의 중점의 좌표는
$\left(\dfrac{2+0}{2},\ \dfrac{0+4}{2}\right)$ $\therefore (1, 2)$
따라서 선분 AB의 수직이등분선은 기울기가 $\dfrac{1}{2}$이고 점 $(1, 2)$를
지나는 직선이므로
$y-2=\dfrac{1}{2}(x-1)$ $\therefore y=\dfrac{1}{2}x+\dfrac{3}{2}$

093 답 $y=-2x+4$

두 점 $A(-4, 2)$, $B(4, 6)$을 지나는 직선의 기울기는
$\dfrac{6-2}{4+4}=\dfrac{1}{2}$
이므로 선분 AB의 수직이등분선의 기울기는 -2이다.
또 선분 AB의 중점의 좌표는
$\left(\dfrac{-4+4}{2},\ \dfrac{2+6}{2}\right)$ $\therefore (0, 4)$
따라서 선분 AB의 수직이등분선은 기울기가 -2이고 점 $(0, 4)$
를 지나는 직선이므로
$y-4=-2x$ $\therefore y=-2x+4$

094 답 $y=-x+1$

두 점 $A(3, -4)$, $B(5, -2)$를 지나는 직선의 기울기는
$\dfrac{-2+4}{5-3}=1$
이므로 선분 AB의 수직이등분선의 기울기는 -1이다.
또 선분 AB의 중점의 좌표는
$\left(\dfrac{3+5}{2},\ \dfrac{-4-2}{2}\right)$ $\therefore (4, -3)$
따라서 선분 AB의 수직이등분선은 기울기가 -1이고 점 $(4, -3)$
을 지나는 직선이므로 $y+3=-(x-4)$ $\therefore y=-x+1$

095 답 $1,\ -1,\ \dfrac{1}{2},\ \dfrac{1}{2},\ -3,\ -3,\ -1,\ 1$

096 답 $-1,\ 1,\ 5$

두 직선 $y=-x+2$, $y=x+1$은 한 점에서 만나므로 주어진 세 직
선이 삼각형을 이루지 않는 경우는 다음과 같다.
(i) 세 직선 중 두 직선이 평행할 때
　두 직선 $y=-x+2$, $y=kx-1$이 평행한 경우 ➡ $k=-1$
　두 직선 $y=x+1$, $y=kx-1$이 평행한 경우 ➡ $k=1$
(ii) 세 직선이 한 점에서 만날 때
　직선 $y=kx-1$이 두 직선 $y=-x+2$, $y=x+1$의 교점을
　지나는 경우이다.
　두 직선의 방정식 $y=-x+2$, $y=x+1$을 연립하여 풀면
　$x=\dfrac{1}{2}$, $y=\dfrac{3}{2}$
　즉, 직선 $y=kx-1$이 점 $\left(\dfrac{1}{2},\ \dfrac{3}{2}\right)$을 지나므로
　$\dfrac{3}{2}=\dfrac{1}{2}k-1$ $\therefore k=5$
(i), (ii)에 의하여 상수 k의 값은 $-1,\ 1,\ 5$이다.

097 답 $-1,\ -\dfrac{1}{3},\ 1$

두 직선 $x+y=0$, $x-y+3=0$은 한 점에서 만나므로 주어진 세
직선이 삼각형을 이루지 않는 경우는 다음과 같다.
(i) 세 직선 중 두 직선이 평행할 때
　두 직선 $x+y=0$, $kx+y-2=0$이 평행한 경우
　➡ $\dfrac{1}{k}=\dfrac{1}{1}\neq\dfrac{0}{-2}$에서 $k=1$
　두 직선 $x-y+3=0$, $kx+y-2=0$이 평행한 경우
　➡ $\dfrac{1}{k}=\dfrac{-1}{1}\neq\dfrac{3}{-2}$에서 $k=-1$
(ii) 세 직선이 한 점에서 만날 때
　직선 $kx+y-2=0$이 두 직선 $x+y=0$, $x-y+3=0$의 교점
　을 지나는 경우이다.
　두 직선의 방정식 $x+y=0$, $x-y+3=0$을 연립하여 풀면
　$x=-\dfrac{3}{2}$, $y=\dfrac{3}{2}$
　즉, 직선 $kx+y-2=0$이 점 $\left(-\dfrac{3}{2},\ \dfrac{3}{2}\right)$을 지나므로
　$-\dfrac{3}{2}k+\dfrac{3}{2}-2=0$ $\therefore k=-\dfrac{1}{3}$
(i), (ii)에 의하여 상수 k의 값은 $-1,\ -\dfrac{1}{3},\ 1$이다.

098 답 $-\dfrac{15}{2}$, -2, $\dfrac{3}{2}$

두 직선 $2x+3y+2=0$, $3x-6y-4=0$은 한 점에서 만나므로 주어진 세 직선이 삼각형을 이루지 않는 경우는 다음과 같다.

(ⅰ) 세 직선 중 두 직선이 평행할 때

두 직선 $2x+3y+2=0$, $x+ky-5=0$이 평행한 경우

➡ $\dfrac{2}{1}=\dfrac{3}{k}\neq\dfrac{2}{-5}$에서 $k=\dfrac{3}{2}$

두 직선 $3x-6y-4=0$, $x+ky-5=0$이 서로 평행한 경우

➡ $\dfrac{3}{1}=\dfrac{-6}{k}\neq\dfrac{-4}{-5}$에서 $k=-2$

(ⅱ) 세 직선이 한 점에서 만날 때

직선 $x+ky-5=0$이 두 직선 $2x+3y+2=0$, $3x-6y-4=0$의 교점을 지나는 경우이다.

두 직선의 방정식 $2x+3y+2=0$, $3x-6y-4=0$을 연립하여 풀면

$x=0$, $y=-\dfrac{2}{3}$

즉, 직선 $x+ky-5=0$이 점 $\left(0,\ -\dfrac{2}{3}\right)$를 지나므로

$-\dfrac{2}{3}k-5=0$ ∴ $k=-\dfrac{15}{2}$

(ⅰ), (ⅱ)에 의하여 상수 k의 값은 $-\dfrac{15}{2}$, -2, $\dfrac{3}{2}$이다.

099 답 **1**

$\dfrac{|-13|}{\sqrt{5^2+12^2}}=\dfrac{13}{13}=1$

100 답 $\dfrac{2\sqrt{10}}{5}$

$\dfrac{|3\times(-4)-2+10|}{\sqrt{3^2+(-1)^2}}=\dfrac{4}{\sqrt{10}}=\dfrac{2\sqrt{10}}{5}$

101 답 **3**

$\dfrac{|4\times(-2)+3\times(-5)+8|}{\sqrt{4^2+3^2}}=\dfrac{15}{5}=3$

102 답 $\dfrac{\sqrt{2}}{2}$

점 P$(3, -1)$과 직선 $l: y=-x+3$, 즉 $x+y-3=0$ 사이의 거리는

$\dfrac{|3-1-3|}{\sqrt{1^2+1^2}}=\dfrac{1}{\sqrt{2}}=\dfrac{\sqrt{2}}{2}$

103 답 -5, **5**

$\dfrac{|k|}{\sqrt{3^2+4^2}}=1$, $|k|=5$

∴ $k=\pm5$

104 답 **0**, **4**

$\dfrac{|-1-1+k|}{\sqrt{1^2+(-1)^2}}=\sqrt{2}$, $|k-2|=2$

$k-2=\pm2$ ∴ $k=0$ 또는 $k=4$

105 답 -2, **3**

$\dfrac{|2+2k-3|}{\sqrt{1^2+2^2}}=\sqrt{5}$, $|2k-1|=5$

$2k-1=\pm5$ ∴ $k=-2$ 또는 $k=3$

106 답 **0**, **10**

점 P$(k, 5)$와 직선 $l: y=2x-5$, 즉 $2x-y-5=0$ 사이의 거리는

$\dfrac{|2k-5-5|}{\sqrt{2^2+(-1)^2}}=2\sqrt{5}$, $|2k-10|=10$

$2k-10=\pm10$ ∴ $k=0$ 또는 $k=10$

107 답 **1**, **1**, **3**, $\sqrt{5}$

108 답 $\sqrt{5}$

두 직선이 평행하므로 두 직선 사이의 거리는 직선 $x-2y+1=0$ 위의 한 점 $(-1, 0)$과 직선 $x-2y-4=0$ 사이의 거리와 같다. 따라서 구하는 거리는

$\dfrac{|-1-4|}{\sqrt{1^2+(-2)^2}}=\sqrt{5}$

109 답 **2**

두 직선이 평행하므로 두 직선 사이의 거리는 직선 $3x+4y-4=0$ 위의 한 점 $(0, 1)$과 직선 $3x+4y+6=0$ 사이의 거리와 같다. 따라서 구하는 거리는

$\dfrac{|4+6|}{\sqrt{3^2+4^2}}=2$

110 답 $\sqrt{13}$

두 직선이 평행하므로 두 직선 사이의 거리는 직선 $2x-3y+4=0$ 위의 한 점 $(-2, 0)$과 직선 $2x-3y-9=0$ 사이의 거리와 같다. 따라서 구하는 거리는

$\dfrac{|-4-9|}{\sqrt{2^2+(-3)^2}}=\sqrt{13}$

111 답 $\sqrt{5}$

주어진 두 직선의 방정식을 변형하면

$2x-y-2=0$, $2x-y+3=0$

두 직선이 평행하므로 두 직선 사이의 거리는 직선 $2x-y-2=0$ 위의 한 점 $(1, 0)$과 직선 $2x-y+3=0$ 사이의 거리와 같다. 따라서 구하는 거리는 $\dfrac{|2+3|}{\sqrt{2^2+(-1)^2}}=\sqrt{5}$

112 답 **3**

주어진 두 직선의 방정식을 변형하면

$4x+3y+6=0$, $4x+3y-9=0$

두 직선이 평행하므로 두 직선 사이의 거리는 직선 $4x+3y+6=0$ 위의 한 점 $(0, -2)$과 직선 $4x+3y-9=0$ 사이의 거리와 같다. 따라서 구하는 거리는 $\dfrac{|-6-9|}{\sqrt{4^2+3^2}}=3$

113 달 $\sqrt{13}$

주어진 두 직선의 방정식을 변형하면

$3x-2y-5=0,\ 3x-2y+8=0$

두 직선이 평행하므로 두 직선 사이의 거리는 직선

$3x-2y+8=0$ 위의 한 점 $(0, 4)$와 직선 $3x-2y-5=0$ 사이의

거리와 같다.

따라서 구하는 거리는

$$\frac{|-8-5|}{\sqrt{3^2+(-2)^2}}=\sqrt{13}$$

114 달 2, $2\sqrt{13}$, 2, 2, 3, 3, 3, 5, $2\sqrt{13}$, 5, 5

115 답 8

선분 BC의 길이를 구하면

$\overline{BC}=\sqrt{6^2+2^2}=2\sqrt{10}$

직선 BC의 방정식을 구하면

$y=\dfrac{2}{6}x \qquad \therefore x-3y=0$

점 $A(1, 3)$과 직선 $x-3y=0$ 사이의 거리 h를 구하면

$h=\dfrac{|1-9|}{\sqrt{1^2+(-3)^2}}=\dfrac{8}{\sqrt{10}}$

따라서 삼각형 ABC의 넓이를 구하면

$\triangle ABC=\dfrac{1}{2}\times\overline{BC}\times h$

$\qquad\qquad =\dfrac{1}{2}\times 2\sqrt{10}\times\dfrac{8}{\sqrt{10}}=8$

116 답 $\dfrac{13}{2}$

선분 BC의 길이를 구하면

$\overline{BC}=\sqrt{(2+1)^2+(-1)^2}=\sqrt{10}$

직선 BC의 방정식을 구하면

$y=\dfrac{-1}{2+1}(x-2)$

$\therefore x+3y-2=0$

점 $A(3, 4)$와 직선 $x+3y-2=0$ 사이의 거리 h를 구하면

$h=\dfrac{|3+12-2|}{\sqrt{1^2+3^2}}=\dfrac{13}{\sqrt{10}}$

따라서 삼각형 ABC의 넓이를 구하면

$\triangle ABC=\dfrac{1}{2}\times\overline{BC}\times h$

$\qquad\qquad =\dfrac{1}{2}\times\sqrt{10}\times\dfrac{13}{\sqrt{10}}=\dfrac{13}{2}$

117 답 28

선분 BC의 길이를 구하면

$\overline{BC}=\sqrt{(4+2)^2+(1+3)^2}=2\sqrt{13}$

직선 BC의 방정식을 구하면

$y+3=\dfrac{1+3}{4+2}(x+2)$

$\therefore 2x-3y-5=0$

점 $A(-4, 5)$와 직선 $2x-3y-5=0$ 사이의 거리 h를 구하면

$h=\dfrac{|-8-15-5|}{\sqrt{2^2+(-3)^2}}=\dfrac{28}{\sqrt{13}}$

따라서 삼각형 ABC의 넓이를 구하면

$\triangle ABC=\dfrac{1}{2}\times\overline{BC}\times h$

$\qquad\qquad =\dfrac{1}{2}\times 2\sqrt{13}\times\dfrac{28}{\sqrt{13}}=28$

최종 점검하기

170~171쪽

1 $y=x-3$	**2** ⑤	**3** ①	**4** ④	**5** ③
6 ⑤	**7** ①	**8** $\dfrac{1}{3}$	**9** ①	**10** ②
11 $y=\dfrac{3}{4}x-\dfrac{7}{4}$		**12** ④	**13** $5\sqrt{2}$	**14** ③
15 ④	**16** ①			

1 구하는 직선의 기울기는

$\tan 45°=1$

선분 AB의 중점의 좌표는

$\left(\dfrac{-1+3}{2}, \dfrac{2-6}{2}\right) \qquad \therefore (1, -2)$

따라서 구하는 직선의 방정식은

$y+2=x-1 \qquad \therefore y=x-3$

2 두 점 $(-1, 8), (2, -1)$을 지나는 직선의 방정식은

$y-8=\dfrac{-1-8}{2+1}(x+1)$

$\therefore y=-3x+5$

따라서 이 직선의 y절편은 5이다.

3 직선 $x-16y-8=0$의 x절편은 8

이고, y절편은 $-\dfrac{1}{2}$이므로 이 직선과

x축 및 y축으로 둘러싸인 도형은 오

른쪽 그림의 색칠한 삼각형이고 그 넓

이는

$\dfrac{1}{2}\times 8\times\dfrac{1}{2}=2$

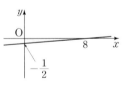

4 세 점 $A(-1, k), B(1, 4), C(2k+7, 10)$이 한 직선 위에

있으려면

(직선 AB의 기울기)=(직선 BC의 기울기)이어야 하므로

$\dfrac{4-k}{1+1}=\dfrac{10-4}{2k+7-1},\ \dfrac{4-k}{2}=\dfrac{6}{2k+6}$

$k^2-k-6=0,\ (k+2)(k-3)=0$

$\therefore k=-2$ 또는 $k=3$

따라서 모든 k의 값의 합은

$-2+3=1$

5 $ab>0$, $bc<0$에서 $b\neq0$이므로 주어진 직선의 방정식을 변형하면 $y=-\dfrac{a}{b}x-\dfrac{c}{b}$

$ab>0$이므로 기울기는 $-\dfrac{a}{b}<0$

$bc<0$이므로 y절편은 $-\dfrac{c}{b}>0$

따라서 주어진 직선은 기울기가 음수이고 y 절편이 양수인 직선이므로 이 직선이 지나지 않는 사분면은 제3사분면이다.

6 주어진 등식의 좌변을 k에 대하여 정리하면
$3x+5y-7+k(2x+3y-5)=0$
주어진 등식이 k의 값에 관계없이 항상 성립하려면
$3x+5y-7=0$, $2x+3y-5=0$
두 식을 연립하여 풀면 $x=4$, $y=-1$
따라서 구하는 점의 좌표는 $(4, -1)$이다.

7 주어진 두 직선의 교점을 지나는 직선의 방정식을
$3x-2y+3+k(x+4y-5)=0$ (k는 실수)
으로 놓으면 이 직선이 점 $(-1, 2)$를 지나므로
$-4+2k=0$ $\quad\therefore k=2$
즉, 구하는 직선의 방정식은
$3x-2y+3+2(x+4y-5)=0$
$\therefore 5x+6y-7=0$
따라서 이 직선 위의 점인 것은 ① $(5, -3)$이다.

8 두 직선이 서로 수직이 되려면
$k\times2+1\times(k-1)=0$이어야 하므로
$3k-1=0$ $\quad\therefore k=\dfrac{1}{3}$

9 직선 $3x-y-2=0$을 변형하면 $y=3x-2$
따라서 이 직선에 평행한 직선의 기울기는 3이다.
기울기가 3이고 점 $(1, 4)$를 지나는 직선의 방정식은
$y-4=3(x-1)$ $\quad\therefore y=3x+1$
이 직선이 점 $(-2, k)$를 지나므로
$k=-6+1=-5$

10 직선 AB의 기울기는 $\dfrac{3-5}{4+2}=-\dfrac{1}{3}$이므로 직선 l의 기울기는 3이다.
또 직선 l은 선분 AB의 중점 $(1, 4)$를 지나므로 직선 l의 방정식은
$y-4=3(x-1)$ $\quad\therefore y=3x+1$
따라서 직선 l의 x절편은 $-\dfrac{1}{3}$이다.

11 $A(-6, 0)$, $B(0, -8)$이므로 두 점 A, B를 지나는 직선의 기울기는 $\dfrac{-8+0}{0+6}=-\dfrac{4}{3}$이다.

즉, 선분 AB의 수직이등분선의 기울기는 $\dfrac{3}{4}$이다. 또 선분 AB의 중점의 좌표는 $(-3, -4)$이다.

따라서 선분 AB의 수직이등분선은 기울기가 $\dfrac{3}{4}$이고 점 $(-3, -4)$를 지나므로 구하는 직선의 방정식은
$y+4=\dfrac{3}{4}(x+3)$ $\quad\therefore y=\dfrac{3}{4}x-\dfrac{7}{4}$

12 두 직선 $x-y+1=0$, $2x+y-3=0$은 한 점에서 만나므로 주어진 세 직선이 삼각형을 이루지 않는 경우는 다음과 같다.
(i) 세 직선 중 두 직선이 평행할 때
  두 직선 $x-y+1=0$, $x+ky+2=0$이 평행한 경우
  ➡ $\dfrac{1}{1}=\dfrac{-1}{k}\neq\dfrac{1}{2}$에서 $k=-1$
  두 직선 $2x+y-3=0$, $x+ky+2=0$이 평행한 경우
  ➡ $\dfrac{2}{1}=\dfrac{1}{k}\neq-\dfrac{3}{2}$에서 $k=\dfrac{1}{2}$
(ii) 세 직선이 한 점에서 만날 때
  직선 $x+ky+2=0$이 두 직선 $x-y+1=0$, $2x+y-3=0$의 교점을 지나는 경우이다. 두 직선의 방정식 $x-y+1=0$, $2x+y-3=0$을 연립하여 풀면 $x=\dfrac{2}{3}$, $y=\dfrac{5}{3}$

즉, 직선 $x+ky+2=0$이 점 $\left(\dfrac{2}{3}, \dfrac{5}{3}\right)$를 지나므로
$\dfrac{2}{3}+\dfrac{5}{3}k+2=0$ $\quad\therefore k=-\dfrac{8}{5}$

(i), (ii)에 의하여 $k=-\dfrac{8}{5}$ 또는 $k=-1$ 또는 $k=\dfrac{1}{2}$

따라서 구하는 모든 실수 k의 값의 곱은 $-\dfrac{8}{5}\times(-1)\times\dfrac{1}{2}=\dfrac{4}{5}$

13 점 $(5, -3)$과 직선 $y=x+2$, 즉 $x-y+2=0$ 사이의 거리는
$\dfrac{|5+3+2|}{\sqrt{1^2+(-1)^2}}=\dfrac{10}{\sqrt{2}}=5\sqrt{2}$

14 점 $(-2, 3)$과 직선 $4x-3y+k=0$ 사이의 거리가 4이므로
$\dfrac{|-8-9+k|}{\sqrt{4^2+(-3)^2}}=4$, $|k-17|=20$
$k-17=\pm20$ $\quad\therefore k=-3$ ($\because k<0$)

15 두 직선 사이의 거리는 직선 $2x-y-2=0$ 위의 한 점 $(1, 0)$과 직선 $2x-y+3=0$ 사이의 거리와 같으므로
$\dfrac{|2+3|}{\sqrt{2^2+(-1)^2}}=\dfrac{5}{\sqrt{5}}=\sqrt{5}$

16 선분 BC의 길이를 구하면
$\overline{BC}=\sqrt{(4+2)^2+(3-5)^2}=2\sqrt{10}$
직선 BC의 방정식을 구하면
$y-5=\dfrac{3-5}{4+2}(x+2)$ $\quad\therefore x+3y-13=0$
점 $A(2, 4)$와 직선 $x+3y-13=0$ 사이의 거리 h를 구하면
$h=\dfrac{|2+12-13|}{\sqrt{1^2+3^2}}=\dfrac{1}{\sqrt{10}}$
따라서 삼각형 ABC의 넓이를 구하면
$\triangle ABC=\dfrac{1}{2}\times\overline{BC}\times h=\dfrac{1}{2}\times2\sqrt{10}\times\dfrac{1}{\sqrt{10}}=1$

11 원의 방정식

174~188쪽

001 탑 중심의 좌표: $(1, 0)$, 반지름의 길이: 2

002 탑 중심의 좌표: $(3, 2)$, 반지름의 길이: $\sqrt{7}$

003 탑 중심의 좌표: $(-4, 5)$, 반지름의 길이: 4

004 탑 중심의 좌표: $(6, -3)$, 반지름의 길이: 5

005 탑 $x^2+y^2=9$

006 탑 $(x-2)^2+(y+1)^2=36$

007 탑 $(x+4)^2+(y+6)^2=5$

008 탑 $(x+3)^2+(y-7)^2=18$

009 탑 $1, 2, 1, 2, 2, 1, 2, 2$

010 탑 $x^2+y^2=5$

원의 반지름의 길이를 r라고 하면
$x^2+y^2=r^2$
이 원이 점 $(-2, 1)$을 지나므로
$(-2)^2+1^2=r^2$ $\quad \therefore r^2=5$
따라서 구하는 원의 방정식은 $x^2+y^2=5$

011 탑 $(x-3)^2+(y+5)^2=34$

원의 반지름의 길이를 r라고 하면
$(x-3)^2+(y+5)^2=r^2$
이 원이 원점 $(0, 0)$을 지나므로
$(0-3)^2+(0+5)^2=r^2$ $\quad \therefore r^2=34$
따라서 구하는 원의 방정식은
$(x-3)^2+(y+5)^2=34$

012 탑 $(x+2)^2+(y-4)^2=13$

원의 반지름의 길이를 r라고 하면
$(x+2)^2+(y-4)^2=r^2$
이 원이 점 $(-4, 1)$을 지나므로
$(-4+2)^2+(1-4)^2=r^2$ $\quad \therefore r^2=13$
따라서 구하는 원의 방정식은
$(x+2)^2+(y-4)^2=13$

013 탑 $(x-1)^2+(y+3)^2=5$

원의 반지름의 길이를 r라고 하면
$(x-1)^2+(y+3)^2=r^2$

이 원이 점 $(3, -4)$를 지나므로
$(3-1)^2+(-4+3)^2=r^2$ $\quad \therefore r^2=5$
따라서 구하는 원의 방정식은
$(x-1)^2+(y+3)^2=5$

014 탑 $(x+5)^2+(y+6)^2=40$

원의 반지름의 길이를 r라고 하면
$(x+5)^2+(y+6)^2=r^2$
이 원이 점 $(1, -8)$을 지나므로
$(1+5)^2+(-8+6)^2=r^2$ $\quad \therefore r^2=40$
따라서 구하는 원의 방정식은
$(x+5)^2+(y+6)^2=40$

015 탑 $2, 1, 3\sqrt{2}, 2, 1, 18$

016 탑 $x^2+y^2=13$

원의 중심은 두 점 $(-2, 3)$, $(2, -3)$을 이은 선분의 중점이므로
그 좌표는 $(0, 0)$이다.
원의 반지름의 길이는 두 점 $(-2, 3)$, $(2, -3)$ 사이의 거리의
$\dfrac{1}{2}$이므로 $\dfrac{1}{2} \times \sqrt{4^2+(-6)^2}=\sqrt{13}$
따라서 구하는 원의 방정식은
$x^2+y^2=13$

017 탑 $(x-3)^2+(y-4)^2=25$

원의 중심은 두 점 $(3, -1)$, $(3, 9)$를 이은 선분의 중점이므로
그 좌표는 $(3, 4)$이다.
원의 반지름의 길이는 두 점 $(3, -1)$, $(3, 9)$ 사이의 거리의 $\dfrac{1}{2}$이
므로 $\dfrac{1}{2} \times 10=5$
따라서 구하는 원의 방정식은
$(x-3)^2+(y-4)^2=25$

018 탑 $x^2+(y-3)^2=20$

원의 중심은 두 점 $(4, 1)$, $(-4, 5)$를 이은 선분의 중점이므로
그 좌표는 $(0, 3)$이다.
원의 반지름의 길이는 두 점 $(4, 1)$, $(-4, 5)$ 사이의 거리의 $\dfrac{1}{2}$이
므로 $\dfrac{1}{2} \times \sqrt{(-8)^2+4^2}=2\sqrt{5}$
따라서 구하는 원의 방정식은 $x^2+(y-3)^2=20$

019 탑 $(x-2)^2+(y-3)^2=52$

원의 중심은 두 점 $(6, -3)$, $(-2, 9)$를 이은 선분의 중점이므로
그 좌표는 $(2, 3)$이다.
원의 반지름의 길이는 두 점 $(6, -3)$, $(-2, 9)$ 사이의 거리의
$\dfrac{1}{2}$이므로 $\dfrac{1}{2} \times \sqrt{(-8)^2+12^2}=2\sqrt{13}$
따라서 구하는 원의 방정식은
$(x-2)^2+(y-3)^2=52$

020 답 $(x+4)^2+(y-2)^2=17$

원의 중심은 두 점 $(-3, -2)$, $(-5, 6)$을 이은 선분의 중점이므로 그 좌표는

$(-4, 2)$

원의 반지름의 길이는 두 점 $(-3, -2)$, $(-5, 6)$ 사이의 거리의 $\frac{1}{2}$이므로

$\frac{1}{2}\times\sqrt{(-2)^2+8^2}=\sqrt{17}$

따라서 구하는 원의 방정식은

$(x+4)^2+(y-2)^2=17$

021 답 $(x-4)^2+(y-2)^2=4$

주어진 원은 중심이 점 $(4, 2)$이고 x축에 접하므로

$(\text{반지름의 길이})=|(\text{중심의 } y\text{좌표})|=|2|=2$

따라서 구하는 원의 방정식은

$(x-4)^2+(y-2)^2=4$

022 답 $(x+5)^2+(y-3)^2=9$

주어진 원은 중심이 점 $(-5, 3)$이고 x축에 접하므로

$(\text{반지름의 길이})=|(\text{중심의 } y\text{좌표})|=|3|=3$

따라서 구하는 원의 방정식은

$(x+5)^2+(y-3)^2=9$

023 답 $(x+3)^2+(y+2)^2=4$

주어진 원은 중심이 점 $(-3, -2)$이고 x축에 접하므로

$(\text{반지름의 길이})=|(\text{중심의 } y\text{좌표})|=|-2|=2$

따라서 구하는 원의 방정식은

$(x+3)^2+(y+2)^2=4$

024 답 1, 2, 1, 1

025 답 $(x-4)^2+(y+3)^2=9$

주어진 원은 중심이 점 $(4, -3)$이고 x축에 접하므로

$(\text{반지름의 길이})=|(\text{중심의 } y\text{좌표})|=|-3|=3$

따라서 구하는 원의 방정식은

$(x-4)^2+(y+3)^2=9$

026 답 $(x+6)^2+(y-2)^2=4$

주어진 원은 중심이 점 $(-6, 2)$이고 x축에 접하므로

$(\text{반지름의 길이})=|(\text{중심의 } y\text{좌표})|=|2|=2$

따라서 구하는 원의 방정식은

$(x+6)^2+(y-2)^2=4$

027 답 $(x-7)^2+(y+5)^2=25$

주어진 원은 중심이 점 $(7, -5)$이고 x축에 접하므로

$(\text{반지름의 길이})=|(\text{중심의 } y\text{좌표})|=|-5|=5$

따라서 구하는 원의 방정식은

$(x-7)^2+(y+5)^2=25$

028 답 $(x+8)^2+(y+4)^2=16$

주어진 원은 중심이 점 $(-8, -4)$이고 x축에 접하므로

$(\text{반지름의 길이})=|(\text{중심의 } y\text{좌표})|=|-4|=4$

따라서 구하는 원의 방정식은

$(x+8)^2+(y+4)^2=16$

029 답 $(x-1)^2+(y-4)^2=1$

주어진 원은 중심이 점 $(1, 4)$이고 y축에 접하므로

$(\text{반지름의 길이})=|(\text{중심의 } x\text{좌표})|=|1|=1$

따라서 구하는 원의 방정식은 $(x-1)^2+(y-4)^2=1$

030 답 $(x+2)^2+(y+5)^2=4$

주어진 원은 중심이 점 $(-2, -5)$이고 y축에 접하므로

$(\text{반지름의 길이})=|(\text{중심의 } x\text{좌표})|=|-2|=2$

따라서 구하는 원의 방정식은

$(x+2)^2+(y+5)^2=4$

031 답 $(x-4)^2+(y+8)^2=16$

주어진 원은 중심이 점 $(4, -8)$이고 y축에 접하므로

$(\text{반지름의 길이})=|(\text{중심의 } x\text{좌표})|=|4|=4$

따라서 구하는 원의 방정식은

$(x-4)^2+(y+8)^2=16$

032 답 2, 2, 3, 4

033 답 $(x+3)^2+(y-5)^2=9$

주어진 원은 중심이 점 $(-3, 5)$이고 y축에 접하므로

$(\text{반지름의 길이})=|(\text{중심의 } x\text{좌표})|=|-3|=3$

따라서 구하는 원의 방정식은

$(x+3)^2+(y-5)^2=9$

034 답 $(x+4)^2+(y+6)^2=16$

주어진 원은 중심이 점 $(-4, -6)$이고 y축에 접하므로

$(\text{반지름의 길이})=|(\text{중심의 } x\text{좌표})|=|-4|=4$

따라서 구하는 원의 방정식은

$(x+4)^2+(y+6)^2=16$

035 답 $(x-5)^2+(y+8)^2=25$

주어진 원은 중심이 점 $(5, -8)$이고 y축에 접하므로

$(\text{반지름의 길이})=|(\text{중심의 } x\text{좌표})|=|5|=5$

따라서 구하는 원의 방정식은

$(x-5)^2+(y+8)^2=25$

036 답 $(x+6)^2+(y+10)^2=36$

주어진 원은 중심이 점 $(-6, -10)$이고 y축에 접하므로

$(\text{반지름의 길이})=|(\text{중심의 } x\text{좌표})|=|-6|=6$

따라서 구하는 원의 방정식은

$(x+6)^2+(y+10)^2=36$

037 답 $(x-2)^2+(y-2)^2=4$

주어진 원은 중심이 점 $(2, 2)$이고 x축과 y축에 동시에 접하므로
$$(\text{반지름의 길이})=|(\text{중심의 } x\text{좌표})|$$
$$=|(\text{중심의 } y\text{좌표})|=2$$
따라서 구하는 원의 방정식은
$(x-2)^2+(y-2)^2=4$

038 답 $(x+4)^2+(y-4)^2=16$

주어진 원은 중심이 점 $(-4, 4)$이고 x축과 y축에 동시에 접하므로
$$(\text{반지름의 길이})=|(\text{중심의 } x\text{좌표})|$$
$$=|(\text{중심의 } y\text{좌표})|=4$$
따라서 구하는 원의 방정식은
$(x+4)^2+(y-4)^2=16$

039 답 $(x-5)^2+(y+5)^2=25$

주어진 원은 중심이 점 $(5, -5)$이고 x축과 y축에 동시에 접하므로
$$(\text{반지름의 길이})=|(\text{중심의 } x\text{좌표})|=|(\text{중심의 } y\text{좌표})|=5$$
따라서 구하는 원의 방정식은
$(x-5)^2+(y+5)^2=25$

040 답 $(x-1)^2+(y-1)^2=1$

주어진 원은 중심이 점 $(1, 1)$이고 x축과 y축에 동시에 접하므로
$$(\text{반지름의 길이})=|(\text{중심의 } x\text{좌표})|=|(\text{중심의 } y\text{좌표})|=1$$
따라서 구하는 원의 방정식은
$(x-1)^2+(y-1)^2=1$

041 답 $(x+3)^2+(y-3)^2=9$

주어진 원은 중심이 점 $(-3, 3)$이고 x축과 y축에 동시에 접하므로
$$(\text{반지름의 길이})=|(\text{중심의 } x\text{좌표})|=|(\text{중심의 } y\text{좌표})|=3$$
따라서 구하는 원의 방정식은
$(x+3)^2+(y-3)^2=9$

042 답 $(x-6)^2+(y+6)^2=36$

주어진 원은 중심이 점 $(6, -6)$이고 x축과 y축에 동시에 접하므로
$$(\text{반지름의 길이})=|(\text{중심의 } x\text{좌표})|=|(\text{중심의 } y\text{좌표})|=6$$
따라서 구하는 원의 방정식은
$(x-6)^2+(y+6)^2=36$

043 답 $(x+8)^2+(y-8)^2=64$

주어진 원은 중심이 점 $(-8, 8)$이고 반지름의 길이가 8인 원이므로
$(x+8)^2+(y-8)^2=64$

044 답 $(x+8)^2+(y+8)^2=64$

주어진 원은 중심이 점 $(-8, -8)$이고 반지름의 길이가 8인 원이므로
$(x+8)^2+(y+8)^2=64$

045 답 $(x-8)^2+(y+8)^2=64$

주어진 원은 중심이 점 $(8, -8)$이고 반지름의 길이가 8인 원이므로
$(x-8)^2+(y+8)^2=64$

046 답 중심의 좌표: $(-1, 0)$, 반지름의 길이: 1

$x^2+y^2+2x=0$을 변형하면
$(x+1)^2+y^2=1$
따라서 원의 중심의 좌표는 $(-1, 0)$이고 반지름의 길이는 1이다.

047 답 중심의 좌표: $(0, 2)$, 반지름의 길이: $\sqrt{11}$

$x^2+y^2-4y-7=0$을 변형하면
$x^2+(y-2)^2=11$
따라서 원의 중심의 좌표는 $(0, 2)$이고 반지름의 길이는 $\sqrt{11}$이다.

048 답 중심의 좌표: $(-2, -1)$, 반지름의 길이: 2

$x^2+y^2+4x+2y+1=0$을 변형하면
$(x+2)^2+(y+1)^2=4$
따라서 원의 중심의 좌표는 $(-2, -1)$이고 반지름의 길이는 2이다.

049 답 중심의 좌표: $(4, 1)$, 반지름의 길이: $2\sqrt{3}$

$x^2+y^2-8x-2y+5=0$을 변형하면
$(x-4)^2+(y-1)^2=12$
따라서 원의 중심의 좌표는 $(4, 1)$이고 반지름의 길이는 $2\sqrt{3}$이다.

050 답 중심의 좌표: $(3, -2)$, 반지름의 길이: $2\sqrt{2}$

$x^2+y^2-6x+4y+5=0$을 변형하면
$(x-3)^2+(y+2)^2=8$
따라서 원의 중심의 좌표는 $(3, -2)$이고 반지름의 길이는 $2\sqrt{2}$이다.

051 답 중심의 좌표: $(-4, 2)$, 반지름의 길이: $3\sqrt{3}$

$x^2+y^2+8x-4y-7=0$을 변형하면
$(x+4)^2+(y-2)^2=27$
따라서 원의 중심의 좌표는 $(-4, 2)$이고 반지름의 길이는 $3\sqrt{3}$이다.

052 답 중심의 좌표: $(1, 3)$, 반지름의 길이: $\sqrt{7}$

$x^2+y^2-2x-6y+3=0$을 변형하면
$(x-1)^2+(y-3)^2=7$
따라서 원의 중심의 좌표는 $(1, 3)$이고 반지름의 길이는 $\sqrt{7}$이다.

053 답 2, 4, 4, 4

054 답 $k<7$

$x^2+y^2+6y+2k-5=0$을 변형하면
$x^2+(y+3)^2=14-2k$
이 방정식이 나타내는 도형이 원이 되려면
$14-2k>0$, $-2k>-14$
$\therefore k<7$

055 답 $k>-1$

$x^2+y^2+2x+2y-3k-1=0$을 변형하면
$(x+1)^2+(y+1)^2=3+3k$
이 방정식이 나타내는 도형이 원이 되려면
$3+3k>0$, $3k>-3$　　∴ $k>-1$

056 답 $k<-2\sqrt{3}$ 또는 $k>2\sqrt{3}$

$x^2+y^2+4x-6y-k^2+25=0$을 변형하면
$(x+2)^2+(y-3)^2=-12+k^2$
이 방정식이 나타내는 도형이 원이 되려면
$-12+k^2>0$, $(k+2\sqrt{3})(k-2\sqrt{3})>0$
∴ $k<-2\sqrt{3}$ 또는 $k>2\sqrt{3}$

057 답 $-3<k<2$

$x^2+y^2-8x+4y+k^2+k+14=0$을 변형하면
$(x-4)^2+(y+2)^2=6-k^2-k$
이 방정식이 나타내는 도형이 원이 되려면
$6-k^2-k>0$, $k^2+k-6<0$
$(k+3)(k-2)<0$　　∴ $-3<k<2$

058 답 $\dfrac{1}{2}<k<2$

$x^2+y^2-6x-8y+2k^2-5k+27=0$을 변형하면
$(x-3)^2+(y-4)^2=-2-2k^2+5k$
이 방정식이 나타내는 도형이 원이 되려면
$-2-2k^2+5k>0$, $2k^2-5k+2<0$
$(2k-1)(k-2)<0$　　∴ $\dfrac{1}{2}<k<2$

059 답 0, 2, 3, 13, 9, 13, 9

060 답 $x^2+y^2+2x+6y=0$

원의 방정식을 $x^2+y^2+Ax+By+C=0$으로 놓으면
점 $O(0, 0)$을 지나므로 $C=0$
즉, 구하는 원의 방정식은 $x^2+y^2+Ax+By=0$이고
이 원이 두 점 $P(-2, 0)$, $Q(2, -2)$를 지나므로
$4-2A=0$, $8+2A-2B=0$
두 식을 연립하여 풀면 $A=2$, $B=6$
따라서 구하는 원의 방정식은
$x^2+y^2+2x+6y=0$

061 답 $x^2+y^2-8x-4y=0$

원의 방정식을 $x^2+y^2+Ax+By+C=0$으로 놓으면
점 $O(0, 0)$을 지나므로 $C=0$
즉, 구하는 원의 방정식은 $x^2+y^2+Ax+By=0$이고
이 원이 두 점 $P(2, 6)$, $Q(6, -2)$를 지나므로
$40+2A+6B=0$, $40+6A-2B=0$
두 식을 연립하여 풀면 $A=-8$, $B=-4$
따라서 구하는 원의 방정식은
$x^2+y^2-8x-4y=0$

062 답 $x^2+y^2+4x-6y=0$

원의 방정식을 $x^2+y^2+Ax+By+C=0$으로 놓으면
점 $O(0, 0)$을 지나므로 $C=0$
즉, 구하는 원의 방정식은 $x^2+y^2+Ax+By=0$이고
이 원이 두 점 $P(-4, 6)$, $Q(1, 1)$을 지나므로
$52-4A+6B=0$, $2+A+B=0$
두 식을 연립하여 풀면 $A=4$, $B=-6$
따라서 구하는 원의 방정식은
$x^2+y^2+4x-6y=0$

063 답 $x^2+y^2-10x+4y=0$

원의 방정식을 $x^2+y^2+Ax+By+C=0$으로 놓으면
점 $O(0, 0)$을 지나므로 $C=0$
즉, 구하는 원의 방정식은 $x^2+y^2+Ax+By=0$이고
이 원이 두 점 $P(7, 3)$, $Q(10, -4)$를 지나므로
$58+7A+3B=0$, $116+10A-4B=0$
두 식을 연립하여 풀면 $A=-10$, $B=4$
따라서 구하는 원의 방정식은
$x^2+y^2-10x+4y=0$

064 답 1, 2, 1, 3

065 답 한 점에서 만난다(접한다).

$y=x+2$를 $x^2+y^2=2$에 대입하여 정리하면
$x^2+(x+2)^2=2$　　∴ $x^2+2x+1=0$
이 이차방정식의 판별식을 D라고 하면
$\dfrac{D}{4}=1^2-1=0$
따라서 원 $x^2+y^2=2$와 직선 $y=x+2$는 한 점에서 만난다
(접한다).

066 답 서로 다른 두 점에서 만난다.

$y=2x-3$을 $x^2+y^2=2$에 대입하여 정리하면
$x^2+(2x-3)^2=2$
∴ $5x^2-12x+7=0$
이 이차방정식의 판별식을 D라고 하면
$\dfrac{D}{4}=(-6)^2-5\times7=1>0$
따라서 원 $x^2+y^2=2$와 직선 $y=2x-3$은 서로 다른 두 점에서
만난다.

067 답 만나지 않는다.

$x-y+4=0$, 즉 $y=x+4$를 $x^2+y^2=2$에 대입하여 정리하면
$x^2+(x+4)^2=2$
∴ $x^2+4x+7=0$
이 이차방정식의 판별식을 D라고 하면
$\dfrac{D}{4}=2^2-7=-3<0$
따라서 원 $x^2+y^2=2$와 직선 $x-y+4=0$은 만나지 않는다.

068 답 서로 다른 두 점에서 만난다.

$3x-y-1=0$, 즉 $y=3x-1$을 $x^2+y^2=2$에 대입하여 정리하면

$x^2+(3x-1)^2=2$

$\therefore 10x^2-6x-1=0$

이 이차방정식의 판별식을 D라고 하면

$\dfrac{D}{4}=(-3)^2+10=19>0$

따라서 원 $x^2+y^2=2$와 직선 $3x-y-1=0$은 서로 다른 두 점에서 만난다.

069 답 2, 1, 10, 2, -1, $2\sqrt{5}$, $\sqrt{10}$

070 답 만나지 않는다.

원의 중심 $(2, -1)$과 직선 $x-y+3=0$ 사이의 거리를 d라고 하면 $d=3\sqrt{2}$이고, 원의 반지름의 길이를 r라고 하면 $r=\sqrt{10}$이므로

$d>r$

따라서 원 $x^2+y^2-4x+2y-5=0$과 직선 $x-y+3=0$은 만나지 않는다.

071 답 서로 다른 두 점에서 만난다.

원의 중심 $(2, -1)$과 직선 $3x-y-2=0$ 사이의 거리를 d라고 하면 $d=\dfrac{\sqrt{10}}{2}$이고, 원의 반지름의 길이를 r라고 하면 $r=\sqrt{10}$이므로

$d<r$

따라서 원 $x^2+y^2-4x+2y-5=0$과 직선 $3x-y-2=0$은 서로 다른 두 점에서 만난다.

072 답 한 점에서 만난다(접한다).

원의 중심 $(2, -1)$과 직선 $y=3x+3$, 즉 $3x-y+3=0$ 사이의 거리를 d라고 하면 $d=\sqrt{10}$이고, 원의 반지름의 길이를 r라고 하면 $r=\sqrt{10}$이므로

$d=r$

따라서 원 $x^2+y^2-4x+2y-5=0$과 직선 $y=3x+3$은 한 점에서 만난다(접한다).

073 답 서로 다른 두 점에서 만난다.

원의 중심 $(2, -1)$과 직선 $y=x+1$, 즉 $x-y+1=0$ 사이의 거리를 d라고 하면 $d=2\sqrt{2}$이고, 원의 반지름의 길이를 r라고 하면 $r=\sqrt{10}$이므로

$d<r$

따라서 원 $x^2+y^2-4x+2y-5=0$과 직선 $y=x+1$은 서로 다른 두 점에서 만난다.

074 답 $-\sqrt{6}<k<\sqrt{6}$

원 C의 중심 $(0, 0)$과 직선 $l: y=x+k$, 즉 $x-y+k=0$ 사이의 거리를 d라고 하면 $d=\dfrac{|k|}{\sqrt{2}}$이고, 원 C의 반지름의 길이를 r라고 하면 $r=\sqrt{3}$

따라서 원 C와 직선 l이 서로 다른 두 점에서 만나려면 $d<r$이어야 하므로

$\dfrac{|k|}{\sqrt{2}}<\sqrt{3}$, $|k|<\sqrt{6}$ $\therefore -\sqrt{6}<k<\sqrt{6}$

[다른 풀이] $y=x+k$를 $x^2+y^2=3$에 대입하여 정리하면

$x^2+(x+k)^2=3$ $\therefore 2x^2+2kx+k^2-3=0$

이 이차방정식의 판별식을 D라고 하면

$\dfrac{D}{4}=k^2-2(k^2-3)=-k^2+6$

따라서 원 C와 직선 l이 서로 다른 두 점에서 만나려면 $D>0$이어야 하므로

$-k^2+6>0$, $k^2-6<0$, $(k+\sqrt{6})(k-\sqrt{6})<0$

$\therefore -\sqrt{6}<k<\sqrt{6}$

075 답 $-1<k<9$

원 C의 중심 $(2, 0)$과 직선 $l: y=-2x+k$, 즉 $2x+y-k=0$ 사이의 거리를 d라고 하면 $d=\dfrac{|4-k|}{\sqrt{5}}$이고, 원 C의 반지름의 길이를 r라고 하면 $r=\sqrt{5}$

따라서 원 C와 직선 l이 서로 다른 두 점에서 만나려면 $d<r$이어야 하므로

$\dfrac{|4-k|}{\sqrt{5}}<\sqrt{5}$, $|k-4|<5$

$-5<k-4<5$ $\therefore -1<k<9$

076 답 $k>-\dfrac{3}{4}$

원 C의 중심 $(0, -2)$과 직선 $l: x+ky+1=0$ 사이의 거리를 d라고 하면 $d=\dfrac{|-2k+1|}{\sqrt{k^2+1}}$이고, 원 C의 반지름의 길이를 r라고 하면 $r=2$

따라서 원 C와 직선 l이 서로 다른 두 점에서 만나려면 $d<r$이어야 하므로

$\dfrac{|-2k+1|}{\sqrt{k^2+1}}<2$, $|-2k+1|<2\sqrt{k^2+1}$

양변을 제곱하면

$4k^2-4k+1<4k^2+4$

$-4k<3$ $\therefore k>-\dfrac{3}{4}$

077 답 $-9<k<11$

$x^2+y^2+2x-4y-5=0$을 변형하면

$(x+1)^2+(y-2)^2=10$

원 C의 중심 $(-1, 2)$와 직선 $l: 3x+y+k=0$ 사이의 거리를 d라고 하면 $d=\dfrac{|k-1|}{\sqrt{10}}$이고, 원의 반지름의 길이를 r라고 하면 $r=\sqrt{10}$

따라서 원 C와 직선 l이 서로 다른 두 점에서 만나려면 $d<r$이어야 하므로

$\dfrac{|k-1|}{\sqrt{10}}<\sqrt{10}$, $|k-1|<10$

$-10<k-1<10$ $\therefore -9<k<11$

078 답 -2, 2

원 C의 중심 $(0, 0)$과 직선 $l: y=-x+k$, 즉 $x+y-k=0$ 사이의 거리를 d라고 하면 $d=\dfrac{|-k|}{\sqrt{2}}$이고, 원 C의 반지름의 길이를 r라고 하면 $r=\sqrt{2}$

따라서 원 C와 직선 l이 한 점에서 만나려면 $d=r$이어야 하므로

$\dfrac{|-k|}{\sqrt{2}}=\sqrt{2}$, $|k|=2$ $\therefore k=\pm 2$

다른 풀이 $y=-x+k$를 $x^2+y^2=2$에 대입하여 정리하면

$x^2+(-x+k)^2=2$

$\therefore 2x^2-2kx+k^2-2=0$

이 이차방정식의 판별식을 D라고 하면

$\dfrac{D}{4}=(-k)^2-2(k^2-2)=-k^2+4$

따라서 원 C와 직선 l이 한 점에서 만나려면 $D=0$이어야 하므로

$-k^2+4=0$, $k^2=4$ $\therefore k=\pm 2$

079 답 -7, 1

원 C의 중심 $(-3, 0)$과 직선 $l: y=kx-1$, 즉 $kx-y-1=0$ 사이의 거리를 d라고 하면 $d=\dfrac{|-3k-1|}{\sqrt{k^2+1}}$이고, 원 C의 반지름의 길이를 r라고 하면 $r=2\sqrt{2}$

따라서 원 C와 직선 l이 한 점에서 만나려면 $d=r$이어야 하므로

$\dfrac{|-3k-1|}{\sqrt{k^2+1}}=2\sqrt{2}$

$|-3k-1|=2\sqrt{2}\times\sqrt{k^2+1}$

양변을 제곱하면

$9k^2+6k+1=8k^2+8$, $k^2+6k-7=0$

$(k+7)(k-1)=0$

$\therefore k=-7$ 또는 $k=1$

080 답 $-3\sqrt{2}$, $3\sqrt{2}$

원 C의 중심 $(0, -k)$와 직선 $l: x-y+k=0$ 사이의 거리를 d라고 하면 $d=\dfrac{|2k|}{\sqrt{2}}$이고, 원 C의 반지름의 길이를 r라고 하면 $r=6$

따라서 원 C와 직선 l이 한 점에서 만나려면 $d=r$이어야 하므로

$\dfrac{|2k|}{\sqrt{2}}=6$, $|2k|=6\sqrt{2}$

$2k=\pm 6\sqrt{2}$ $\therefore k=\pm 3\sqrt{2}$

081 답 -14, 26

$x^2+y^2-4x+6y-3=0$을 변형하면

$(x-2)^2+(y+3)^2=16$

원 C의 중심 $(2, -3)$과 직선 $l: 3x+4y+k=0$ 사이의 거리를 d라고 하면 $d=\dfrac{|k-6|}{5}$이고, 원 C의 반지름의 길이를 r라고 하면 $r=4$

따라서 원 C와 직선 l이 한 점에서 만나려면 $d=r$이어야 하므로

$\dfrac{|k-6|}{5}=4$, $|k-6|=20$, $k-6=\pm 20$

$\therefore k=-14$ 또는 $k=26$

082 답 $k<-3\sqrt{5}$ 또는 $k>3\sqrt{5}$

원 C의 중심 $(0, 0)$과 직선 $l: y=2x+k$, 즉 $2x-y+k=0$ 사이의 거리를 d라고 하면 $d=\dfrac{|k|}{\sqrt{5}}$이고, 원 C의 반지름의 길이를 r라고 하면 $r=3$

따라서 원 C와 직선 l이 만나지 않으려면 $d>r$이어야 하므로

$\dfrac{|k|}{\sqrt{5}}>3$, $|k|>3\sqrt{5}$

$\therefore k<-3\sqrt{5}$ 또는 $k>3\sqrt{5}$

다른 풀이 $y=2x+k$를 $x^2+y^2=9$에 대입하여 정리하면

$x^2+(2x+k)^2=9$ $\therefore 5x^2+4kx+k^2-9=0$

이 이차방정식의 판별식을 D라고 하면

$\dfrac{D}{4}=(2k)^2-5(k^2-9)=-k^2+45$

따라서 원 C와 직선 l이 만나지 않으려면 $D<0$이어야 하므로

$-k^2+45<0$, $k^2-45>0$, $(k+3\sqrt{5})(k-3\sqrt{5})>0$

$\therefore k<-3\sqrt{5}$ 또는 $k>3\sqrt{5}$

083 답 $k<-11$ 또는 $k>9$

원 C의 중심 $(0, -1)$과 직선 $l: y=3x+k$, 즉 $3x-y+k=0$ 사이의 거리를 d라고 하면 $d=\dfrac{|k+1|}{\sqrt{10}}$이고, 원 C의 반지름의 길이를 r라고 하면 $r=\sqrt{10}$

따라서 원 C와 직선 l이 만나지 않으려면 $d>r$이어야 하므로

$\dfrac{|k+1|}{\sqrt{10}}>\sqrt{10}$, $|k+1|>10$

$k+1<-10$ 또는 $k+1>10$

$\therefore k<-11$ 또는 $k>9$

084 답 $k<-5$ 또는 $k>5$

원 C의 중심 $(k, 0)$과 직선 $l: x+2y+k=0$ 사이의 거리를 d라고 하면 $d=\dfrac{|2k|}{\sqrt{5}}$이고, 원 C의 반지름의 길이를 r라고 하면 $r=2\sqrt{5}$

따라서 원 C와 직선 l이 만나지 않으려면 $d>r$이어야 하므로

$\dfrac{|2k|}{\sqrt{5}}>2\sqrt{5}$, $|2k|>10$

$2k<-10$ 또는 $2k>10$

$\therefore k<-5$ 또는 $k>5$

085 답 $k<-\sqrt{3}$ 또는 $k>\sqrt{3}$

$x^2+y^2+8x-4y+8=0$을 변형하면 $(x+4)^2+(y-2)^2=12$

원 C의 중심 $(-4, 2)$와 직선 $l: kx-y+2=0$ 사이의 거리를 d라고 하면 $d=\dfrac{|-4k|}{\sqrt{k^2+1}}$이고, 원 C의 반지름의 길이를 r라고 하면 $r=2\sqrt{3}$

따라서 원 C와 직선 l이 만나지 않으려면 $d>r$이어야 하므로

$\dfrac{|-4k|}{\sqrt{k^2+1}}>2\sqrt{3}$, $|-4k|>2\sqrt{3}\times\sqrt{k^2+1}$

양변을 제곱하면 $16k^2>12k^2+12$

$4k^2-12>0$, $k^2-3>0$, $(k+\sqrt{3})(k-\sqrt{3})>0$

$\therefore k<-\sqrt{3}$ 또는 $k>\sqrt{3}$

086 답 1, 1, $\sqrt{2}$, 2, 2, $\sqrt{2}$, $\sqrt{2}$, 2, $2\sqrt{2}$

087 답 $2\sqrt{10}$

오른쪽 그림과 같이 원의 중심을 C, 원과 직선의 두 교점을 P, Q라고 하고, 원의 중심 C(0, 0)에서 직선 $l: x-y+4=0$에 내린 수선의 발을 H라고 하면

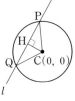

$\overline{CH}=\dfrac{|4|}{\sqrt{1^2+(-1)^2}}=2\sqrt{2}$

직각삼각형 CPH에서 $\overline{CP}=3\sqrt{2}$이므로

$\overline{PH}=\sqrt{(3\sqrt{2})^2-(2\sqrt{2})^2}=\sqrt{10}$

$\therefore \overline{PQ}=2\overline{PH}=2\sqrt{10}$

088 답 $2\sqrt{11}$

오른쪽 그림과 같이 원의 중심을 C, 원과 직선의 두 교점을 P, Q라고 하고, 원의 중심 C(1, 2)에서 직선 $l: x-2y-2=0$에 내린 수선의 발을 H라고 하면

$\overline{CH}=\dfrac{|1-4-2|}{\sqrt{1^2+(-2)^2}}=\sqrt{5}$

직각삼각형 CPH에서 $\overline{CP}=4$이므로

$\overline{PH}=\sqrt{4^2-(\sqrt{5})^2}=\sqrt{11}$

$\therefore \overline{PQ}=2\overline{PH}=2\sqrt{11}$

089 답 4

$x^2+y^2-4x+2y-9=0$을 변형하면

$(x-2)^2+(y+1)^2=14$

오른쪽 그림과 같이 원의 중심을 C, 원과 직선의 두 교점을 P, Q라고 하고, 원의 중심 C(2, -1)에서 직선 $l: 3x+y+5=0$에 내린 수선의 발을 H라고 하면

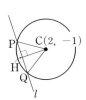

$\overline{CH}=\dfrac{|6-1+5|}{\sqrt{3^2+1^2}}=\sqrt{10}$

직각삼각형 CPH에서 $\overline{CP}=\sqrt{14}$이므로

$\overline{PH}=\sqrt{(\sqrt{14})^2-(\sqrt{10})^2}=2$

$\therefore \overline{PQ}=2\overline{PH}=4$

090 답 2, 0, -2, 4, $2\sqrt{5}$, $\sqrt{5}$, $2\sqrt{5}$, $\sqrt{5}$, $3\sqrt{5}$, $2\sqrt{5}$, $\sqrt{5}$, $\sqrt{5}$

091 답 최댓값: 8, 최솟값: 2

오른쪽 그림과 같이 원의 중심을 C라고 하면 C(-2, 1)이므로

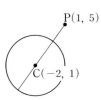

$\overline{CP}=\sqrt{3^2+4^2}=5$

원의 반지름의 길이는 3이므로 원 C 위의 점에서 점 P에 이르는 거리의 최댓값과 최솟값은

(최댓값)$=5+3=8$

(최솟값)$=5-3=2$

092 답 최댓값: 17, 최솟값: 9

$x^2+y^2+6x+4y-3=0$을 변형하면

$(x+3)^2+(y+2)^2=16$

오른쪽 그림과 같이 원의 중심을 C라고 하면 C(-3, -2)이므로

$\overline{CP}=\sqrt{(-5)^2+12^2}=13$

원의 반지름의 길이는 4이므로 원 C 위의 점에서 점 P에 이르는 거리의 최댓값과 최솟값은

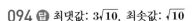

(최댓값)$=13+4=17$

(최솟값)$=13-4=9$

093 답 -4, $2\sqrt{2}$, $\sqrt{2}$, $2\sqrt{2}$, $\sqrt{2}$, $3\sqrt{2}$, $2\sqrt{2}$, $\sqrt{2}$, $\sqrt{2}$

094 답 최댓값: $3\sqrt{10}$, 최솟값: $\sqrt{10}$

오른쪽 그림과 같이 원의 중심을 C라고 하면 점 C(2, -3)에서 직선 $l: x-3y+9=0$에 이르는 거리는

$\dfrac{|2+9+9|}{\sqrt{1^2+(-3)^2}}=2\sqrt{10}$

원의 반지름의 길이는 $\sqrt{10}$이므로 원 C 위의 점에서 직선 l에 이르는 거리의 최댓값과 최솟값은

(최댓값)$=2\sqrt{10}+\sqrt{10}=3\sqrt{10}$

(최솟값)$=2\sqrt{10}-\sqrt{10}=\sqrt{10}$

095 답 최댓값: $5\sqrt{5}$, 최솟값: $\sqrt{5}$

$x^2+y^2+8x-6y+5=0$을 변형하면

$(x+4)^2+(y-3)^2=20$

오른쪽 그림과 같이 원의 중심을 C라고 하면 점 C(-4, 3)에서 직선 $l: y=2x-4$, 즉 $2x-y-4=0$에 이르는 거리는

$\dfrac{|-8-3-4|}{\sqrt{2^2+(-1)^2}}=3\sqrt{5}$

원의 반지름의 길이는 $2\sqrt{5}$이므로 원 C 위의 점에서 직선 l에 이르는 거리의 최댓값과 최솟값은

(최댓값)$=3\sqrt{5}+2\sqrt{5}=5\sqrt{5}$

(최솟값)$=3\sqrt{5}-2\sqrt{5}=\sqrt{5}$

096 답 [방법 1] 1, 2, 1, 1, $2\sqrt{2}$

　　　 [방법 2] 0, 0, 2, n, 2, $2\sqrt{2}$, $2\sqrt{2}$

　　　 [방법 3] x, n, 4, 8, $2\sqrt{2}$, $2\sqrt{2}$

097 답 $y=-x\pm4$

$y=-1\times x\pm2\sqrt{2}\times\sqrt{(-1)^2+1}$　　$\therefore y=-x\pm4$

098 답 $y=3x\pm3\sqrt{10}$

$y=3\times x\pm3\sqrt{3^2+1}$　　$\therefore y=3x\pm3\sqrt{10}$

099 답 $y=-2x\pm4\sqrt{5}$

$y=-2\times x\pm4\sqrt{(-2)^2+1}$

$\therefore y=-2x\pm4\sqrt{5}$

100 답 [방법 1] 1, -3, 10, 3, 10

[방법 2] -3, $\dfrac{1}{3}$, $\dfrac{1}{3}$, 3, $\dfrac{1}{3}$, 1, 3, 10

101 답 $2x-3y+13=0$

$-2x+3y=13$ $\therefore 2x-3y+13=0$

102 답 $2x+y-10=0$

$4x+2y=20$ $\therefore 2x+y-10=0$

103 답 $3x+4y+25=0$

$-3x-4y=25$ $\therefore 3x+4y+25=0$

104 답 [방법 1] 2, 2, 0, 2, 1, 2, 1, 1, 2, -1, 1, 2, 2

[방법 2] $2m$, 0, 0, $\sqrt{2}$, $-2m$, $\sqrt{2}$, -1, 1, 2, 2

105 답 $\sqrt{3}x+y+4=0$ 또는 $\sqrt{3}x-y-4=0$

접점의 좌표를 (x_1, y_1)이라고 하면 접선의 방정식은

$x_1x+y_1y=4$

이 접선이 점 $\mathrm{P}(0, -4)$를 지나므로

$-4y_1=4$ $\therefore y_1=-1$

한편 접점 (x_1, y_1)은 원 C 위의 점이므로

$x_1{}^2+y_1{}^2=4$ ...... ㉠

$y_1=-1$을 ㉠에 대입하면

$x_1{}^2+1=4$ $\therefore x_1=-\sqrt{3}$ 또는 $x_1=\sqrt{3}$

따라서 구하는 접선의 방정식은

$\sqrt{3}x+y+4=0$ 또는 $\sqrt{3}x-y-4=0$

106 답 $2x-y+5=0$ 또는 $x+2y-5=0$

접점의 좌표를 (x_1, y_1)이라고 하면 접선의 방정식은

$x_1x+y_1y=5$

이 접선이 점 $\mathrm{P}(-1, 3)$을 지나므로

$-x_1+3y_1=5$ $\therefore x_1=3y_1-5$ ...... ㉠

한편 접점 (x_1, y_1)은 원 C 위의 점이므로

$x_1{}^2+y_1{}^2=5$ ...... ㉡

㉠을 ㉡에 대입하면

$(3y_1-5)^2+y_1{}^2=5$, $10y_1{}^2-30y_1+20=0$

$y_1{}^2-3y_1+2=0$, $(y_1-1)(y_1-2)=0$

$\therefore y_1=1$ 또는 $y_1=2$ ...... ㉢

㉢을 ㉠에 대입하면

$x_1=-2$, $y_1=1$ 또는 $x_1=1$, $y_1=2$

따라서 구하는 접선의 방정식은

$-2x+y=5$ 또는 $x+2y=5$

$\therefore 2x-y+5=0$ 또는 $x+2y-5=0$

107 답 $4x+3y-25=0$ 또는 $3x-4y+25=0$

접점의 좌표를 (x_1, y_1)이라고 하면 접선의 방정식은

$x_1x+y_1y=25$

이 접선이 점 $\mathrm{P}(1, 7)$을 지나므로

$x_1+7y_1=25$ $\therefore x_1=-7y_1+25$ ...... ㉠

한편 접점 (x_1, y_1)은 원 C 위의 점이므로

$x_1{}^2+y_1{}^2=25$ ...... ㉡

㉠을 ㉡에 대입하면

$(-7y_1+25)^2+y_1{}^2=25$, $50y_1{}^2-350y_1+600=0$

$y_1{}^2-7y_1+12=0$, $(y_1-3)(y_1-4)=0$

$\therefore y_1=3$ 또는 $y_1=4$ ...... ㉢

㉢을 ㉠에 대입하면

$x_1=4$, $y_1=3$ 또는 $x_1=-3$, $y_1=4$

따라서 구하는 접선의 방정식은

$4x+3y=25$ 또는 $-3x+4y=25$

$\therefore 4x+3y-25=0$ 또는 $3x-4y+25=0$

연산 유형 최종 점검하기
189~191쪽

1 ③	2 ②	3 ③	4 ④	5 ⑤	6 ⑤
7 ⑤	8 ③	9 ⑤	10 ⑤	11 ②	12 ④
13 ④	14 ④	15 ①	16 ⑤	17 ①	18 ④

1 $x^2+y^2+4x-2y-3=0$을 변형하면 $(x+2)^2+(y-1)^2=8$

따라서 구하는 원의 방정식은 중심이 점 $(4, -1)$이고 반지름의 길이가 $2\sqrt{2}$인 원이다.

$\therefore (x-4)^2+(y+1)^2=8$

2 원 $(x+2)^2+(y-3)^2=7$과 중심이 같은 원의 반지름의 길이를 r라고 하면 원의 방정식은 $(x+2)^2+(y-3)^2=r^2$

이 원이 점 $(-1, 4)$를 지나므로

$(-1+2)^2+(4-3)^2=r^2$ $\therefore r^2=2$

즉, 원의 방정식은 $(x+2)^2+(y-3)^2=2$이므로 이 원 위의 점인 것은 ② $(-1, 2)$이다.

3 원의 중심은 두 점 $(-3, 2)$, $(7, -8)$을 이은 선분의 중점이므로 그 좌표는

$\left(\dfrac{-3+7}{2}, \dfrac{2-8}{2}\right)$ $\therefore (2, -3)$

원의 반지름의 길이는 두 점 $(-3, 2)$, $(7, -8)$ 사이의 거리의 $\dfrac{1}{2}$이므로 $\dfrac{1}{2}\times\sqrt{(7+3)^2+(-8-2)^2}=5\sqrt{2}$

즉, 원의 방정식은 $(x-2)^2+(y+3)^2=50$

따라서 $a=2$, $b=-3$, $c=50$이므로

$a+b+c=2-3+50=49$

4 $x^2+y^2-6x+2y+k=0$을 변형하면
$(x-3)^2+(y+1)^2=10-k$
이므로 주어진 원의 중심은 점 $(3, -1)$이고 반지름의 길이는
$\sqrt{10-k}$이다.
이때 주어진 원이 x축에 접하므로
(반지름의 길이)$=|$(중심의 y좌표)$|$
즉, $\sqrt{10-k}=|-1|$이므로 양변을 제곱하면
$10-k=1$ $\therefore k=9$

5 구하는 원은 중심이 점 $(-5, 2)$이고 y축에 접하므로
(반지름의 길이)$=|$(중심의 x좌표)$|=|-5|=5$
$\therefore (x+5)^2+(y-2)^2=25$
따라서 이 원의 반지름의 길이는 5이므로 그 넓이는
$\pi\times5^2=25\pi$

6 구하는 원은 중심이 점 $(-2, a)$이고 y축에 접하므로
(반지름의 길이)$=|$(중심의 x좌표)$|=|-2|=2$
$\therefore (x+2)^2+(y-a)^2=4$
이 원이 점 $(0, 4)$를 지나므로
$(0+2)^2+(4-a)^2=4$, $(a-4)^2=0$
$\therefore a=4$

7 구하는 원은 중심이 점 $(4, -4)$이고 x축과 y축에 동시에 접하므로
(반지름의 길이)$=|$(중심의 x좌표)$|=|$(중심의 y좌표)$|=4$
$\therefore (x-4)^2+(y+4)^2=16$
따라서 이 원 위의 점인 것은 ⑤ $(4, 0)$이다.

8 원의 반지름의 길이를 r라고 하면 이 원은 x축과 y축에 동시에 접하고 중심이 제1사분면 위에 있으므로 중심의 좌표는 (r, r)이다.
이때 원의 중심 (r, r)가 직선 $5x-3y-4=0$ 위에 있으므로
$5r-3r-4=0$, $2r=4$
$\therefore r=2$
즉, 원의 방정식은
$(x-2)^2+(y-2)^2=4$
$\therefore x^2+y^2-4x-4y+4=0$
따라서 $a=-4$, $b=-4$, $c=4$이므로
$a+b+c=-4$

9 $x^2+y^2+2kx-4y+5k=0$을 변형하면
$(x+k)^2+(y-2)^2=k^2-5k+4$
이 방정식이 나타내는 도형이 원이 되려면
$k^2-5k+4>0$
$(k-1)(k-4)>0$
$\therefore k<1$ 또는 $k>4$
따라서 자연수 k의 최솟값은 5이다.

10 원의 방정식을 $x^2+y^2+Ax+By+C=0$으로 놓으면 원점 $O(0, 0)$을 지나므로 $C=0$
즉, 구하는 원의 방정식은 $x^2+y^2+Ax+By=0$이고 두 점 $P(-4, 2)$, $Q(-1, 3)$을 지나므로
$20-4A+2B=0$, $10-A+3B=0$
두 식을 연립하여 풀면 $A=4$, $B=-2$
따라서 구하는 원의 방정식은
$x^2+y^2+4x-2y=0$

11 원의 중심 $(3, -2)$와 직선 $y=kx-3$, 즉 $kx-y-3=0$ 사이의 거리를 d라고 하면
$d=\dfrac{|3k-1|}{\sqrt{k^2+1}}$
원의 반지름의 길이를 r라고 하면 $r=3$
따라서 원 $(x-3)^2+(y+2)^2=9$와 직선 $y=kx-3$이 서로 다른 두 점에서 만나려면 $d<r$이어야 하므로
$\dfrac{|3k-1|}{\sqrt{k^2+1}}<3$, $|3k-1|<3\sqrt{k^2+1}$
양변을 제곱하면
$9k^2-6k+1<9k^2+9$, $-6k<8$
$\therefore k>-\dfrac{4}{3}$
따라서 정수 k의 최솟값은 -1이다.

12 $x^2+y^2+4x-2y+1=0$을 변형하면 $(x+2)^2+(y-1)^2=4$
원의 중심 $(-2, 1)$과 직선 $2x-y+k=0$ 사이의 거리를 d라고 하면
$d=\dfrac{|k-5|}{\sqrt{5}}$
원의 반지름의 길이를 r라고 하면 $r=2$
따라서 원 $x^2+y^2+4x-2y+1=0$과 직선 $2x-y+k=0$이 한 점에서 만나려면 $d=r$이어야 하므로
$\dfrac{|k-5|}{\sqrt{5}}=2$, $|k-5|=2\sqrt{5}$
$k-5=\pm2\sqrt{5}$ $\therefore k=5-2\sqrt{5}$ 또는 $k=5+2\sqrt{5}$
따라서 모든 실수 k의 값의 합은
$(5-2\sqrt{5})+(5+2\sqrt{5})=10$

13 $x^2+y^2-8x+6y+8=0$을 변형하면 $(x-4)^2+(y+3)^2=17$
원의 중심 $(4, -3)$과 직선 $y=-4x+k$, 즉 $4x+y-k=0$ 사이의 거리를 d라고 하면 $d=\dfrac{|13-k|}{\sqrt{17}}$
원의 반지름의 길이를 r라고 하면 $r=\sqrt{17}$
따라서 원 $x^2+y^2-8x+6y+8=0$과 직선 $y=-4x+k$가 만나지 않으려면 $d>r$이어야 하므로
$\dfrac{|13-k|}{\sqrt{17}}>\sqrt{17}$, $|13-k|>17$
$13-k<-17$ 또는 $13-k>17$
$\therefore k<-4$ 또는 $k>30$
따라서 $\alpha=-4$, $\beta=30$이므로 $\alpha+\beta=26$

14 오른쪽 그림과 같이 원의 중심을 C, 원과 직선의 두 교점을 P, Q라고 하고, 원의 중심 C(4, −5)에서 직선 $y=3x-7$, 즉 $3x-y-7=0$에 내린 수선의 발을 H라고 하면

$$\overline{CH}=\frac{|12+5-7|}{\sqrt{3^2+(-1)^2}}=\sqrt{10}$$

직각삼각형 CPH에서 $\overline{CP}=3\sqrt{2}$이므로

$$\overline{PH}=\sqrt{(3\sqrt{2})^2-(\sqrt{10})^2}=2\sqrt{2}$$

$$\therefore \overline{PQ}=2\overline{PH}=4\sqrt{2}$$

15 $x^2+y^2-8x+2y+7=0$을 변형하면

$$(x-4)^2+(y+1)^2=10$$

오른쪽 그림과 같이 원의 중심을 C라고 하면 점 C(4, −1)에서 직선 $x-2y+4=0$에 이르는 거리는

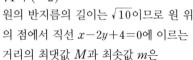

$$\frac{|4+2+4|}{\sqrt{1^2+(-2)^2}}=2\sqrt{5}$$

원의 반지름의 길이는 $\sqrt{10}$이므로 원 위의 점에서 직선 $x-2y+4=0$에 이르는 거리의 최댓값 M과 최솟값 m은

$$M=2\sqrt{5}+\sqrt{10}, \ m=2\sqrt{5}-\sqrt{10}$$

$$\therefore Mm=(2\sqrt{5}+\sqrt{10})(2\sqrt{5}-\sqrt{10})=20-10=10$$

16 구하는 직선의 방정식은 원 $x^2+y^2=10$에 접하고 기울기가 2인 직선의 방정식이므로

$$y=2x\pm\sqrt{10}\times\sqrt{2^2+1} \quad \therefore y=2x\pm5\sqrt{2}$$

17 원 $x^2+y^2=29$ 위의 점 P(−5, 2)에서의 접선의 방정식은

$$-5x+2y=29 \quad \therefore 5x-2y+29=0$$

이 직선이 점 (−1, k)를 지나므로

$$-5-2k+29=0, \ -2k=-24 \quad \therefore k=12$$

18 접점의 좌표를 (x_1, y_1)이라고 하면 접선의 방정식은

$$x_1x+y_1y=8$$

이 접선이 점 P(6, −2)를 지나므로

$$6x_1-2y_1=8 \quad \therefore y_1=3x_1-4 \quad \cdots\cdots \ \boxdot$$

또, 접점 (x_1, y_1)은 원 $x^2+y^2=8$ 위의 점이므로

$$x_1^2+y_1^2=8 \quad \cdots\cdots \ \boxdot$$

$\boxdot$을 $\boxdot$에 대입하면

$$x_1^2+(3x_1-4)^2=8, \ 10x_1^2-24x_1+8=0$$

$$5x_1^2-12x_1+4=0, \ (5x_1-2)(x_1-2)=0$$

$$\therefore x_1=\frac{2}{5} \ \text{또는} \ x_1=2 \quad \cdots\cdots \ \boxdot$$

$\boxdot$을 $\boxdot$에 대입하면

$$x_1=\frac{2}{5}, \ y_1=-\frac{14}{5} \ \text{또는} \ x_1=2, \ y_1=2$$

따라서 구하는 접선의 방정식은

$$\frac{2}{5}x-\frac{14}{5}y=8 \ \text{또는} \ 2x+2y=8$$

$$\therefore x-7y-20=0 \ (ㄷ) \ \text{또는} \ x+y-4=0 \ (ㄴ)$$

III. 도형의 방정식

12 도형의 이동

001 탭 (3, 3)

$(2+1, 1+2)$ $\quad \therefore (3, 3)$

002 탭 (0, 4)

$(2-2, 1+3)$ $\quad \therefore (0, 4)$

003 탭 (5, 0)

$(2+3, 1-1)$ $\quad \therefore (5, 0)$

004 탭 (−2, −1)

$(2-4, 1-2)$ $\quad \therefore (-2, -1)$

005 탭 (5, 1)

$(2, 3) \rightarrow (2+3, 3-2)$ $\quad \therefore (5, 1)$

006 탭 (−1, 2)

$(-4, 4) \rightarrow (-4+3, 4-2)$ $\quad \therefore (-1, 2)$

007 탭 (6, −7)

$(3, -5) \rightarrow (3+3, -5-2)$ $\quad \therefore (6, -7)$

008 탭 (1, −6)

$(-2, -4) \rightarrow (-2+3, -4-2)$ $\quad \therefore (1, -6)$

009 탭 (7, −8)

$(4, -6) \rightarrow (4+3, -6-2)$ $\quad \therefore (7, -8)$

010 탭 (−1, 5)

$(3, 1) \rightarrow (3-4, 1+4)$ $\quad \therefore (-1, 5)$

011 탭 (−6, 7)

$(-2, 3) \rightarrow (-2-4, 3+4)$ $\quad \therefore (-6, 7)$

012 탭 (0, 2)

$(4, -2) \rightarrow (4-4, -2+4)$ $\quad \therefore (0, 2)$

013 탭 (−10, −1)

$(-6, -5) \rightarrow (-6-4, -5+4)$ $\quad \therefore (-10, -1)$

014 탭 (−3, 8)

$(1, 4) \rightarrow (1-4, 4+4)$ $\quad \therefore (-3, 8)$

015 탭 (−7, 10)

$(-3, 6) \rightarrow (-3-4, 6+4)$ $\quad \therefore (-7, 10)$

016 답 $(-2, -3)$

$(2, -7) \rightarrow (2-4, -7+4)$
$\therefore (-2, -3)$

017 답 a, b, a, b, 5, 6

018 답 $a=4$, $b=1$

$(-4, 3) \rightarrow (-4+a, 3+b)$
따라서 $-4+a=0$, $3+b=4$이므로
$a=4$, $b=1$

019 답 $a=-3$, $b=3$

$(1, -5) \rightarrow (1+a, -5+b)$
따라서 $1+a=-2$, $-5+b=-2$이므로
$a=-3$, $b=3$

020 답 $a=2$, $b=-6$

$(-3, -2) \rightarrow (-3+a, -2+b)$
따라서 $-3+a=-1$, $-2+b=-8$이므로
$a=2$, $b=-6$

021 답 $a=-3$, $b=-5$

$(7, 4) \rightarrow (7+a, 4+b)$
따라서 $7+a=4$, $4+b=-1$이므로
$a=-3$, $b=-5$

022 답 2, 4, 2, 4, 11

023 답 $x+3y+8=0$

x 대신 $x-3$을, y 대신 $y+2$를 대입하면
$(x-3)+3(y+2)+5=0$
$\therefore x+3y+8=0$

024 답 $y=2x^2+8x+20$

x 대신 $x+2$를, y 대신 $y-8$을 대입하면
$y-8=2(x+2)^2+4$
$\therefore y=2x^2+8x+20$

025 답 $y=x^2-12x+31$

x 대신 $x-4$를, y 대신 $y+1$을 대입하면
$y+1=(x-4)^2-4(x-4)$
$\therefore y=x^2-12x+31$

026 답 $(x+2)^2+(y-10)^2=9$

x 대신 $x+1$을, y 대신 $y-6$을 대입하면
$(x+1+1)^2+(y-6-4)^2=9$
$\therefore (x+2)^2+(y-10)^2=9$

027 답 $(x+1)^2+(y+10)^2=16$

x 대신 $x+4$를, y 대신 $y+5$를 대입하면
$(x+4-3)^2+(y+5+5)^2=16$
$\therefore (x+1)^2+(y+10)^2=16$

028 답 $y=4x-12$

주어진 평행이동은 x축의 방향으로 2만큼, y축의 방향으로 -3만큼 평행이동하는 것이므로
x 대신 $x-2$를, y 대신 $y+3$을 대입하면
$y+3=4(x-2)-1$
$\therefore y=4x-12$

029 답 $x-2y-2=0$

x 대신 $x-2$를, y 대신 $y+3$을 대입하면
$(x-2)-2(y+3)+6=0$
$\therefore x-2y-2=0$

030 답 $y=-2x^2+9x-13$

x 대신 $x-2$를, y 대신 $y+3$을 대입하면
$y+3=-2(x-2)^2+(x-2)$
$\therefore y=-2x^2+9x-13$

031 답 $y=x^2-6x+9$

x 대신 $x-2$를, y 대신 $y+3$을 대입하면
$y+3=(x-2)^2-2(x-2)+4$
$\therefore y=x^2-6x+9$

032 답 $(x-4)^2+(y+4)^2=8$

x 대신 $x-2$를, y 대신 $y+3$을 대입하면
$(x-2-2)^2+(y+3+1)^2=8$
$\therefore (x-4)^2+(y+4)^2=8$

033 답 $x^2+y^2-6x+10y+28=0$

x 대신 $x-2$를, y 대신 $y+3$을 대입하면
$(x-2)^2+(y+3)^2-2(x-2)+4(y+3)-1=0$
$\therefore x^2+y^2-6x+10y+28=0$

034 답 4, 5, 5, 4, 6

035 답 $3x+2y-2=0$

x 대신 $x+4$를, y 대신 $y-5$를 대입하면
$3(x+4)+2(y-5)-4=0$
$\therefore 3x+2y-2=0$

036 답 $y=3x^2+24x+61$

x 대신 $x+4$를, y 대신 $y-5$를 대입하면
$y-5=3(x+4)^2+8$
$\therefore y=3x^2+24x+61$

037 답 $y=2x^2+21x+54$

x 대신 $x+4$를, y 대신 $y-5$를 대입하면
$y-5=2(x+4)^2+5(x+4)-3$
$\therefore y=2x^2+21x+54$

038 답 $(x+8)^2+(y-11)^2=12$

x 대신 $x+4$를, y 대신 $y-5$를 대입하면
$(x+4+4)^2+(y-5-6)^2=12$
$\therefore (x+8)^2+(y-11)^2=12$

039 답 $x^2+y^2+14x-18y+107=0$

x 대신 $x+4$를, y 대신 $y-5$를 대입하면
$(x+4)^2+(y-5)^2+6(x+4)-8(y-5)+2=0$
$\therefore x^2+y^2+14x-18y+107=0$

040 답 $(1, -2)$

041 답 $(3, 5)$

042 답 $(-6, -7)$

043 답 $(-8, 4)$

044 답 $(-3, 2)$

045 답 $(-6, -4)$

046 답 $(5, 7)$

047 답 $(9, -8)$

048 답 $(-2, -4)$

049 답 $(-8, 5)$

050 답 $(6, -8)$

051 답 $(9, 7)$

052 답 $(1, 5)$

053 답 $(-8, 7)$

054 답 $(4, -9)$

055 답 $(-6, -8)$

056 답 $(-4, 5)$

점 $(4, 5)$를 x축에 대하여 대칭이동한 점의 좌표는 $(4, -5)$
이 점을 원점에 대하여 대칭이동한 점의 좌표는 $(-4, 5)$

057 답 $(-2, -6)$

점 $(2, -6)$을 x축에 대하여 대칭이동한 점의 좌표는
$(2, 6)$
이 점을 원점에 대하여 대칭이동한 점의 좌표는
$(-2, -6)$

058 답 $(3, 7)$

점 $(-3, 7)$을 x축에 대하여 대칭이동한 점의 좌표는
$(-3, -7)$
이 점을 원점에 대하여 대칭이동한 점의 좌표는
$(3, 7)$

059 답 $(8, -2)$

점 $(-8, -2)$를 x축에 대하여 대칭이동한 점의 좌표는
$(-8, 2)$
이 점을 원점에 대하여 대칭이동한 점의 좌표는
$(8, -2)$

060 답 $(4, -3)$

점 $(3, 4)$를 y축에 대하여 대칭이동한 점의 좌표는
$(-3, 4)$
이 점을 직선 $y=x$에 대하여 대칭이동한 점의 좌표는
$(4, -3)$

061 답 $(-8, -6)$

점 $(6, -8)$을 y축에 대하여 대칭이동한 점의 좌표는
$(-6, -8)$
이 점을 직선 $y=x$에 대하여 대칭이동한 점의 좌표는
$(-8, -6)$

062 답 $(9, 2)$

점 $(-2, 9)$를 y축에 대하여 대칭이동한 점의 좌표는
$(2, 9)$
이 점을 직선 $y=x$에 대하여 대칭이동한 점의 좌표는
$(9, 2)$

063 답 $(-7, 5)$

점 $(-5, -7)$을 y축에 대하여 대칭이동한 점의 좌표는
$(5, -7)$
이 점을 직선 $y=x$에 대하여 대칭이동한 점의 좌표는
$(-7, 5)$

064 답 $y=-2x+3$

y 대신 $-y$를 대입하면
$-y=2x-3$ $\therefore y=-2x+3$

065 답 $x+2y+1=0$

y 대신 $-y$를 대입하면
$x-2\times(-y)+1=0$ $\therefore x+2y+1=0$

066 답 $y=-x^2-5$

y 대신 $-y$를 대입하면
$-y=x^2+5$　　∴ $y=-x^2-5$

067 답 $(x-2)^2+(y-4)^2=10$

y 대신 $-y$를 대입하면
$(x-2)^2+(-y+4)^2=10$
∴ $(x-2)^2+(y-4)^2=10$

068 답 $y=x+4$

x 대신 $-x$를 대입하면
$y=-(-x)+4$　　∴ $y=x+4$

069 답 $2x-3y+4=0$

x 대신 $-x$를 대입하면
$2\times(-x)+3y-4=0$　　∴ $2x-3y+4=0$

070 답 $y=-2x^2-3x$

x 대신 $-x$를 대입하면
$y=-2\times(-x)^2+3\times(-x)$　　∴ $y=-2x^2-3x$

071 답 $(x-3)^2+(y-1)^2=20$

x 대신 $-x$를 대입하면
$(-x+3)^2+(y-1)^2=20$
∴ $(x-3)^2+(y-1)^2=20$

072 답 $y=3x+4$

x 대신 $-x$를, y 대신 $-y$를 대입하면
$-y=3\times(-x)-4$　　∴ $y=3x+4$

073 답 $3x-2y-1=0$

x 대신 $-x$를, y 대신 $-y$를 대입하면
$3\times(-x)-2\times(-y)+1=0$
∴ $3x-2y-1=0$

074 답 $y=-3x^2+2x-1$

x 대신 $-x$를, y 대신 $-y$를 대입하면
$-y=3\times(-x)^2+2\times(-x)+1$
∴ $y=-3x^2+2x-1$

075 답 $x^2+y^2+2x-4y-3=0$

x 대신 $-x$를, y 대신 $-y$를 대입하면
$(-x)^2+(-y)^2-2\times(-x)+4\times(-y)-3=0$
∴ $x^2+y^2+2x-4y-3=0$

076 답 $x+5y-2=0$

x 대신 y를, y 대신 x를 대입하면
$x=-5y+2$　　∴ $x+5y-2=0$

077 답 $x+2y-2=0$

x 대신 y를, y 대신 x를 대입하면
$2y+x-2=0$　　∴ $x+2y-2=0$

078 답 $(x+3)^2+(y-2)^2=15$

x 대신 y를, y 대신 x를 대입하면
$(y-2)^2+(x+3)^2=15$
∴ $(x+3)^2+(y-2)^2=15$

079 답 $x^2+y^2-2x+6y+1=0$

x 대신 y를, y 대신 x를 대입하면
$y^2+x^2+6y-2x+1=0$
∴ $x^2+y^2-2x+6y+1=0$

080 답 $y=-4x-28$

직선 $y=4x-6$을 x축의 방향으로 5만큼, y축의 방향으로 -2만큼 평행이동한 직선의 방정식은
$y+2=4(x-5)-6$　　∴ $y=4x-28$
이 직선을 다시 y축에 대하여 대칭이동한 직선의 방정식은
$y=4\times(-x)-28$　　∴ $y=-4x-28$

081 답 $4x-3y+21=0$

직선 $4x+3y-7=0$을 x축의 방향으로 5만큼, y축의 방향으로 -2만큼 평행이동한 직선의 방정식은
$4(x-5)+3(y+2)-7=0$
∴ $4x+3y-21=0$
이 직선을 다시 y축에 대하여 대칭이동한 직선의 방정식은
$4\times(-x)+3y-21=0$
∴ $4x-3y+21=0$

082 답 $y=2x^2+20x+44$

포물선 $y=2x^2-4$를 x축의 방향으로 5만큼, y축의 방향으로 -2만큼 평행이동한 포물선의 방정식은
$y+2=2(x-5)^2-4$
∴ $y=2x^2-20x+44$
이 포물선을 다시 y축에 대하여 대칭이동한 포물선의 방정식은
$y=2\times(-x)^2-20\times(-x)+44$
∴ $y=2x^2+20x+44$

083 답 $(x+4)^2+(y-3)^2=25$

원 $(x+1)^2+(y-5)^2=25$를 x축의 방향으로 5만큼, y축의 방향으로 -2만큼 평행이동한 원의 방정식은
$(x-5+1)^2+(y+2-5)^2=25$
∴ $(x-4)^2+(y-3)^2=25$
이 원을 다시 y축에 대하여 대칭이동한 원의 방정식은
$(-x-4)^2+(y-3)^2=25$
∴ $(x+4)^2+(y-3)^2=25$

084 답 $y=-3x+4$

직선 $y=-3x+5$를 x축의 방향으로 -6만큼, y축의 방향으로 9만큼 평행이동한 직선의 방정식은

$y-9=-3(x+6)+5$ ∴ $y=-3x-4$

이 직선을 다시 원점에 대하여 대칭이동한 직선의 방정식은

$-y=-3\times(-x)-4$ ∴ $y=-3x+4$

085 답 $2x-5y-60=0$

직선 $2x-5y+3=0$을 x축의 방향으로 -6만큼, y축의 방향으로 9만큼 평행이동한 직선의 방정식은

$2(x+6)-5(y-9)+3=0$ ∴ $2x-5y+60=0$

이 직선을 다시 원점에 대하여 대칭이동한 직선의 방정식은

$2\times(-x)-5\times(-y)+60=0$

∴ $2x-5y-60=0$

086 답 $y=3x^2-34x+87$

포물선 $y=-3x^2+2x$를 x축의 방향으로 -6만큼, y축의 방향으로 9만큼 평행이동한 포물선의 방정식은

$y-9=-3(x+6)^2+2(x+6)$ ∴ $y=-3x^2-34x-87$

이 포물선을 다시 원점에 대하여 대칭이동한 포물선의 방정식은

$-y=-3\times(-x)^2-34\times(-x)-87$

∴ $y=3x^2-34x+87$

087 답 $(x-2)^2+(y+1)^2=24$

원 $(x-4)^2+(y+8)^2=24$를 x축의 방향으로 -6만큼, y축의 방향으로 9만큼 평행이동한 원의 방정식은

$(x+6-4)^2+(y-9+8)^2=24$

∴ $(x+2)^2+(y-1)^2=24$

이 원을 다시 원점에 대하여 대칭이동한 원의 방정식은

$(-x+2)^2+(-y-1)^2=24$

∴ $(x-2)^2+(y+1)^2=24$

088 답 2, 2, 0, 5, 0, 5

089 답 $(-2, 7)$

점 $P(2, -1)$을 점 $(0, 3)$에 대하여 대칭이동한 점의 좌표를 $P'(a, b)$라고 하면 점 $(0, 3)$은 두 점 P, P'을 이은 선분의 중점이므로

$\dfrac{2+a}{2}=0$, $\dfrac{-1+b}{2}=3$ ∴ $a=-2$, $b=7$

따라서 구하는 점의 좌표는 $(-2, 7)$이다.

090 답 $(6, 1)$

점 $P(2, -1)$을 점 $(4, 0)$에 대하여 대칭이동한 점의 좌표를 $P'(a, b)$라고 하면 점 $(4, 0)$은 두 점 P, P'을 이은 선분의 중점이므로

$\dfrac{2+a}{2}=4$, $\dfrac{-1+b}{2}=0$ ∴ $a=6$, $b=1$

따라서 구하는 점의 좌표는 $(6, 1)$이다.

091 답 $(8, -5)$

점 $P(2, -1)$을 점 $(5, -3)$에 대하여 대칭이동한 점의 좌표를 $P'(a, b)$라고 하면 점 $(5, -3)$은 두 점 P, P'을 이은 선분의 중점이므로

$\dfrac{2+a}{2}=5$, $\dfrac{-1+b}{2}=-3$

∴ $a=8$, $b=-5$

따라서 구하는 점의 좌표는 $(8, -5)$이다.

092 답 $(-4, 13)$

점 $P(2, -1)$을 점 $(-1, 6)$에 대하여 대칭이동한 점의 좌표를 $P'(a, b)$라고 하면 점 $(-1, 6)$은 두 점 P, P'을 이은 선분의 중점이므로

$\dfrac{2+a}{2}=-1$, $\dfrac{-1+b}{2}=6$

∴ $a=-4$, $b=13$

따라서 구하는 점의 좌표는 $(-4, 13)$이다.

093 답 -4, b, b, -4, 10, 2, 0, 4, -2, 4, -2

094 답 $(2, 4)$

점 $P(-4, 2)$를 직선 $y=-3x$에 대하여 대칭이동한 점의 좌표를 $P'(a, b)$라고 하면

(i) 선분 PP'의 중점이 직선 $y=-3x$ 위에 있다.

점 $\left(\dfrac{-4+a}{2}, \dfrac{2+b}{2}\right)$가 직선 $y=-3x$ 위의 점이므로

$\dfrac{2+b}{2}=-3\times\dfrac{-4+a}{2}$

∴ $3a+b=10$ ······ ㉠

(ii) 직선 PP'은 직선 $y=-3x$에 수직이다.

$\dfrac{b-2}{a+4}\times(-3)=-1$

∴ $a-3b=-10$ ······ ㉡

㉠, ㉡을 연립하여 풀면 $a=2$, $b=4$

따라서 구하는 점의 좌표는 $(2, 4)$이다.

095 답 $(0, -2)$

점 $P(-4, 2)$를 직선 $y=x+2$에 대하여 대칭이동한 점의 좌표를 $P'(a, b)$라고 하면

(i) 선분 PP'의 중점이 직선 $y=x+2$ 위에 있다.

점 $\left(\dfrac{-4+a}{2}, \dfrac{2+b}{2}\right)$가 직선 $y=x+2$ 위의 점이므로

$\dfrac{2+b}{2}=\dfrac{-4+a}{2}+2$

∴ $a-b=2$ ······ ㉠

(ii) 직선 PP'은 직선 $y=x+2$에 수직이다.

$\dfrac{b-2}{a+4}\times1=-1$

∴ $a+b=-2$ ······ ㉡

㉠, ㉡을 연립하여 풀면 $a=0$, $b=-2$

따라서 구하는 점의 좌표는 $(0, -2)$이다.

096 답 (0, 4)

점 $P(-4, 2)$를 직선 $y=-2x-1$에 대하여 대칭이동한 점의 좌표를 $P'(a, b)$라고 하면

(i) 선분 PP'의 중점이 직선 $y=-2x-1$ 위에 있다.

점 $\left(\dfrac{-4+a}{2}, \dfrac{2+b}{2}\right)$가 직선 $y=-2x-1$ 위의 점이므로

$\dfrac{2+b}{2}=-2\times\dfrac{-4+a}{2}-1$

$\therefore 2a+b=4$ ...... ㉠

(ii) 직선 PP'은 직선 $y=-2x-1$에 수직이다.

$\dfrac{b-2}{a+4}\times(-2)=-1$

$\therefore a-2b=-8$ ...... ㉡

㉠, ㉡을 연립하여 풀면 $a=0$, $b=4$

따라서 구하는 점의 좌표는 $(0, 4)$이다.

097 답 (12, -2)

점 $P(-4, 2)$를 직선 $y=4x-16$에 대하여 대칭이동한 점의 좌표를 $P'(a, b)$라고 하면

(i) 선분 PP'의 중점이 직선 $y=4x-16$ 위에 있다.

점 $\left(\dfrac{-4+a}{2}, \dfrac{2+b}{2}\right)$가 직선 $y=4x-16$ 위의 점이므로

$\dfrac{2+b}{2}=4\times\dfrac{-4+a}{2}-16$

$\therefore 4a-b=50$ ...... ㉠

(ii) 직선 PP'은 직선 $y=4x-16$에 수직이다.

$\dfrac{b-2}{a+4}\times4=-1$

$\therefore a+4b=4$ ...... ㉡

㉠, ㉡을 연립하여 풀면 $a=12$, $b=-2$

따라서 구하는 점의 좌표는 $(12, -2)$이다.

098 답 6, -4, B'P, B'P, B'P, $6\sqrt{2}$

099 답 5

점 B를 x축에 대하여 대칭이동한 점을 B'이라고 하면
$B'(1, -1)$

$\overline{BP}=\overline{B'P}$이므로
$\overline{AP}+\overline{BP}=\overline{AP}+\overline{B'P}$

오른쪽 그림과 같이 점 P가 선분 AB' 위의 점일 때, $\overline{AP}+\overline{B'P}$의 값이 최소이므로
$\overline{AP}+\overline{BP}=\overline{AP}+\overline{B'P}\geq\overline{AB'}$

따라서 $\overline{AP}+\overline{BP}$의 최솟값은 선분 AB'의 길이와 같으므로
$\overline{AB'}=\sqrt{4^2+(-3)^2}=5$

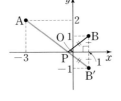

100 답 10

점 B를 x축에 대하여 대칭이동한 점을 B'이라고 하면
$B'(2, 3)$

$\overline{BP}=\overline{B'P}$이므로 $\overline{AP}+\overline{BP}=\overline{AP}+\overline{B'P}$

오른쪽 그림과 같이 점 P가 선분 AB' 위의 점일 때, $\overline{AP}+\overline{B'P}$의 값이 최소이므로
$\overline{AP}+\overline{BP}=\overline{AP}+\overline{B'P}\geq\overline{AB'}$

따라서 $\overline{AP}+\overline{BP}$의 최솟값은 선분 AB'의 길이와 같으므로
$\overline{AB'}=\sqrt{6^2+8^2}=10$

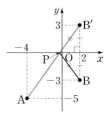

101 답 $3\sqrt{5}$

점 B를 y축에 대하여 대칭이동한 점을 B'이라고 하면
$B'(-2, 5)$

$\overline{BP}=\overline{B'P}$이므로
$\overline{AP}+\overline{BP}=\overline{AP}+\overline{B'P}$

오른쪽 그림과 같이 점 P가 선분 AB' 위의 점일 때, $\overline{AP}+\overline{B'P}$의 값이 최소이므로
$\overline{AP}+\overline{BP}=\overline{AP}+\overline{B'P}\geq\overline{AB'}$

따라서 $\overline{AP}+\overline{BP}$의 최솟값은 선분 AB'의 길이와 같으므로
$\overline{AB'}=\sqrt{(-3)^2+6^2}=3\sqrt{5}$

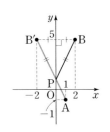

102 답 13

점 B를 y축에 대하여 대칭이동한 점을 B'이라고 하면
$B'(5, 2)$

$\overline{BP}=\overline{B'P}$이므로
$\overline{AP}+\overline{BP}=\overline{AP}+\overline{B'P}$

오른쪽 그림과 같이 점 P가 선분 AB' 위의 점일 때, $\overline{AP}+\overline{B'P}$의 값이 최소이므로
$\overline{AP}+\overline{BP}=\overline{AP}+\overline{B'P}\geq\overline{AB'}$

따라서 $\overline{AP}+\overline{BP}$의 최솟값은 선분 AB'의 길이와 같으므로
$\overline{AB'}=\sqrt{12^2+5^2}=13$

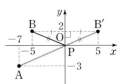

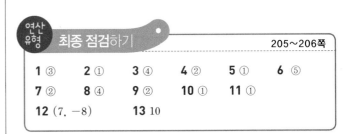

연산유형 **최종 점검하기**

205~206쪽

1	③	2	①	3	④	4	②	5	①	6	⑤
7	②	8	④	9	②	10	①	11	①		
12	$(7, -8)$			13	10						

1 $(a, 2) \rightarrow (a+2, 2-1)$

$\therefore (a+2, 1)$

이 점이 점 $(1, b)$이므로

$a+2=1$, $1=b$ $\therefore a=-1$, $b=1$

$\therefore a+b=0$

2 주어진 평행이동은 x축의 방향으로 -3만큼, y축의 방향으로 -2만큼 평행이동하는 것이므로

$(-2, 7) \rightarrow (-2-3, 7-2)$

$\therefore (-5, 5)$

3 $y=2x^2-x+3$에서 x 대신 $x-4$를, y 대신 $y+3$을 대입하면

$y+3=2(x-4)^2-(x-4)+3$

$\therefore y=2x^2-17x+36$

따라서 $a=-17$, $b=36$이므로

$a+b=19$

4 주어진 평행이동은 x축의 방향으로 -5만큼, y축의 방향으로 9만큼 평행이동하는 것이다.

$(x-2)^2+(y+3)^2=25$에서 x 대신 $x+5$를, y 대신 $y-9$를 대입하면

$(x+5-2)^2+(y-9+3)^2=25$

$\therefore (x+3)^2+(y-6)^2=25$

5 $4x-y+5=0$에서 x 대신 $x-a$를, y 대신 $y+1$을 대입하면

$4(x-a)-(y+1)+5=0$

$\therefore 4x-y-4a+4=0$

이 직선이 원점을 지나므로 $x=0$, $y=0$을 대입하면

$-4a+4=0$, $-4a=-4$

$\therefore a=1$

6 점 $(-3, 2)$를 y축에 대하여 대칭이동하면

$(3, 2)$

이 점이 직선 $y=x+k$ 위의 점이므로

$2=3+k$

$\therefore k=-1$

7 점 $(4, -5)$를 평행이동하면

$(4, -5) \rightarrow (4-6, -5+5)$

$\therefore (-2, 0)$

이 점을 다시 원점에 대하여 대칭이동하면

$(2, 0)$

8 포물선 $y=x^2-3x+1$을 원점에 대하여 대칭이동하면

$-y=(-x)^2-3\times(-x)+1$

$\therefore y=-x^2-3x-1$

이 포물선이 점 $(-1, k)$를 지나므로

$k=-(-1)^2-3\times(-1)-1=1$

9 원 $x^2+y^2-2x+4y+1=0$을 x축에 대하여 대칭이동하면

$x^2+(-y)^2-2x+4\times(-y)+1=0$

$\therefore x^2+y^2-2x-4y+1=0$

이 원을 다시 직선 $y=x$에 대하여 대칭이동하면

$y^2+x^2-2y-4x+1=0$

$\therefore x^2+y^2-4x-2y+1=0$

따라서 $a=-4$, $b=-2$이므로

$a-b=-4+2=-2$

10 직선 $3x+2y-4=0$을 x축에 대하여 대칭이동하면

$3x+2\times(-y)-4=0$

$\therefore 3x-2y-4=0$

이 직선을 다시 x축의 방향으로 4만큼, y축의 방향으로 -3만큼 평행이동하면

$3(x-4)-2(y+3)-4=0$

$\therefore 3x-2y-22=0$

따라서 이 직선의 y절편은 -11이다.

11 점 $(a, 2)$를 점 $(2, 3)$에 대하여 대칭이동한 점의 좌표가 $(9, b)$이므로 두 점 $(a, 2)$와 $(9, b)$를 이은 선분의 중점의 좌표가 점 $(2, 3)$이다.

$\dfrac{a+9}{2}=2$, $\dfrac{2+b}{2}=3$

$\therefore a=-5$, $b=4$

$\therefore ab=-20$

12 점 $\mathrm{P}(-3, 2)$를 직선 $y=x-5$에 대하여 대칭이동한 점의 좌표를 $\mathrm{P}'(a, b)$라고 하면

(i) 두 점 $\mathrm{P}(-3, 2)$와 $\mathrm{P}'(a, b)$를 이은 선분의 중점이 직선 $y=x-5$ 위에 있다.

점 $\left(\dfrac{-3+a}{2}, \dfrac{2+b}{2}\right)$가 직선 $y=x-5$ 위의 점이므로

$\dfrac{2+b}{2}=\dfrac{-3+a}{2}-5$

$\therefore a-b=15$ ...... ㉠

(ii) 직선 PP'은 직선 $y=x-5$에 수직이다.

$\dfrac{b-2}{a+3}\times1=-1$

$\therefore a+b=-1$ ...... ㉡

㉠, ㉡을 연립하여 풀면 $a=7$, $b=-8$

따라서 구하는 점의 좌표는 $(7, -8)$이다.

13 점 B를 y축에 대하여 대칭이동한 점을 B'이라고 하면

$\mathrm{B}'(-7, 0)$

$\overline{\mathrm{BP}}=\overline{\mathrm{B}'\mathrm{P}}$이므로

$\overline{\mathrm{AP}}+\overline{\mathrm{BP}}=\overline{\mathrm{AP}}+\overline{\mathrm{B}'\mathrm{P}}$

오른쪽 그림과 같이 점 P가 선분 AB' 위의 점일 때, $\overline{\mathrm{AP}}+\overline{\mathrm{B}'\mathrm{P}}$의 값이 최소이므로

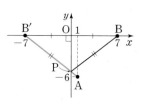

$\overline{\mathrm{AP}}+\overline{\mathrm{BP}}=\overline{\mathrm{AP}}+\overline{\mathrm{B}'\mathrm{P}}\geq\overline{\mathrm{AB}'}$

따라서 $\overline{\mathrm{AP}}+\overline{\mathrm{BP}}$의 최솟값은 선분 AB'의 길이와 같으므로

$\overline{\mathrm{AB}'}=\sqrt{(-8)^2+6^2}=10$

· MEMO ·

· MEMO ·